CW00850695

ELLEN MAIER

Die Schmiede der schwarzen Seelen

ELLEN MAIER

Die Schmiede der schwarzen Seelen

Psychothriller

Bibliografische Information der Deutschen Nationalbibliothek:
Die Deutsche Nationalbibliothek verzeichnet diese Publikation in der Deutschen Nationalbibliografie; detaillierte bibliografische Daten sind im Internet über http://dnb.dnb.de abrufbar.

© 2022 Ellen Maier / www.maiers-soulfood.de

Lektorat: Julia Schoch-Daub / www.federundflammelektorat.com
Korrektorat: Julia Schoch-Daub
Satz: Ellen Maier
Cover-Illustration: Petra Kerstin Lober / Instagram: @pkl_amilia_
Umschlaggestaltung: Ellen Maier

Die Autorin ist Mitglied im Selfpublisher-Verband e.V.

Herstellung und Verlag: BoD – Books on Demand, Norderstedt

ISBN: 978-3-7557-9229-1

Dieses Buch ist auch als E-Book erhältlich.

Für meine zauberhaften Kinder,
Malina & Elias.

Für alle Kinder und Kindeskinder auf dieser Erde.
Möget Ihr respektvoll und auf Augenhöhe die
Unternehmenswelt zu einem menschlichen und wertvollen Ort
des Miteinanders gestalten.

Und für meinen größten Kritiker mit Herz:
Meinen Mann, Tobi.

Wenn du denkst, dass du bisher schon alles gesehen hast,

dann stell dich darauf ein,

dass du noch dem Teufel begegnen wirst.

München, im Juli 2021

PROLOG

Denn der Teufel kommt zu euch hinab und hat einen
großen Zorn und weiß, dass er wenig Zeit hat.
(Offenbarung 12,12, LU)

Der künstliche Nagel der Frau berührte vorsichtig den
silberfarbenen, quadratischen Knopf auf der rechten Seite der
Fahrstuhltür. Während sie wartete, fiel ihr auf, dass es nur diesen
einen Druckknopf gab, der ausschließlich mit einem nach unten
zeigenden Pfeil versehen war.

Das Geräusch des nahenden Aufzugs klang in ihren Ohren wie
eine Art Melodie, eine Violine strich zart über ihre Saiten. Die
Frau hatte das Gefühl, diese Melodie schon einmal gehört zu
haben, aber sie kam nicht mehr dazu, darüber nachzudenken.
Denn plötzlich schob sich die Tür nach rechts auf und gab den
Blick auf die vollverspiegelten Flächen frei.

Zaghaft trat sie ein, was so gar nicht ihrer Art entsprach. Aber die
Unwissenheit dessen, was sie gleich erwarten würde, weckte ihre
Urängste und ließ sie beide Hände wie zu einem Gebet
zusammenfalten.

Sie schaute zuerst nach links und wich erschrocken zurück, denn ihr Blick fiel auf das Gesicht einer fast 50 Jahre alten Frau, die jedoch wesentlich älter aussah.

´Verlebt`, würde ihre Mutter jetzt sagen.

Die Haare hingen fettig und strähnig in ihr Gesicht, und Falten auf der Stirn zogen sich bedrohlich zusammen.

Langsam schloss sich wieder die Tür, und dann passierte sehr lange nichts.

Die Violine war verschwunden, um sie herum war nur Stille.

Die Frau schaute an ihrem Oberkörper herab. Ihr fiel auf, dass ihre Pumps altmodischer schienen, als sie bisher dachte. Sie wirkten klobig und stillos, fast wie aus der Zeit gefallen, und legten den Blick auf ihre strammen Waden frei, die in fleischfarbene Nylonstrümpfe gepresst waren.

Mit einem Schlag raste der Fahrstuhl in die Tiefe. Das Herz der Frau pochte, die Lungen weiteten sich und ihre linke Hand krallte sich so stark in den eigenen Oberschenkel, dass einer ihrer künstlichen Nägel abbrach.

Mama, bitte hilf mir, schrie sie innerlich – wohlwissend, dass sie auch diesmal keine Unterstützung erwarten konnte.

Die Spiegel klirrten und schienen fast zu zerspringen. Das Licht flackerte und wehrte sich dagegen, im nächsten Augenblick auszugehen, da knallte der Aufzug mit einem ohrenbetäubenden Lärm auf dem Boden auf.

Stille.

Leise öffnete sich die Tür und vor der Frau lag ein langer Gang. In einem Abstand von jeweils einem Meter gaben sich eine Neonröhre nach der anderen die Hand. Die Wände waren aus dem gleichen Material wie der Boden und wiesen einen granitähnlichen Glitzer auf.

Am Ende des Ganges schien ein Raum zu sein. Man konnte ihn nur erahnen, denn ein eigenartiger Sog in seine Richtung wirkte auf die Frau.

Sie stand vom Boden auf und strich sich verängstigt mit ihren Händen durch die vollkommen zerrupften Haare, dann trat sie auf den grauen, steinernen Boden. Vorsichtig und kontrolliert ging sie einen Schritt nach dem anderen.

Leise Stimmen begleiteten jeden ihrer Atemzüge, aber außer einem Flüstern konnte man keine genauen Worte heraushören.

Und auf einmal war er wieder da.

Der mystische Klang einer Solovioline, die voller Leidenschaft das Intermezzo „Méditation" aus der Oper „Thaïs" von Jules Massenet spielte. Die Melodie passte so gar nicht in diesen endlosen, kalten Gang. Sie versprühte jedoch so viel Hingabe und Schmerz, dass der Frau von der einen auf die andere Sekunde heiße Tränen über ihre runden Wangen rannen. Sie wusste nun auch, woher sie dieses Stück kannte.

Es war die Erinnerung an ihre Kindheit voller Leid und Schmerz, Angst und Qual, Einsamkeit und ohne einen Funken wahrer Liebe.

Ihre Schritte wurden trotz ihres inneren Schmerzes fester und bestimmter. Nur noch wenige Meter trennten die Frau von dem Raum, und bevor sie eintrat, fiel ihr Blick auf eine elektronische Temperaturanzeige:

8 Grad Celsius.

Der schwere, polyesterähnliche und billig wirkende Stoff ihres dunkelblauen Kostüms konnte nicht verhindern, dass sich die Härchen an den Unterarmen aufstellten.

Sie trat über die Schwelle und vor ihr offenbarte sich ein Hörsaal, dessen Sitzreihen pyramidenförmig nach oben verliefen. Auf jedem dritten Platz saß eine Person, und von hinten betrachtet waren die Hälfte der Anwesenden Frauen, die andere Männer.

Geschlechtergleichheit, – wie außergewöhnlich, dachte sie für den Bruchteil einer Sekunde.

„Frau Doktor Beck, seien Sie gegrüßt und treten Sie näher."

Die Stimme an der Frontseite des Hörsaals kam wie aus dem Nichts. Sie war unheimlich, dunkel, kratzig und mit einem unüberhörbaren Hauch von Verachtung versehen.

Nachdem diese gesprochen hatte, drehte sich der ganze Saal zu der Frau um.

Die Gesichter der Menschen waren leer.

„Frau Doktor Doris Beck."

Der akademische Titel vor ihrem Vornamen wurde durch die männliche Stimme stakkatoartig und mit einer gewissen Vehemenz ausgesprochen.

„Nehmen Sie bitte Platz. Wie war denn Ihr Tag so?"

* * *

KAPITEL 1

Juli 1978

Und wir haben erkannt und geglaubt die Liebe,
die Gott zu uns hat. Gott ist die Liebe; und wer in der Liebe
bleibt, der bleibt in Gott und Gott in ihm.

(1. Johannes 4,16, LU)

Die beiden Blaumeisen zwitscherten bereits seit den frühen
Morgenstunden ihre Lieder, als das kleine Mädchen, geküsst von
den warmen Sonnenstrahlen, langsam seine Augen öffnete.

Es blickte, wie jeden Morgen, auf die beigefarbenen, hauchdünnen
Leinenvorhänge. Sie mochte diesen Anblick, denn die beiden
schienen gemeinsam einen Pas de deux zu tanzen. Der sanfte
Luftzug, der aus dem gekippten Fenster strömte, ließ sie sich
aufrichten, aneinanderschmiegen und wieder voneinander
entfernen.

*Wie es wohl wäre, ein Vorhang zu sein so leicht, grazil und von allen
bewundert,* dachte sich das Mädchen.

Seit einem Jahr ging es in die Ballettschule am Ende eines
beschaulichen Münchner Vorortes. Einige Kilometer vor den
Toren zur „wahren Schickeria" entfernt, sagte immer seine

Mutter. Und wenn sie von dieser Schickeria sprach, dann einerseits voller unerfüllter Sehnsucht. Andererseits mit einem unausgesprochenen Zorn, der weiter zurücklag als die Tatsache, vor zwanzig Jahren den Falschen geheiratet zu haben.

Langsam rollte sich das kleine Mädchen nach links, und als es sich an der Bettkante aufrichtete, berührten seine Zehenspitzen den hellgrauen Teppichboden.

Die Zimmertür wurde mit einem kräftigen Ruck geöffnet und die Klinke schlug in die bereits mit zahlreichen Einbuchtungen versehene Zimmerwand ein. Die beiden Vorhänge blähten sich durch den Luftzug zu einem überdimensionalen Bauch auf.

„Doris, verdammt noch mal, wie oft habe ich dir gesagt, dass ich samstags deine Hilfe brauche. Und du? Was tust du? Starrst Löcher in die Luft oder was?"

Ihre Stimme war schrill und laut, wie jeden Samstag. Und wie jeden Samstag hatte die Fünfjährige nicht die notwendige Kraft, um aufzustehen und das zu tun, was ihre Mutter von ihr erwartete.

Das Gesicht der Frau kam bedrohlich nahe an ihres, und sie bemerkte den Geruch von abgestandenem Alkohol. Sie schaute angsterfüllt in die Augen ihrer Mutter und verspürte für den Bruchteil einer Sekunde ein warmes Gefühl von Geborgenheit und Liebe.

Da knallte eine harte Ohrfeige auf ihre linke Wange und Doris schrie vor Schmerz auf.

Ohne ein Wort zu sagen, verließ die Mutter das Zimmer und stolperte aus dem Nebenraum auf die Terrasse.

*

Als sie auf ihren kleinen Marienkäfer-Wecker schaute, war es kurz vor drei Uhr nachmittags. Doris riss ihre Augen auf und sprang aus dem Bett.

Wie um Himmelswillen hatte sie nur so lange schlafen können? Sie musste nach dem Ereignis von heute Morgen erschöpft gewesen sein.

Vorsichtig wagte sie einen Blick in den rosafarbenen Handspiegel, der auf einem Schemel neben ihrem Bett lag, und zwei verquollene Augen schauten sie an. Die Wimpern waren teilweise aneinandergeklebt, und auf der rechten Backe hatte das Kissen einen tiefen Abdruck hinterlassen. Die Linke war durch die Ohrfeige noch leicht gerötet.

Doris blickte erneut zum Marienkäfer und im nächsten Moment rutschte ihr Herz drei Etagen tiefer.

Die Ballettaufführung!

„Mädchen, seid bitte alle um halb vier in der Turnhalle", hatte Claudia am Mittwoch nach der Stunde zu allen gesagt. „Selbstverständlich mit ordentlich gemachter Frisur, weißer Strumpfhose und weißem Trikot."

Hastig griff das Mädchen zum Kamm und versuchte, damit durch ihre blonden, strohigen Haare zu kommen. Sie hatte sie bereits seit einer Woche nicht mehr gewaschen. Morgen war Badetag. Da würde sich ihre Mutter um sie kümmern, hatte sie zumindest versprochen.

Den rosafarbenen Haargummi in der linken, den Kamm in der rechten Hand, versuchte sie so gut wie möglich, einen Pferdeschwanz nach oben zu zwirbeln. Kaum hatte sie jedoch die eine Seite ihres Oberkopfes im Griff, fielen die Haare auf der anderen Seite wieder herunter und klebten strähnig über einer Augenbraue.

„Mama, bitte hilf mir!", flüsterte Doris leise, aber die Tür zu ihrem Kinderzimmer öffnete sich nicht.

Wie sie es geschafft hatte, wusste sie nicht mehr. Aber einige Minuten später trat sie mit einer schiefen Turmfrisur auf die Terrasse des Reihenhauses.

Gelblich verfärbte Grasbüschel ragten aus dem lehmigen Boden heraus. Ihre Mutter betätigte mit der rechten Hand einen

Rasenmäher, in der linken hielt sie einen halb vollen Weinrömer mit grünem Fuß.

„Schatz, wie schaust du denn aus?", lallte sie, als sie Doris wahrnahm.

Doris klammerte sich an das dünne Hanfseil ihres Turnbeutels und rannte, ohne sich noch einmal umzudrehen, auf die Straße.

* * *

KAPITEL 2

November 2019

Da sprach Jesus zu ihm; Stecke dein Schwert an seinen Ort! denn
wer das Schwert nimmt, der soll durchs Schwert umkommen.
(Matthäus 26,52, LU)

Es war halb sechs Uhr morgens.

Ana Lazars Pupillen sprangen hektisch hin und her, als sie
versuchte, die Umrisse aller Bäume zu erfassen, welche am
Fenster der S-Bahn vorbeiflogen.

Ihr Weg zur Arbeit dauerte 90 Minuten, einmal quer vom Westen
in den Osten Münchens. Nur freitags durfte sie von zu Hause
arbeiten.

„Heimarbeit", wie es ihr Vorgesetzter nannte.

„Sei doch froh, Ana", hatte eine Woche zuvor ihre Freundin
Valeria gesagt, als sie sich zu ihrem monatlichen Mädelsabend
getroffen hatten.

„Besser einmal als keinmal. Bestimmt denkt der Kerl, dass du in
deinem ‚Heim' nichts anderes tust, als dir die Fingernägel zu
lackieren und eine Waschmaschine nach der anderen zu befüllen.

Zwischendurch schälst du natürlich ein paar Äpfelchen und Möhrchen. Ist doch so, oder?"

„Ups. Erwischt!", stimmte Ana lachend zu.

„Im Ernst, Valli, der Typ wird von Tag zu Tag derber. Ich frage mich immer öfter, wie denn wohl seine Kindheit war. Na ja, und von Selbstreflexion ist bei ihm weit und breit keine Spur."

„Schatzi, welcher Chef macht das schon?", entgegnete Valeria und nahm seufzend einen kräftigen Schluck aus dem pinkfarbenen Sektglas.

„Einen wunderschönen guten Morgen. Die Fahrkarte bitte."

Ana schreckte hoch, kramte ihren Geldbeutel hervor und griff nach ihrer Monatskarte.

Nachdem der Schaffner wieder gegangen war, kuschelte sie sich in ihren zimtfarbenen, knielangen Lammfellmantel, in welchen sie vom ersten Augenblick an verliebt war.

So wie in Victor.

Er hatte Ana das Prachtstück vor zehn Jahren geschenkt, kurz vor der Geburt ihrer gemeinsamen Tochter.

„Damit du dich noch mehr auf die Zeit freuen kannst, wenn er wie angegossen passt", hatte er damals mit einem sanften Lächeln gesagt, von hinten seine Arme um sie geschlungen und über den Babybauch gestreichelt.

Elf Monate nach Zoes Geburt fand ihn Ana eines Nachmittags in ihrem Schlafzimmer – stranguliert am Karabinerhaken, an dem normalerweise der Boxsack hing.

*

Es klopfte an Anas Bürotür.

Als Personalleiterin der Gebäudereinigung WALTmann & Söhne wusste sie, wer das um halb sieben nur sein konnte:

Ihr Kollege Winfried. Er kam oft um die Uhrzeit vorbei, damit niemand etwas mitbekam – zu viel würde hinter vorgehaltener Hand getuschelt werden. Denn wer zur Personalleitung ging, hatte irgendein Problem.

„Meine Mutter liegt im Sterben."

„Oh Gott, Winfried. Das tut mir so unendlich leid. Warum bist du dann hier im Büro und nicht bei ihr?"

Ana schluckte und ihr Herz fing an, schneller zu schlagen. Sie wusste, was er antworten würde.

„‚Reiß dich am Riemen', hat dieses Arschloch zu mir gesagt, Ana. Am Riemen solle ich mich reißen und den Auftrag professionell zu Ende bringen."

Die Tränen rollten über das Gesicht des Mannes, dessen Haut über die Jahre durch Sonne und Stress gegerbt war.

„Weißt du, Ana, meine Mama liegt in einem Hospiz. Ich sollte bei ihr sein. Aber ich komme nicht dazu. Weil mich dieser Wichser zweimal in der Stunde anruft und fragt, wie weit ich denn sei. Der Kunde würde warten. Er würde sich beschweren. Ana, warum tue ich mir das eigentlich seit so vielen Jahren an? Für was? Für wen? Für einen Furz von Kohle? Scheiße, ich bin so bescheuert!"

Winfrieds Nase triefte, seine Stimme überschlug sich und seine Wortwahl wurde von Satz zu Satz obszöner. Aber Ana störte das nicht. Sie konnte sich vorstellen, wie sich ihr Kollege gerade fühlte, denn seit Monaten verspürte auch sie Abscheu und Ekel vor dem Geschäftsführer Henry van der Walt.

Sie streckte Winfried über den massiven Schreibtisch ihre Hand entgegen, er ergriff sie sofort und beide fühlten sich in diesem Moment einander verbunden.

Plötzlich hörten sie auf dem Gang einen lauten Knall.

Jemand kam schnellen Schrittes auf Anas Büro zu. Ruckartig lösten beide ihre Hände aus der Umklammerung und Winfried sprang vom Stuhl hoch.

Die Tür ging mit einem Schlag auf und van der Walt stand mit hochrotem Kopf vor ihnen.

„Äh, Winfried, was machst du hier? Ich habe dich schon überall gesucht. Wir zwei, wir waren uns einig, oder? Ich weiß nicht, wie oft ich dir verdammt noch mal gesagt habe, dass wir immer alles für unsere Kunden möglich machen. Und wenn ich sage ‚immer‘, Winfried, dann meine ich das auch so!"

Van der Wart katapultierte sich in einen ekstatischen Rausch aus Übertreibung und Demütigung.

„Steht das Gespräch mit Winfried in Ihrem Kalender, Frau Lazar? Das werde ich gleich mal im Nachgang überprüfen. Einfach mal so spontan ein Pläuschchen halten, oder was? Schaffen sollt ihr, nicht quatschen! Gierig seid ihr, aber Däumchen drehen, das macht ihr am liebsten. Bloß nicht unnötig den süßen Hintern aufreißen. Soll der van der Walt doch blechen. Ne, ne, ne, nicht mit mir, hört ihr?"

Dann platzte Winfried endgültig der Kragen.

„Wissen Sie, was Sie sind, Chef? Ein riesengroßes Arschloch vorm Herrn!"

*

Eine halbe Stunde später stand Ana in der überdachten Raucherecke vor dem Unternehmensgebäude und zog hastig an ihrer bereits zweiten Zigarette.

Die Bilder von der Situation in ihrem Büro flackerten wie in einem schlechten Hollywoodfilm vor ihrem inneren Auge. Winfried würde nach dem heutigen Tag für immer ihr Held bleiben. Auch wenn er ein gefallener Held war, denn den Geschäftsführer so zu bezeichnen und im nächsten Atemzug das Zimmer zu verlassen, hatte unweigerlich die fristlose Kündigung nach sich gezogen.

Die Zigarette hatte sie fast weggeraucht, aber Ana zog noch einmal an ihr und spürte dabei einen stechenden Schmerz an den Fingerkuppen.

Als sie van der Walts Büro im ersten Stock betrat, saß dieser breitbeinig in seinem roten Ledersessel. Das weiße Poloshirt zwängte seinen unappetitlich großen Bauch ein.

„Tür zu, Lazar", fuhr sie van der Walt barsch an.

„Und jetzt erklären Sie mir mal, wie es eigentlich sein kann, dass ich hier nur von Vollpfosten umgeben bin? Wie kann es sein, dass sich ein minderbemittelter Arbeiter mit Hauptschulabschluss aufführt, als wäre er Gott? Wie kann es sein, dass er allen Ernstes denkt, dass ich ihn nicht rausschmeiße? Wie einen nassen Waschlappen werde ich das tun. Also, Frau Lazar: Fristlose Kündigung ausstellen. Aber eine Frage müssen Sie mir noch beantworten."

Ana schluckte.

Sollte sie ihm im gleichen Atemzug die eigene Kündigung mit auf den Tisch legen?

Der passende Moment war jedoch noch nicht gekommen, die Verantwortung ihrer Tochter gegenüber zu groß.

Am liebsten würde ich dich mit deinem ganzen Scheiß sitzen lassen, du Vollhorst!

„Sie sind doch dankbar, bei mir arbeiten zu dürfen, oder Frau Lazar?"

Ana hörte, wie der Sekundenzeiger der Bahnhofsuhr in van der Walts Büro Stück für Stück weitersprang.

* * *

KAPITEL 3

Mai 1965

Jesus spricht zu ihm: Ich bin der Weg und die Wahrheit und das
Leben; niemand kommt zum Vater denn durch mich.

(Johannes 14,6, LU)

Aus dem staubigen Transistorradio, welches auf einer mit bunten
Mosaiksteinen verzierten Steintreppe stand, stimmte die rauchige
Stimme von Adriano Celentano seinen Song „Azzuro" an.

Ein Pärchen saß mit seinen beiden Söhnen vor einem kleinen
Restaurant am Hafen von Terrasini. Es war acht Uhr abends. Die
Sonne ging langsam am Horizont unter und ein Flugzeug erhob
sich von dem nur wenige Kilometer entfernten Palermo in den
Himmel.

„Vater, wohin fliegt der wohl?", fragte der ältere Junge.

„Hm, ich glaube nach Deutschland."

Die Familie beobachtete so lange den Flieger, bis er hinter den
Schleierwolken verschwunden war.

„Warum kommen wir eigentlich jeden Sommer hierher?"

Die Worte des Jüngeren klangen anklagend und traurig, denn er verband mit diesem Ort keine schönen Erinnerungen.

„Warum wir das tun, Henry?"

Martin van der Walts Wangen röteten sich, und die Zornesfalte zwischen seinen buschigen Augenbrauen wurde tiefer. Er holte kurz Luft, wollte antworten, da stand plötzlich der Kellner an ihrem Tisch.

„Allora, per chi è la pizza con tonno? Wer hat die Pizza mit Thunfisch bestellt?"

„Rob, das ist deine."

Van der Walt deutete auf den Zehnjährigen. Er strahlte über beide Backen und streckte freudig seine Hände nach dem überdimensionalen Teller aus.

„Und die Pizza Rossa?"

Henry nickte zaghaft. Er bestellte an diesem für ihn unheimlichen Ort immer das Gleiche, denn der Duft von reifen, warmen Tomaten gab ihm ein Gefühl von Sicherheit.

„Spaghetti con le cozze für dich, Martin. Und der Salat mit Meeresfrüchten für dich, Angelika. Buon appetito."

„Danke, Roberto!", antwortete van der Walt, zwinkerte ihm zu, und Henry lief ein leichten Schauer über seinen kleinen Rücken.

Was verheimlichen die beiden?, ging es ihm durch den Kopf.

Während des Abendessens sprach keiner. Jeder aß vertieft und war froh, dem Oberhaupt der Familie keine Rechenschaft schuldig zu sein.

Angelika blickte verstohlen zu ihren beiden Jungs.

Die Zwei sind viel zu schnell groß geworden.

Sie schaute zu Martin van der Walt. Bei jedem Nudelhaufen, den er sich in den Mund stopfte, triefte das Olivenöl aus seinen Mundwinkeln in den grau melierten Bart. Ab und an bediente er sich einer weißen Stoffserviette und wischte sich mit ihr über die Lippen.

Warum nur lässt du das seit so vielen Jahren zu?, fragte sich Angelika.

Van der Walts harte Stimme durchbrach die Stille:

„Ach, Henry, um auf deine Frage von vorhin zurückzukommen. Wir kommen seit vielen, vielen Jahren nach Sizilien, weil euer Vater hier für unser Familieneinkommen sorgt."

Der Fünfjährige schaute ihn mit großen Augen an.

„Aber du bist doch Maurer, Vater", erwiderte Henry.

Van der Walt lachte rau.

„Richtig, aber um dir, deinem Bruder und deiner gierigen Mutter mehr als nur eine Pizza kaufen zu können, braucht es das eine oder andere zusätzliche Geschäft."

*

Ein warmer Windhauch ging durch das angelehnte Fenster des verdunkelten Raumes, in welchem Henry auf einem Klappbett schlief. Durch das leichte Knarzen der Tür wachte er auf und seine Augen starrten an die Decke.

Der weiße Ventilator, der ihn an einen Hubschrauber erinnerte, war umgeben von einer steinernen Rosette, und er war zum Stillstand gekommen.

Wahrscheinlich schon wieder ein Stromausfall.

Die Hand, die unter dem Bettlaken an seinem Oberschenkel entlangwanderte, ließ Henry erschrocken nach links blicken.

Sein Vater kniete am Bettrand und näherte sich mit seinem Gesicht dem kleinen Unterkörper. Er drehte den Kopf nach oben und schaute den Jungen an:

„Sei einfach nur leise, hast du mich verstanden? Dann passiert dir auch nichts."

Van der Walt zog das Laken langsam zur Bettkante hinunter, sein Atem wurde begleitet von einem leisen Stöhnen.

Henrys Unterhose glitt über die Beine bis hin zu seinen Füßen und fiel auf den Boden.

Er wusste, was als Nächstes passieren würde.

Einige Male hatte er es zu Hause heimlich beobachtet, als er an Robs Kinderzimmer vorbeigegangen war.

Und deshalb war ihm bewusst, dass das die Nacht werden würde, in der seine Seele anfing, schwarz zu werden.

* * *

KAPITEL 4

Februar 2003

Denn siehe, alle Seelen sind mein; des Vaters Seele ist sowohl
mein als des Sohnes Seele. Welche Seele sündigt, die soll sterben.

(Hesekiel 18,4, LU)

Das Meeting im größten Besprechungsraum der T.S.G. Capital
Unternehmensberatung lief bereits seit zwanzig Minuten, da
öffnete sich die Tür und Irina Timoschenko trat ein. Die Köpfe
von fünfzehn Kollegen drehten sich in ihre Richtung, und ein
leichtes Raunen ging durch die Menge.

Der Rocksaum des pechschwarzen Kostüms endete kurz unter
ihren Knien. Die weiße Bluse aus edler Lochspitze war bis zum
letzten Knopf geschlossen, und die schwarze, dünne Samtschleife
gab dem Outfit einen extravaganten Touch.

Auf zehn Zentimeter hohen Pumps ging Irina entschlossenen
Schrittes zum freien Platz am langgezogenen Besprechungstisch.
Bevor sie sich setzte, knöpfte sie ihren Blazer auf und schlug das
rechte Bein über das linke. Ihre stark geschminkten Augen
blinzelten über den schwarzen Rand des Brillengestells in die
Runde, und ein süffisantes Lächeln huschte über ihre roten
Lippen.

Was für ein Auftritt, dachte sich Ana, als sie Irina noch einen kurzen Moment lang verstohlen aus ihrem Augenwinkel beobachtete. Sie verspürte einen Hauch von Bewunderung und ärgerte sich im nächsten Moment über dieses Gefühl.

„Well, so nice, dass du es doch noch geschafft hast, dearest Irina."

Der amerikanische Akzent von Timothy Snyder klang für Außenstehende sympathisch und interessant. Aber jeder im Raum wusste, was hinter der Fassade des Unternehmensgründers steckte. Ebenso, wie Irina ihre Position des Senior Partners bekommen hatte.

„So thanks, Tim. Ich gehe davon aus, dass ich über mein neues Projekt berichten darf. Meine Assistentin hat, so hoffe ich doch mal, eine perfekte Zusammenfassung in PowerPoint vorbereitet, nicht wahr, Ana?"

Ohne dass es Irina im Entferntesten interessierte, was die anderen über sie dachten, schnappte sie sich die Fernbedienung für den Beamer, steckte das HDMI-Kabel in ihren Laptop und drückte auf einen Knopf.

*

Während der Autofahrt, die eine halbe Stunde dauerte, sprachen beide kein Wort.

Die linke Hand von Timothy hielt das Lenkrad seines roten Bugatti Veyron fest, und an seinem Handgelenk baumelte eine massive Gliederkette aus Weißgold. Seine rechte Hand lag auf Irinas linkem Schenkel. Der schwarze Rock war ihr bis zum Gesäß hochgerutscht und gab den Blick auf die Strapshalter aus schwarzer Spitze frei.

Seine Hand wanderte weiter bis zu der Spalte zwischen ihren Beinen und entlockte Irina ein leises Stöhnen.

„Ich möchte keine Lipstickflecken auf meinem Hemd, meine Frau wird sonst fucking eifersüchtig", hatte Timothy bereits bei ihrer ersten intimen Begegnung vor zwei Jahren lachend gesagt.

Seitdem fuhren sie mindestens einmal im Monat vom zentral gelegenen Büro in ein Stundenhotel am Stadtrand von München.

Als beide auf den hinter einer hohen Betonmauer liegenden Hof fuhren, parkte dort bereits ein anderes Auto. „Lovebirds" stand auf dem großen Eingangsschild aus dickem PVC. Zwei weiße Tauben waren darunter aufgedruckt und rieben sanft ihre Schnäbel aneinander.

Sie gingen die Stufen hoch und blickten in die eisblauen Augen einer Frau, die hinter einem Tresen stand.

„Na, meine Turteltäubchen? Wie gehts denn so?"

Im gleichen Atemzug streckte sie Timothy ihre Hand entgegen, an der jeder Finger mit einem kitschigen Ring aus Messing besetzt war.

„Stimmt so, dearest", sagte er, und ein Bündel mit dreihundert Euro wechselte den Besitzer.

„Großzügig wie immer. Danke dir. Ihr habt heute Zimmer Nummer neun. Den Gang runter und die vorletzte Tür links. Wünsche fröhliches Zwitschern."

Auf dem Weg zu ihrem Aufenthaltsort für die nächsten drei Stunden hörten sie lautes Gestöhne aus einem anderen Loveroom. Irina vernahm ein angenehmes Kribbeln in ihrer Scheidengegend, ergriff die Hand von Timothy und ging zielstrebig weiter.

„Oh, yeah, you horny bitch", hauchte er ihr ins Ohr und griff abwechselnd nach ihren beiden Brustwarzen.

Als sie die Zimmertür hinter sich zugezogen hatten, mussten sich ihre Augen erst an die Dunkelheit gewöhnen. Fünf Teelichter standen auf einem Fenstersims und warfen ein warmes Licht auf den Jacuzzi. Neben diesem befand sich ein überdimensionaler Eiskübel mit einer bereits geöffneten Flasche Moët & Chandon.

Timothy zog Irina mit einer bestimmenden Bewegung an sich und presste seine Zunge gierig in ihren Mund. Sie schmolz unter seiner Begierde dahin und griff mit ihrer Hand an sein hartes Glied.

Nachdem sie ihm die Boxershorts heruntergerissen hatte, drückte er ihren Kopf nach unten. Vor ihm kniend tat Irina das, was sie einen Tag zuvor mit einem anderen Kollegen gemacht hatte.

„Hast du eigentlich bei uns mit mehreren eine Affäre?", hatte dieser sie eifersüchtig gefragt.

Da sie den Kollegen jedoch genau in diesem Moment oral befriedigte, konnte sie ihm nicht antworten.

*

Als Irina um fünfzehn Uhr ihr Einzelbüro betrat, wartete bereits der obligatorische Nachmittagssnack auf sie: Gemischter Salat mit gegrilltem Gemüse.

Sie zog einen der beiden orientalischen Poufs unter dem gläsernen Couchtisch hervor und wollte sich setzten, da ließ sie der Blick in den tiefen Porzellanteller aufschreien.

„Aaannnaaa!"

Der Schrei war so schrill und spitz, dass Ana im Nebenzimmer die noch halb volle Kaffeetasse aus den Händen fiel und sich die lauwarme Flüssigkeit über die Tastatur ergoss.

„Scheiße," fluchte sie leise vor sich hin und rannte in das Büro ihrer Vorgesetzten.

„Ana! Wie kann das eigentlich sein? Da ist Reis in meinem Teller, Ana. Weißt du eigentlich, was in Reis drin ist? Richtig: Kohlenhydrate. Und weißt du noch was? Richtig: Ich HASSE Kohlenhydrate!"

Ana erinnerte sich, welcher Moment nach dem Meeting sie bei der Bestellung von Irinas Mahlzeit unaufmerksam hatte sein lassen: Es war das abrupte Verschwinden von Timothy Snyder sowie das Outfit ihrer Vorgesetzen, welche sie ins Grübeln gebracht hatten.

„Bitte verzeihen Sie, Frau Timoschenko. Ich habe Angelo gesagt, dass er den Teller wie immer zubereiten soll."

Anas Stimme zitterte und ihre Kehle schnürte sich vor Angst zu.

Sie blickte zu Irinas Rock und bemerkte, dass einen der beiden Strumpfhalter lose herunterhing.

* * *

KAPITEL 5

September 1988

Desgleichen, ihr Jüngeren, seid untertan den Ältesten. Allesamt
seid untereinander untertan und haltet fest an der Demut.
Denn Gott widersteht den Hoffärtigen,
aber den Demütigen gibt er Gnade.
(1. Petrus 5,5, LU)

Um zur Turnhalle zu gelangen, schlenderte die Siebzehnjährige
am Hafen von Sotschi entlang.

Die Luft hatte an diesem Nachmittag noch angenehme 24 Grad
Celsius, und die Herbstsonne zauberte kleine Glitzersterne auf die
Wasseroberfläche des Schwarzen Meeres.

Ich wäre auch gerne so frei wie die Möwen, dachte sie und setzte sich auf
eine der weiß gestrichenen Parkbänke. Der Lack war an den
geschwungenen Füßen bereits abgeblättert und das Eisen blitzte
hervor.

Als sie aus ihrer Sporttasche eine kleine Wasserflasche
herausholen wollte, entdeckte sie eine graue Bugleine. Diese
umschlang den Poller, der zwei Meter von ihr entfernt im Boden
verankert war und ins Wasser reichte.

Weit und breit war kein Boot zu sehen.

Irina Timoschenko setzte sich aufrecht, reckte vorsichtig den Kopf in die Höhe und glaubte, auf dem Wasser einen Schatten zu erblicken.

Vielleicht eine Boje, versuchte sie sich zu beruhigen.

Schritt für Schritt wagte sie sich an den runden Pfeiler heran, als ihr schriller Schrei im Gebrüll der Möwen unterging.

Der Anblick der glatzköpfigen Wasserleiche ließ sie nach hinten weichen.

Die Waschhautbildung war vorangeschritten und ließ den Leichnam wie einen aufgedunsenen Käfer wirken. Die Augen des Mannes waren weit aufgerissen und schienen inmitten des riesigen Fleischberges zu schwimmen.

Irina ging zurück zur Bank, stützte sich mit ihrer linken Hand an deren Rückenlehne ab und übergab sich. Ihre Magenmuskulatur zog sich so stark zusammen, dass der Unterleibsschmerz fast schlimmer zu sein schien, als das sich für immer in ihrem Kopf eingebrannte Bild.

Tränen fielen direkt in das Erbrochene.

Nach einigen Minuten setzte sie sich erschöpft neben die Tasche. Der Geschmack in ihrem Mund schmeckte abgestanden und fahl.

Im Nachhinein wusste sie nicht mehr, was sie dazu bewogen hatte, noch einmal zum Wasser zurückzugehen. Vielleicht war es die Tatsache, dass ihr etwas beim ersten Anblick der Wasserleiche aufgefallen war.

Irina brauchte Gewissheit.

Vorsichtig beugte sie sich nach vorne und schaute auf den linken Augapfel des treibenden Körpers:

Er war schwarz.

*

„Mädchen, in einer Reihe aufstellen. Sergej, die Waage, bitte."

Jeden dritten Tag erwartete die Sportgymnastinnen von ZSKA Krasnodar ein erniedrigendes Ritual:

Vor den Augen ihrer Trainerin Ljudmila Kuszenowa sowie des Balletttrainers Sergej Lebedew mussten sie sich bis auf ihre Unterhose ausziehen und auf eine messgenaue Säulenwaage stellen. Kuszenowa war für das präzise Einstellen des Laufgewichts zuständig. Lebedew stand mit einem Notizbuch neben ihr und erstellte fein säuberlich eine Gewichtskurve für jede Sportlerin.

„Alina: 48,5. Wie viel waren es am Montag, Sergej?"

„49,2 Kilogramm, Frau Kuszenowa."

„Wurde auch Zeit. Weiter geht's. Irina, komm her."

Als Irina zur Waage lief, gingen ihr in Sekundenbruchteilen unzählige Bilder durch den Kopf:

Die Wasserleiche.

Das harte Training.

Die täglichen Fressattacken.

Die Toilette.

Der Finger im Hals.

Die zahlreichen Tränen.

Und Irina sah ihre Babuschka: Vor einem Jahr war sie gestorben und hatte ihrer Enkelin immer die spannendsten Gruselgeschichten erzählt. Eine von ihnen war besonders unheimlich, denn sie handelte von einem schwarzen Auge.

„Irina: 47,7. Wie viel waren es am Montag, Sergej?"

„Äh, 46,9 Kilogramm, Frau Kuszenowa."

„Bitte waaas? Wie kann das eigentlich sein?"

Die Stimme der Trainerin überschlug sich und erzeugte nicht nur bei Irina eine Gänsehaut. Auch Sergej zuckte zusammen und fragte sich in der nächsten Sekunde, warum er nicht gelogen hatte.

„Du fettes Schwein! Weißt du, was ich nicht verstehe, Irina? Wir stehen mit unserem Club kurz vor unserem großen Durchbruch. Wir stehen so kurz davor, dass uns der Bürgermeister finanziell noch mehr als bisher unterstützt. Auf euch Mädchen wartet nach eurer Sportkarriere ein reiches Leben. Männer werden sich um euch scharen. Euch Schmuck, Autos und Häuser kaufen. Und du hast nichts Besseres zu tun, als von Tag zu Tag immer fetter und fetter zu werden? Geh mir sofort aus den Augen!"

*

„Irischa, hör mir bitte gut zu, Kleines."

Es war ein warmer Septembertag sieben Jahre zuvor.

Das zehnjährige Mädchen mit den großen, blauen Augen lauschte seiner Großmutter, deren Stimme so sanft war, dass man nicht anders konnte, als ihr vollkommen zu vertrauen.

„Du, nur du hast es in der Hand, dem Teufel die Macht über dein Leben und Handeln zu geben. Du bist bereits jetzt umgeben von Menschen, die dir nicht immer Gutes wollen. Menschen, die eine Gemeinsamkeit haben: Sie alle haben auf ihrem linken Augapfel einen kleinen, schwarzen Punkt. Schräg rechts über ihrer Pupille, direkt unter dem Wimpernkranz. Auf den ersten Blick sieht man ihn kaum. Aber dieser Fleck wird bis zu ihrem Tod weiterwachsen. Denn sie sind dem Bösen, dem Schwarzen bereits verfallen. Obwohl sie eine Wahl hatten, genau wie du. Sie wählten einen Weg, bei welchem sie dachten, er würde ihnen ein Leben lang Ruhm, Ehre und Erfolg versprechen. Jedoch wird der Teufel einen nie beschützen. Er wird am Ende über jeden richten. Meine kleine Irischa: Schau stets ganz tief in die Augen eines Menschen. Nicht umsonst sagt man, sie seien der Spiegel zur Seele. Und sie zeigen dir bei genauerem Hinsehen auch, ob diese Seele bereits verloren ist."

* * *

KAPITEL 6

Und das Meer gab die Toten, die darin waren, und der Tod und
die Hölle gaben die Toten, die darin waren; und sie wurden
gerichtet, ein jeglicher nach seinen Werken.
(Offenbarung 20,13, LU)

„Ich habe Sie da oben in der letzten Reihe nicht gehört, Frau
Doktor Beck. Können Sie die Antwort auf meine Frage noch
einmal wiederholen?"

Die Stimme, die vom Podium des Hörsaales in ihr Ohr drang,
klang gereizt und ungeduldig. Sie war so laut, als würde die
dazugehörige Person direkt neben ihr stehen.

Ein kalter Luftzug umwehte Doris' Gesicht und ließ die Härchen
an ihren Unterarmen sich aufrichten. Sie kniff die Augen
zusammen und versuchte, den Blick nach vorne zu fokussieren.
Durch den außergewöhnlich starken Lichtabfall zwischen der
letzten Sitzreihe und der verdunkelten Vorderfront konnte sie
jedoch nicht erkennen, wer am Rednerpult stand.

„Bitte entschuldigen Sie, wo bin ich hier eigentlich?"

Der ganze Hörsaal lachte.

Zahlreiche Kehlen vibrierten gleichzeitig und gaben Doris das Gefühl, nicht dazuzugehören.

Ein ihr schmerzlich bekanntes Gefühl – dabei hatte sie sich geschworen, dieses mit aller Macht nicht mehr in ihr Leben zu lassen.

Aus dem Augenwinkel heraus sah sie, dass die nächstgelegene Sitzfläche in der Stuhlreihe noch frei war. Vorsichtig nahm sie Platz und wagte einen ängstlichen Blick zu der Frau neben ihr: Sie hatte schwarze Haare, rote Fingernägel und trug ein schwarzes Brillengestell. Das schwarze Kostüm umschmeichelte ihren schlanken Körper, und die elegant übereinandergeschlagenen Beine rundeten das weibliche Kunstwerk ab.

„RUHE."

Mit einem Schlag hörte das Gelächter auf.

Totenstille.

Die männliche Stimme war so durchdringend, dass Doris für einen kurzen Moment Ehrfurcht verspürte.

Führen durch Angst – wie machtvoll, dachte sie sich.

„Wo Sie hier sind, Frau Doktor Beck? Na, da, wo Sie und alle anderen hier jede Nacht sind: In Ihren Träumen. Und interessanterweise stellen Sie bereits zum wiederholten Male in diesem Podium die gleiche Frage. Aber soll ich Ihnen erklären, woran das liegt? In Ihrem Fall an Ihrem Narzissmus. Sie als der einzig wahre Mittelpunkt des Universums. Was für eine Farce und dennoch ein wunderbar erhabenes Gefühl, wenn Sie verstehen, was ich meine?"

Weil sie sich mittlerweile an die Lichtverhältnisse gewöhnt hatte, glaubte Doris, am Rednerpult eine grinsende Fratze zu erkennen, deren offener Mund sie zu verschlingen drohte.

„Verstanden. Ich erinnere mich jetzt auch wieder, auf welcher Seite Ihres Regiebuches wir uns gerade befinden. Und ich möchte dieses sehr gerne gemeinsam mit Ihnen weiter ausarbeiten. Aber gestatten Sie mir bitte nur noch eine einzige Frage: Wenn ich morgens aufwache, dann erinnere ich mich manchmal an meine Träume, aber dieser Ort hier, er spielt nie eine Rolle. Woran liegt das?"

„Ich antworte auf Ihre Frage mit einer Gegenfrage, Frau Doktor Beck: Wann sind denn Ihre Manipulationen am erfolgreichsten? Wenn Sie Ihre Opfer im Vorfeld und während des gesamten Prozesses darüber aufklären, welches perfide Spiel Sie mit ihnen treiben? Oder etwa, wenn Sie es einfach nur tun und dabei genüsslich beobachten, wie diese Menschen an ihrer Seite langsam zugrunde gehen?"

„Letzteres", antwortete Doris nüchtern.

„Sehr gut. Ich vernehme ein Gefühl in Ihrem Bauch, welches auch mein Antrieb ist. Einfach nur göttlich! Nun, Frau Doktor Beck, nachdem wir hoffentlich alle Unklarheiten beseitigt haben, stelle ich Ihnen zum letzten Mal die Frage: Wie war denn Ihr Tag so?"

Im gleichen Moment leuchtete hinter dem Podium eine überdimensionale Projektionswand auf und der gesamte Raum dunkelte sich automatisch ab.

Wie im Kino, aber ohne Ton, dachte Doris, als sie bemerkte, dass das Lautsprechersymbol im unteren Bildrand durchgestrichen war.

Auf der Leinwand war eine Frau zu sehen. Ihre Locken gingen ihr bis zu den Schultern, das lange Boho-Kleid umschmeichelte die schmalen Fußknöchel und darunter blitzten weiße Sneakers hervor. Sie starrte angespannt in zwei Laptops, die vor ihr auf dem Schreibtisch standen. In den Ohren hatte sie weiße, kabellose Earbuds.

Als die Kamera auf das rechte Endgerät der Frau schwenkte, sah man in kachelartiger Anordnung zahlreiche Personen. Dann zoomte das Objektiv an das Smartphone der Frau heran, welches links von ihr auf dem Schreibtisch lag. Es war auf lautlos gestellt, aber der Eingang mehrerer, aufeinander folgender Textnachrichten ließ es im Sekundentakt aufleuchten:

„Ana, wann kommt endlich das Catering?"

„Wer von deinen Mitarbeitern ist gerade bei dir?"

„Highlighte sofort Herrn Damaschke."

„Spiel' die Zwischenfolie ein."

„Ana, du musst dich besser konzentrieren."

„Man ist Professionalität von unserer Seite gewohnt."

„Wann kommt nun endlich das Catering?"

„Es muss in 5 Minuten da sein."

„Kannst du mir mal antworten, verdammt?"

„Und vergiss die Cola Light nicht!!!"

Das Aufnahmegerät fokussierte Anas Gesicht: Ihre Augen waren weit aufgerissen – und im nächsten Moment schrie sie das Smartphone an und schmiss es in eine Ecke des Büros.

Auf der Leinwand blieb das Bild im Standby-Modus stehen.

„Frau Doktor Doris Beck: Sie sind dran, kurze Zusammenfassung Ihrerseits: Was lief gut? Und was kann beim nächsten Mal besser gemacht werden?"

In Doris' Kopf drehte sich ein Gedankenkarussell.

Natürlich war ihr bewusst, wie sie mit ihrer toxischen Art regelmäßig ihre Mitarbeiter fertig machte und in den Wahnsinn trieb. Das Ganze jedoch auf einer Großleinwand zu sehen, triggerte den narzisstischen Trieb in ihr bis aufs Äußerste.

Sie grinste, fuhr sich mit der Hand durch ihren strähnigen Bob, stand auf und sprach mit entschlossener Stimme in Richtung Podium:

„Was beim nächsten Mal besser gemacht werden kann? Nun, zum einen hätte ich diese Lazar mit weiteren Nachrichten bombardieren müssen. Dass sie ausgeflippt ist, macht mich stolz. Und durch Ihren Support, Coach, weiß ich, dass ich auf dem richtigen Weg bin."

* * *

KAPITEL 7

Januar 2017

Was hülfe es dem Menschen, wenn er die ganze Welt gewönne,
und nähme an seiner Seele Schaden?

(Markus 8,36, LU)

„Happy birthday to you, happy birthday to you, happy birthday, lieber Klausi, happy birthday to you."

Der darauffolgende Applaus und die Jubelrufe ließen die Augen von Klaus Lechner wie die eines Kindes leuchten. Es war sein vierzigster Geburtstag, und die Vorstandskollegen hatten sich in seinem hellen Eckbüro versammelt.

„Und, Klaus? Schon was vor heute Abend?"

Paolo Amandes, der CFO des Medizintechnikunternehmens, zwinkerte ihm verschwörerisch zu.

„Machst du Witze, Paolo? Meine Frau hockt daheim mit dickem Bauch und mein Großer zerrt an mir, sobald ich abends das Haus betrete."

Lechner rollte die Augen und stemmte seine kurzen Arme in die Hüfte. Das Sonnenlicht ließ die Haare orange wirken.

„Tja, Klausi Mausi, die wilden Jahre sind wohl vorbei."

Amandes lachte laut.

Die anderen vier Männer stimmten in den Chor mit ein.

Es klopfte an der Tür, und Ana Lazar betrat den Raum. In ihrer Hand balancierte sie ein Tablett mit sechs vollen Champagner-Gläsern und einem Schälchen grüner Oliven. Lechner hatte bereits im Vorfeld darum gebeten.

„Obwohl, Klaus: Vielleicht sollte ich meine Aussage von eben revidieren?"

Amandes und die anderen musterten Ana von oben bis unten, und man hatte das Gefühl, dass ihre Blicke die Assistentin des CEO bis auf den letzten Stofffetzen auszogen.

„Bitteschön die Herren", sagte Ana mit einem Hauch von Aggressivität in ihrer Stimme, als sie die Gier in deren Augen erblickte und das Tablett auf den Konferenztisch stellte. Sie hasste derartige Situationen und konnte sich in diesem Zusammenhang noch nie eine Reaktion verkneifen.

Ihr Unterton war Lechner nicht entgangen.

Du kleine Schlampe, dachte er kurz.

*

Um halb fünf Uhr nachmittags klingelte das Festnetztelefon auf Anas Schreibtisch. Ein Relikt aus alten Zeiten, das Lechner jedoch nicht abschaffen wollte. Es gab ihm ein gewisses Gefühl von Kontrolle über seine Mitarbeiter. Wohlwissend, dass sie brav an ihrem Platz saßen, wenn er anrief, und nicht gerade mit irgendeinem Firmenhandy an irgendeinem Strand lagen.

Ana sah auf dem Display seine Nummer, und ihr Magen krampfte sich zusammen.

„Herr Lechner?"

„Liebe Frau Lazar, was halten Sie davon, wenn wir uns in zehn Minuten bei mir im Büro treffen?", säuselte dieser versöhnlich in die Leitung.

„Wir wollten doch schon seit Längerem ein Brainstorming bezüglich der Zusammenarbeit mit der Universität machen. Ach, und bitte bringen Sie noch Flipchartpapier mit, ja? Bis gleich."

Nicht im Entferntesten hielt Ana etwas davon und hätte sich lieber zu ihrer Tochter Zoe gebeamt, die heute bei einer Freundin übernachtete.

Victors Gesicht erschien vor ihrem inneren Auge:

„Ana, Schatz. Kein Job dieser Welt ist es wert, sich derart zu verbiegen, dass es dir schadet. Hörst du, Ana? KEIN Job! Ich möchte, dass du dir immer selbst treu bleibst, versprichst du mir das, bitte?"

Die Worte wurden zu Victors letztem Wunsch. Einen Tag später nahm er sich das Leben.

Ana ging schnellen Schrittes den langen Gang zum Kopierraum entlang, in welchem sich auch die Papierrollen für das Flipchart befanden. Abwechselnd schaute sie nach rechts und links in die verglasten Büros. Sie waren menschenleer. Panik kroch in ihr hoch.

Ach du Scheiße – was ist, wenn er versucht, mich zu…

Sie drückte die Klinke nach unten, trat ein, und hinter ihr fiel die Tür mit einem lauten Knall ins Schloss. Während Ana mit ihren Augen den Raum absuchte, hörte sie, wie der Griff heruntergedrückt wurde.

Lechner trat ein: Er hatte die Ärmel seines weißen Hemdes hochgekrempelt, und in schwarz-weiß wurde auf der Innenseite seines rechten Unterarmes ein Totenschädel-Tattoo mit einer Krone sichtbar.

„Na? Was machen wir zwei Hübschen jetzt?"

Oh Gott, nein, bitte tu mir nichts!

Als hätte Lechner ihren Gedanken gehört, griff er nach Anas Oberarmen und drückten ihren Körper an die Wand. Er presste den Mund auf ihr linkes Ohr, steckte seine Zunge gierig hinein und stöhnte laut auf.

„Das ist es doch, was du willst, nicht wahr, Ana?"

Auch wenn noch jemand in den Büros gewesen wäre, durch die angebrachten Decken- und Wandabsorber im Kopierraum hätte niemand Anas laute Schreie gehört.

* * *

KAPITEL 8

September 1987

Denn es wird geschehen, dass des Menschen Sohn komme in der
Herrlichkeit seines Vaters mit seinen Engeln; und alsdann
wird er einem jeglichen vergelten nach seinen Werken.

(Matthäus 16,27, LU)

„Liebe Schülerinnen und Schüler, liebe Eltern, liebe Lehrerinnen
und Lehrer: Als Direktor des Marie-Curie-Gymnasiums ist es mir
eine Ehre, Sie alle ganz herzlich am ersten Schultag nach den
Sommerferien willkommen zu heißen."

Es war der 1. September und der Himmel über Düsseldorf seit
Tagen wolkenverhangen. Ein zehnjähriger, rothaariger Junge saß
in der dritten Reihe der Aula, inmitten von unzähligen, ihm
unbekannten Gesichtern.

Seine Mutter hatte ihr grünes Tweed-Kostüm mit den
goldfarbenen Metallknöpfen an. Ihre langen, blond gefärbten
Haare, die sie über Nacht in große Lockenwickler eingedreht
hatte, fielen akkurat auf die Schultern. Sein Vater war in einem
dunkelgrau karierten Anzug gekommen. Das weiße Einstecktuch
hatte seine Frau noch schnell gebügelt, bevor sie losgegangen
waren.

Walter Rothbauer, der Schulleiter, blickte über den Rand seiner Lesebrille in das Auditorium:

„Für euch Schülerinnen und Schüler der fünften Klassen ist heute ein ganz besonderer Tag, denn ein neuer Lebensabschnitt steht euch bevor. Meinem Kollegium und mir ist es sehr wichtig, dass eure Einführungswoche die Weichen für die Folgejahre stellt. Alle unter euch werden es natürlich nicht bis zum Abitur schaffen, aber zumindest diejenigen, die klug und ambitioniert sind."

Zwischen den Reihen hörte man vereinzeltes Rascheln nasser Regenschirme, die versehentlich durch Füße berührt wurden. Leises Hüsteln unterbrach die Kunstpause, die Rothbauer bewusst gesetzt hatte.

Der rothaarige Junge schaute verstohlen zu seinem Vater, der darauf bestanden hatte, dass sein Sohn auf genau dieses Gymnasium ging.

„Das Marie-Curie-Gymnasium hat seinen Fokus auf Sprachen und Kunst. Die Kunst ist für mich nicht das Entscheidende, aber du wirst sehen, Klaus: Im Berufsleben gibt es nichts Machtvolleres als die Sprache. Außerdem ist der Mädchenanteil hier höher, und auch das wird dir guttun."

Das breite Grinsen seines Vaters widerte ihn Jahre später noch an.

Rothbauer setzte an für seine abschließenden Worte.

„Liebe Schülerinnen und Schüler, bitte findet euch in einer Viertelstunde in euren jeweiligen Klassenräumen ein. Vor der Aula befinden sich große Stellwände mit den notwendigen Informationen. Ansonsten wünsche ich allen nur das Beste. Und gerne möchte ich euch noch ein Zitat mit auf den Weg geben."

Das unruhige Rascheln zwischen den Reihen, welches in den letzten Minuten merklich zugenommen hatte, verstummte, nachdem einige im Saal mit erhobenem Zeigefinger die anderen ermahnt hatten.

„Die wunderbare Namensgeberin unserer Schule hat einst gesagt: ‚Leicht ist das Leben für keinen von uns. Doch was nützt das, man muss Ausdauer haben und vor allem Zutrauen zu sich selbst. Man muss daran glauben, für eine bestimmte Sache begabt zu sein, und diese Sache muss man erreichen, koste es, was es wolle.‘"

Koste es, was es wolle.

Der Satz brannte sich in Klaus' Gedächtnis ein.

*

Es war 9:45 Uhr. Die Schulglocke läutete und der Pausenhof leerte sich langsam.

Klaus ging im Pulk der Klassenkameraden in Richtung des Chemiesaals.

Kalter Angstschweiß kroch seinen Rücken hinab, und das Atmen fiel ihm schwer. Der Brustkorb fühlte sich an, als würden die Lungen unruhig an die Rippen klopfen.

Er hatte die drei Mädchen schon beim Reingehen erblickt, im Chemieunterricht saßen sie immer in der letzten Reihe, direkt hinter Klaus. Und in jeder Unterrichtsstunde flüsterten sie ihm Dinge zu, die seine Aufmerksamkeit beeinflussten.

„Hej, pssst, Feuerteufel. Warum meldest du dich eigentlich? Kommt eh nur Scheiße raus. Oh Mann, du bist so dumm wie Brot. Nimm mal deine kleine Hand runter… mit der machst du bestimmt schon versaute Sachen, gib es doch zu!"

„Was ist denn los mit dir?", hatte ihn sein Lehrer nach der letzten Stunde unter vier Augen gefragt. „Du meldest dich ja gar nicht mehr."

Am liebsten hätte Klaus losgeheult und ihm sein Herz ausgeschüttet.

Zwischenzeitlich hatte er massive Probleme beim Einschlafen, und wenn er mitten in der Nacht aufwachte, war er schweißgebadet.

Anja Kuhnert war sowohl aufgrund ihrer Körperstatur, als auch wegen der dunklen Stimme die Angsteinflößendste von den Dreien. Und wenn Melanie Mattukat und Simone Zimmermann auf die Mobbingattacken von Anja hämisch lachend eingingen, hatte Klaus schon des Öfteren darüber nachgedacht, einfach für immer wegzulaufen.

Kein Lehrer tat etwas gegen die Mädchen. Vielleicht bekam es auch keiner mit, oder man schaute bewusst weg. Es war fast so, als hatten selbst die Erwachsenen Angst vor ihnen.

„Habt ihr gesehen, was der Feuerteufel heute für eine hässliche Hose an hat? Und sein Hemd, voll spießig, ey. Der ist genauso eklig wie sein Vater."

Simone nahm auf einem der Drehstühle im Chemiesaal Platz. Die fest installierten Tische waren jeweils mit vier Steckdosen, zwei Gasanschlüssen und einem Waschbecken versehen.

„Stellt euch mal vor, wir würden die kleinen Finger vom Feuerteufel nehmen und in diese zwei Löcher stecken. Wie ein Funkenmariechen würde er ausschauen mit seinen roten Haaren", flüsterte Melanie den beiden Freundinnen zu.

Sie flüsterte noch so laut, dass der Satz eine Tischreihe vor ihnen klar und deutlich vernommen werden konnte.

Ich muss mit Mama und Papa sprechen… vielleicht habe ich es verdient, so behandelt zu werden… vielleicht bilde ich mir das alles nur ein… nein, tue ich nicht… die sind zu allem fähig. Lieber Gott, was soll ich tun?

* * *

KAPITEL 9

März 2005

Darum, so wahr als ich lebe, spricht der Herr, HERR, weil du
mein Heiligtum mit allen deinen Greueln und Götzen verunreinigt
hast, will ich dich auch zerschlagen, und mein Auge soll dein nicht
schonen, und ich will nicht gnädig sein.

(Hesekiel 5,11, LU)

Als der langhaarige Mitarbeiter eines Türenherstellers bei der
Münchner Eventagentur KOMET klingelte, gewann er vom
ersten Augenblick an Anas volle Aufmerksamkeit.

Zum einen, weil er genau in ihr Beuteschema passte:

Die Berufshose saß lässig auf seinen muskulösen Oberschenkeln,
das kurzärmelige T-Shirt hatte er an den Ärmeln umgekrempelt,
und sein strahlendes Gesicht war in ihren Augen umwerfend
schön.

Zum anderen aufgrund des angeblichen Auftrags, den er
ausführen wollte:

„Guten Morgen, die Dame. Ich bin Victor, das ist Kollege Andy,
und die tonnenschwere Eingangstür haben wir auch mitgebracht."

Die angenehmen Gefühle in ihrem Bauch versuchte Ana sofort wieder zu unterdrücken, denn die wichtigste Person des Hauses musste noch über die Ankunft der beiden Handwerker informiert werden.

Schnellen Schrittes eilte sie nach hinten zum Agenturinhaber.

„Du Eddie, eine Frage."

Ana stand im Türrahmen von Koniecznys Büro.

„Hast du eine einbruchsichere Glastür bestellt?"

„Hey, Ana Lady! Ja, meine Beste, das habe ich. Die Polizei hat mir empfohlen, die Räumlichkeiten abzusichern. Das wird so crazy, sag ich dir."

Was zum Teufel hat Eddie mit der Polizei am Hut und warum muss er die Bude absichern?, fragte sie sich.

Ihr Chef schien bestens gelaunt.

Gemeinsam gingen sie zurück zum Empfang, dort hatten Victor und Andy bereits mit dem Zollstock ihre Arbeit aufgenommen.

„Hey, Männer, cool, dass ihr da seid. Hey, habt ihr eigentlich schon meine bezaubernde Assistentin kennengelernt? Ach, was frag ich denn? Natürlich habt ihr das. Sie ist die Beste, die

Allerbeste. Ich wüsste nicht, was ich ohne sie tun würde. Ne, echt jetzt, Mann."

Herr, lass mich im Boden versinken!

Ana hasste es, wenn Konieczny so war, und das war er oft.

Sie wagte einen Blick zu Victor. Dieser zwinkerte ihr verschwörerisch zu.

„Hey, und da hinten sehe ich schon das gute Stück. Komm mal mit, Ana."

Sie gingen ein paar Schritte in den Gang vor dem Eingangsbereich der Agentur. An der Wand lehnte eine drei Meter lange, dicke Glasscheibe, die zum größten Teil noch mit zweifacher Polyethylenfolie umwickelt war.

„Hey, jetzt schau dir mal diese megacoole Front an. Stylish und durchwurfhemmend zugleich."

Konieczny wirkte komplett überdreht.

Für Ana war dieses Verhalten nichts Außergewöhnliches mehr, denn seine Wortwahl und die dazugehörige Intonation passten sich stets seiner Stimmung an:

Stresste ihn irgendetwas, stresste er auch seine Assistentin. Ging es ihm gut, überschüttete er sie mit den schönsten Lobeshymnen.

Auf den ersten Blick war er ein Charmeur, und als Ana vor ein paar Monaten zum Vorstellungsgespräch vorbeigekommen war, war sie anfänglich angetan von seiner Aura. Aber bereits wenige Tage nach ihrem ersten Arbeitstag zeigte Konieczny, dass er auch anders konnte. Seine Stimmungsschwankungen waren unerklärlich und kamen stets wie aus dem Nichts.

Als am späten Nachmittag die Tür eingebaut war, kam Victor noch einmal in ihr Büro und legte drei Generalschlüssel sowie einen feinsäuberlich gefalteten Zettel auf den Schreibtisch:

„Lust auf einen Drink morgen Abend?" war darauf gekritzelt, ebenso wie drei Kästchen zum Ankreuzen, ein Smiley und eine Handynummer.

Anas Herz schlug ihr vor Freude bis zum Hals.

*

Der Beat des Songs „Galvanize" von den Chemical Brothers war erst zu hören, als Ana drei Stunden später den neuen Schlüssel zweimal umdrehte und die frisch verglaste Eingangstür öffnete.

Während des Wartens an der Supermarktkasse hatte sie bemerkt, dass sie ihren Geldbeutel im Büro vergessen hatte.

Die laute Musik kam vom anderen Ende des Ganges aus dem Büro ihres Vorgesetzen.

Scheiße, kann der nicht mal früher Feierabend machen?

Leise ging sie den Flur entlang. An seiner Tür angekommen, lugte sie vorsichtig in das Zimmer hinein:

Konieczny saß am Schreibtisch und zog sich mit einem Geldschein eine Line Koks durch die Nase.

* * *

KAPITEL 10

Januar 1983

Jetzt aber gehe ich hin zu dem, der mich gesandt hat;
und niemand von euch fragt mich: Wo gehst du hin? Doch weil
ich das zu euch geredet habe, ist euer Herz voll Trauer.
(Johannes 16,5-7, LU)

„Ich muss deine Eltern leider so schnell wie möglich in die
Sprechstunde bestellen. Deine Versetzung ist gefährdet."

Es war Donnerstagnachmittag, eine Woche nach den
Weihnachtsferien.

Eddie starrte teilnahmslos ins Leere. Er hatte damit gerechnet,
dass es so weit kommen würde. Zu oft stand in letzter Zeit eine
rote Fünf auf dem ersten Prüfungsblatt.

Einerseits war es ihm egal. Andererseits wusste er, was ihm blühte:

Sein Vater würde toben und sich darüber echauffieren, wie
missraten sein Sohn sei. Er selbst hätte hart dafür gearbeitet, ihm
die beste Bildung und ein sorgenfreies Leben zu ermöglichen.
Seine Mutter würde tagelang weinen und sich Gedanken machen,
was denn wohl die feine Gesellschaft hinter vorgehaltener Hand
über die ganze Familie tuscheln würde.

„Hast du mir eigentlich gerade zugehört?"

Eddies Mathematiklehrer, Hans Kroiß, war gleichzeitig auch der
Vertrauenslehrer der 9. Klasse des Gymnasiums am Tegernsee.
Sein Blick hinter der runden, mit Fingerabdrücken versehenen
Nickelbrille war vertrauenserweckend. Den braunen Pullunder
hatte er jeden Tag über einem anderen Hemd an, und die
ausgeleierten Cordhosen trugen auf dem Pausenhof zur
Belustigung der Schüler bei.

„Herr Kroiß, darf ich offen mit Ihnen reden?"

Die Lippen des Teenagers fingen an, zu zittern.

„Aber natürlich, Eddie. Was bedrückt dich?"

Und dann gab es für Eddie kein Halten mehr:

Er erzählte von seinen Eltern, die beide Anwälte waren und seit
mehreren Jahren eine Steuerrechtskanzlei führten. Da seine
Mutter bereits sechs Wochen nach Eddies Geburt keine Lust
mehr hatte, sich vornehmlich um ihn zu kümmern, wurde neben
einer Haushälterin aus Mosambik auch ihre Schwiegermutter in
das Anwesen zitiert.

Mit ihr schaute er jeden Samstag die Bundesliga, versuchte
stundenlang den Zauberwürfel zu knacken, begleitete sie

begeistert zu ihren wöchentlichen Aerobicstunden an der Volkshochschule und lernte durch sie Rollschuhfahren.

„Sie können sich das nicht vorstellen, Herr Kroiß, aber meine Eltern arbeiten Tag und Nacht", schluchzte Eddie.

„Sie reden immer nur von diesen ‚Wirtschaftswunderzeiten‘ und müssten gerade jetzt so richtig Gas geben, damit sie mir ein tolles Leben ermöglichen können."

Eddie stockte kurz und fuhr dann fort:

„Aber wissen Sie was? Ich scheiß' auf das Geld! Ich scheiß' auf diese Kanzlei! Ich scheiß' auf die falschen Freunde meiner Eltern! Das Einzige, was ich doch nur will, ist ein kleines bisschen Aufmerksamkeit."

Dicke Tränen strömten aus seinen Augen, die Wangen entlang, über den Hals, bis hin zum Ausschnitt seines weißen Hemdes.

„Vielleicht will ich auch nur ein bisschen Liebe, Herr Kroiß. Nur ein klitzekleines bisschen Liebe."

*

Nach dem Gespräch fühlte sich Eddie frei. Er hatte sich in seinem Leben noch nie so nah bei sich selbst gefühlt.

Angespannt drehte er den Schlüssel der massiven Eingangstür zur Villa um, deren umliegendes Grundstück direkt bis an das Ufer des Sees reichte. Vorsichtig legte er den Schlüsselbund auf den Mahagoni-Sekretär und ging in Richtung Wohnzimmer.

Als er an der Küche vorbeikam, roch es bereits nach Rinderbraten in dunkler Biersauce und Rotkraut, Eddies Leibgericht.

„Schatz, wie geht es dir? Magst du der Oma keinen Kuss geben?"

Wäre Eddie zu ihr gegangen, er hätte wieder losgeheult. Er hob nur leicht seine linke Hand, schenkte ihr ein zartes Lächeln und ging weiter.

Sein Vater war bereits im Wohnzimmer und hatte es sich mit einem Wein auf der ockerfarbenen Couch gemütlich gemacht. Er wartete auf die Tagesschau, die in zwei Minuten beginnen würde.

„Wo warst du?", krächzte er aus seiner rauchigen Kehle.

„In der Schule."

„So, so. In der Schule. Ich gehe mal davon aus, dass du mir natürlich nichts zu berichten hast?"

Der Nachrichtengong ertönte und die Stimme des Sprechers erklang:

„Hier ist das Deutsche Fernsehen mit der Tagesschau."

„Mein Lehrer möchte mit euch sprechen", gab Eddie leise von sich.

„Und, was heißt das?"

Der Blick von Eddies Vater hing weiterhin am Bildschirm, aber die Anspannung war ihm deutlich anzusehen.

„Ich habe in Mathe und Physik eine Fünf. In Deutsch wohl auch. Und dann noch ein paar…"

Das volle Glas schmetterte am Fernseher vorbei, zerschellte an der Wand, und der Inhalt floss herunter.

Sein Vater stand langsam auf und ging ein paar Schritte auf ihn zu. Als er direkt neben ihm angekommen war, flüsterte er Eddie ins Ohr:

„Du bist für mich gestorben."

* * *

KAPITEL 11

Vor 80 Tagen

Dies ist die Offenbarung Jesu Christi, die ihm Gott gegeben hat,

seinen Knechten zu zeigen, was in Kürze geschehen soll; und er

hat sie durch seinen Engel gesandt und seinem Knecht Johannes

kundgetan, der bezeugt hat das Wort Gottes und das Zeugnis von

Jesus Christus, alles, was er gesehen hat.

(Offenbarung 1,1-2, LU)

Henry van der Walt schaute in den Spiegel des vollverglasten
Fahrstuhls. Normalerweise bescherte ihm die Betrachtung seines
Ebenbildes einen regelrechten Ausstoß an Endorphinen. Aber die
Stimme von Adriano Celentano, welche ihn aus unsichtbaren
Lautsprecherboxen zu manipulieren schien, funkte dazwischen.

Bunte Treppenstufen im pittoresken Terrasini tauchten plötzlich
vor seinem inneren Auge auf. Die zarten Gesichtszüge seiner
Mutter, die er schon seit vielen Jahren vermisste. Das gezwungen
wirkende Lachen seines Bruders Rob. Und er sah seinen Vater:

Wie er in unzähligen Nächten vor und über ihm kniete.

Kaum war die Fahrstuhltür zugegangen, raste der Aufzug in die
Tiefe. Van der Walts Herz pochte bis zum Hals, und er dachte

voller Angst an seinen Bypass. Die Spiegel klirrten, Lichter flackerten, ein lauter Aufprall.

Stille.

Die Tür öffnete sich automatisch und er blickte in den langen Gang voller Neonröhren und Granitplatten. Als er über die Führungsschiene am Boden trat, hörte er von weitem eine männliche Stimme rufen:

„Henry, komm her zu uns. Los trau dich mein zartes, schwarzes Seelchen."

Jedes einzelne Wort hallte einige Male nach. Der Kanon drängte sein Herz noch mehr in die Enge und er spürte, wie ihm kalter Schweiß den behaarten Rücken runterlief.

Was glaubt dieser Wichser eigentlich, wer er ist, dachte er und lief strammen Schrittes in Richtung der einzigen Tür, die offen stand. Dort angekommen blieb er noch einmal kurz stehen, holte tief Luft und trat in den Hörsaal ein.

„Meine Damen und Herren, Ladies and Gentlemen: Ich bitte um einen frenetischen Applaus für Henry van der Walt!"

Kaum hatte die Stimme an der verdunkelten Frontseite des Auditoriums gesprochen, ertönte das Geräusch von Hunderten klatschenden Händen durch die Atmosphäre. Das Spektakel dauerte nach van der Walts Empfinden bereits nach wenigen Sekunden viel zu lange, und ein Tobsuchtsanfall übermannte ihn:

„Verfickte Scheiße. Wer seid ihr Spasten eigentlich?"

Im nächsten Augenblick durchdrang das schrille Pfeifen einer akustischen Rückkopplung den ganzen Saal, und die Anwesenden hielten blitzschnell die Hände an ihre Ohren.

„Henry, der Choleriker. Henry, wie er leibt und lebt. Menschenskinder, halt einfach nur deine Fresse und setz dich hin. Eine andere Sprache verstehst du ja nicht, oder?"

Wut, Verachtung und Grausamkeit gingen deutlich aus der Stimme des Wesens hervor.

Die Situation war für van der Walt so furchteinflößend, dass ihm schwindelig wurde. Er streckte seine linke Hand aus, taste nach der einer hochgeklappten Sitzfläche, drückte sie runter und ließ sich stöhnend nieder.

„Brav, Henry. So mag ich das. Entspann' dich ruhig noch ein bisschen. Du bist gleich dran. Denn zuerst kommen wir zu unserer wunderbaren Irina."

Eine Kunstpause wurde gesetzt, dann fuhr das Wesen fort:

„Irina Timoschenko."

Die schwarzhaarige Frau mit dem schwarzen Brillengestell saß zwei Plätze rechts neben Doris Beck und wurde von ihr neidvoll beäugt.

Während sich Irina von der hölzernen Sitzfläche erhob, hielt sie den Rock ihres schwarzen Kostüms fest und zog den enganliegenden Stoff dezent nach unten.

„Die Nutte, Irina Timoschenko. Ich bitte um Verzeihung: Edelhure trifft es wohl besser. Wir alle hier haben gemeinsam Großartiges vor. Reden wir also nicht lange um den heißen Brei herum. Regie: MAZ ab!"

Hinter dem Podium leuchtete die überdimensionale Projektionswand auf, und der gesamte Hörsaal dunkelte sich ab. Im unteren, rechten Eck war ein durchgestrichenes Lautsprechersymbol zu sehen, das darauf hindeutete, dass der Film wieder ohne Ton abgespielt wurde.

Man sah einen groß gewachsenen, glatzköpfigen Mann von hinten. Er trug einen Arztkittel und befand sich mit zwei weiteren Männern und einer Frau in einem kleinen Krankenhauszimmer. Alle vier waren komplett in weiß gekleidet und hatten jeweils ein Stethoskop um ihren Hals.

Die Personen standen um ein Bett, in welchem ein Patient lag. Das Aufnahmegerät fuhr vom Rücken des großen Mannes zu der Frau und zoomte auf ihr Namensschild:

„Lena Popowa, Assistenzärztin", war auf Kyrillisch zu lesen. Auf der Leinwand erschien am oberen Rand des Bildes die Übersetzung in lateinischer Schrift.

Wer sind diese Leute?, ging es Irina durch den Kopf.

Dann drehte sich die Kamera zurück zu dem Mann mit der Glatze und vergrößerte auch sein Namensschild:

„Prof. Dr. Dr. Wladimir Wassiljew, Ärztlicher Direktor."

Er schaute mit ernstem Blick zu Lena Popowa und schien ihr eine Anweisung zu geben, der Zeigefinger seiner rechten Hand war bedrohlich in die die Höhe gestreckt. Aus den Gesichtszügen der Frau war ihre Anspannung deutlich zu entnehmen: Die Augen waren groß vor Angst, ihr Blick hetzte unruhig durch den Raum, und nervös kaute sie an ihrer Unterlippe.

Wladimir Wassiljews Augen dagegen waren zu zwei dünnen, furchterregenden Schlitzen verengt. Sein Mund stand offen, und auch wenn es weiterhin keinen Ton gab, konnte man als Zuschauer erahnen, dass hier gerade eine Mitarbeiterin von ihrem Vorgesetzten degradiert wurde.

Wild fuchtelnde Armbewegungen wechselten sich ab mit dem aggressiven Durchblättern des Inhaltes eines Aktenordners. Immer und immer wieder zeigte sein Finger zuerst auf die Seiten und hielt diesen anschließend Lena Popowa direkt vor das Gesicht.

Was für ein ekelhafter Kerl, dachte Irina angewidert.

Die Filmszene wechselte abrupt – und die Kamera befand sich nun mit der Assistenzärztin in einem Aufenthaltsraum:

Tränen liefen ihr über das Gesicht. Mit zitternden Händen griff sie in einen Spint und holte eine kleine Glasflasche heraus, drei blaue Pillen fielen auf ihre Handinnenfläche. Sie stopfte sie in den Mund und würgte sie ohne Wasser runter.

In diesem Moment blieb das Bild im Standby-Modus stehen.

Stille.

„Ein wunderbares, plastisches Beispiel für das Ausleben der eigenen, inneren Aggressionen an seinen Mitarbeitern. Machtmissbrauch von Vorgesetzten könnte man auch dazu sagen, nicht wahr, Ladies and Gentlemen?"

Die unheimliche Stimme aus dem Off ließ nicht nur Irinas Puls schneller schlagen.

„Aber genau so bekommt ihr die Mitarbeiter an einen Punkt, der euch dienlich ist. Unabhängig davon, ob ihr in einem Krankenhaus oder in einem Unternehmen arbeitet: Diese armen Schweine stehen alleine durch euer Verhalten unter einem so enormen Druck, dass sie alles tun, was ihr von ihnen verlangt. Sie gehorchen euch. Sie sind euch untertan. Sie kommen Tag für Tag mit Bauchschmerzen zur Arbeit und gleichen ihren Schmerz durch Medikamente aus. Was für ein erhabenes Gefühl, nicht wahr?"

Irina unterbrach den unheimlichen Auftritt des Wesens:

„Und was hat das alles hier mit mir zu tun?"

„Irischa, Irischa. Eine berechtigte Frage. Aber schau' doch einfach selbst!"

Das Bild im Standby-Modus wurde abgelöst durch eine neue Filmsequenz. Der Zuschauer erkannte ein Schlachthaus. Boden und Wände waren voller eingetrocknetem Blut, und auf einem Stuhl saß ein glatzköpfiger Mann mit einer schwarzen Augenbinde:

Wladimir Wassiljew.

Seine Hände waren an der Stuhllehne mit einem Kabelbinder befestigt und die Beine hingen leblos am Körper.

Plötzlich tauchten eine weibliche und eine männliche Person neben dem geknebelten Arzt auf, die Frau erkannte der Zuschauer als Lena Popowa.

Sie riss Wladimir Wassiljew mit einem Ruck die Augenbinde über den Kopf und spuckte ihm ins Gesicht. Da die Stummschaltung nach wie vor aktiviert war, konnte man nur erahnen, was sie ihm in den nächsten Minuten zuschrie. Ihr Gesicht war zu einer hasserfüllten Fratze verzogen und voller vergangenem, emotionalen Schmerz.

Die Zuschauer im Saal zuckten zusammen, als Lena Popowa das linke Lid ihres Peinigers nach oben zog und die Filmsequenz in genau diesem Moment wieder einfror.

Ein Raunen ging durch den Hörsaal, und Irinas Magen zog sich schmerzhaft zusammen. Denn jetzt erkannte sie ihn, auch wenn es schon viele Jahre her war:

Wladimir Wassiljew war die Wasserleiche im Hafen von Sotschi.

Sein linker Augapfel – er war schwarz.

„Game Over, Ladies and Gentlemen! Am Ende des Tages wird auch über die schwarzen Seelen gerichtet", raunte die behäbige Stimme von dem verdunkelten Podium hinab.

* * *

KAPITEL 12

März 2005

Wenn ich mich fürchte, so hoffe ich auf dich.

(Psalm 56,4, LU)

Die steinerne Treppe, die zum Gewölbe des „Cherry-Clubs" in der Münchner Innenstadt führte, war an beiden Seiten von einer langen, roten Kordel umrahmt. Gleichmäßig glitt sie durch die regelmäßig aufeinanderfolgenden Wandhalterungen.

Die Luft war durchzogen von Zigarettenrauch und nicht nur der Beat, der aus dem Keller drang, ließ Ana bei jeder Stufe erahnen, dass diese Nacht unvergessen bleiben würde.

Victor ging vor ihr. Sein Gang war lässig, so wie seine zu einem Zopf zusammengebundenen, braunen Haare. Und genau diese Unkompliziertheit war es, die Ana vom ersten Augenblick an fasziniert hatte.

Mein Mann!

Unter seiner Jeans blitzte der beschriftete Bund einer schwarzen Unterhose von Calvin Klein hervor, und das enganliegende, weiße Longshirt gab seiner Erscheinung den letzten Schliff.

Als sie sich bereits drei Stunden zuvor in einer Studentenkneipe getroffen hatten, waren ihr seine großen Kristallohrstecker aufgefallen, die er gestern bei dem Einbau der Glastür nicht getragen hatte.

Unten angekommen, gaben mehrere Stroboskope in regelmäßigen Zeitabständen Lichtblitze von sich. Die am Boden stehende Nebelmaschine sorgte für eine mystische Atmosphäre.

Die Pussycat Dolls heizten gemeinsam mit Busta Rhymes und ihrem Song „Don´t Cha" die Stimmung weiter an. Auch Anas Hormone tanzten mit, jedoch war für sie klar, dass sie heute Nacht nicht mit Victor nach Hause gehen würde. Denn sie war sich sicher, dass das mit ihm etwas ganz Besonderes war.

Unerklärlicherweise kam ihr im nächsten Moment Eddie Konieczny in den Sinn. Das Bild, welches er einen Tag zuvor an seinem Schreibtisch abgegeben hatte, irritierte sie noch immer.

Vielleicht dealt er mit dem Zeug… deswegen die einbruchsichere Tür, überlegte sie kurz.

Sanft tippte sie Victor an, woraufhin dieser sich zu ihr umdrehte:

Sein Blick war so intensiv und durchdringend, dass Ana am liebsten in seine Arme gesunken wäre.

Mit einem Fingerzeig auf ihre Brust gab sie ihm zu verstehen, dass der nächste Cuba Libre auf sie ging. Während sie beim Barkeeper bestellte, beobachtete Victor sie fasziniert und nahm jedes Detail an ihr wahr:

Ihre dunklen Locken. Die schwarz lackierten Fingernägel. Das Halstuch, welches sie zweimal um ihr rechtes Handgelenk gewickelt hatte. Die großen, silbernen Creolen und ihr weißer Hoodie, der leger über einem ärmellosen, weißen Rippenshirt lag.

Ana, wenn du wüsstest... ich hoffe nur, dass du mich lieben kannst.

*

Es war kurz vor sechs Uhr morgens, als die Sonne langsam hinter den Bäumen am Isarufer aufging. Die ersten Vögel fingen an zu zwitschern, und das Wasser plätscherte in Richtung Reichenbachbrücke an ihnen vorbei.

Nachdem Ana und Victor als eine der letzten Gäste den Club verlassen hatten, gingen sie zu seinem Auto in einer nahegelegenen Seitenstraße und holten zwei dicke Steppdecken aus dem Kofferraum. Die eine legten sie zusammengefaltet als Sitzkissen auf die Kieselsteine. Die andere war um ihrer beider Schultern geschlungen und sorgte dafür, dass sich ihre Oberkörper gegenseitig wärmten.

„Wolltest du eigentlich schon immer Schreiner werden?"

Bevor er auf ihre Frage antwortete, strich Victor ihr vorsichtig eine Haarsträhne aus dem Gesicht und klemmte sie sanft hinter das linke Ohr.

„Das Wörtchen ‚eigentlich‘ bringt es auf den Punkt.“

Ein trauriges Schmunzeln umrahmte seine Lippen.

„Eigentlich ja, denn dieses Handwerk hat mich schon immer fasziniert. Aber uneigentlich wollte ich Fußballprofi werden.“

Ana grinste.

„Fußballprofi? Wie jeder Junge, oder?“

„Ich war gut, Ana. Richtig gut. Schon als kleiner Knirps begann ich, in einem Verein zu kicken. Als sich dann meine Eltern vor elf Jahren entschieden, wieder von Lissabon zurück nach München zu ziehen, arrangierte mein damaliger Trainer ein Probetraining bei 1860. Die Scouts waren begeistert, und ich sollte so schnell wie möglich in der 1. Bundesliga zum Einsatz kommen. Die Mannschaft war gerade aufgestiegen und brauchte gute Spieler. Deshalb waren sie an mir interessiert, obwohl ich erst 16 war.“

„Wow. Respekt. Und warum bist du doch kein Profi geworden?“

Victor schluckte.

„Das Pech vieler junger Talente: Bei einem Spiel zog ich mir einen Kreuzbandriss zu. Der Heilungsprozess war beschwerlich. Ich musste ein Jahr später meinen Sport an den Nagel hängen."

Mittlerweile stand die Sonne über den Bäumen, und man spürte durch ihre warmen Strahlen, dass der Frühling vor der Tür stand.

Ana schaute in Victors traurige Augen und sah, dass ihn dieser Teil seiner Vergangenheit gebrochen hatte.

„Das tut mir so unendlich leid. Ich weiß gar nicht, was ich sagen soll."

Diesmal war sie es, die ihm liebevoll eine Haarsträhne aus der Stirn strich.

„Schon okay. Ich habe daraufhin meinen Hauptschulabschluss gemacht und die Schreinerlehre begonnen."

Sowie meine Depressionen bekommen.

Auch wenn Victor spürte, dass er sich vor ihr nicht für seine Erkrankung schämen musste:

Er hätte Ana niemals dieses Geheimnis verraten. Zumindest noch nicht zu dem Zeitpunkt. Denn er hatte Angst, sie abzuschrecken, bevor ihre Liebe überhaupt begonnen hatte.

Als sie sich eine halbe Stunde später mit einem zaghaften Kuss auf den Mund verabschiedeten und für den kommenden Abend verabredeten, war es bereits neun Uhr.

Zu Hause angekommen, setzte sich Ana auf ihren kleinen Balkon, nippte an einem heißen Kaffeebecher und rauchte eine Zigarette nach der anderen.

Der ganze Abend zog noch einmal an ihrem inneren Auge vorbei: Angefangen von der Studentenkneipe, über den „Cherry-Club", bis hin zu ihrem Gespräch am Flussufer.

Ähnlich wie bei mir – unerfüllte Jugendträume.

Zahlreiche, zeitlich ungeordnete Bilder aus ihrer eigenen Vergangenheit flackerten vor ihrem inneren Auge auf. Ein Gefühl aus Beklommenheit, Wut und Hoffnung ließ Ana minutenlang verharren. Jeder Zug am Glimmstängel war tief, und das Ausatmen des Rauches leise zu hören.

Sie dachte an die lange Autofahrt von Siebenbürgen nach Dresden auf der Rückbank des klapperigen und unbeheizten Dacia ihrer Eltern im Januar 1990. Zum damaligen Zeitpunkt war sie sieben Jahre alt gewesen und konnte nicht begreifen, dass ihr Vater ständig wie eine Schallplatte mit Sprung zu sagen pflegte:

„Wenn du größer bist, dann musst du unbedingt studieren. Denn erst dann wartet eine sichere Zukunft auf dich."

Sie jedoch wollte Reiseleiterin werden:

Unbekannte Länder erkunden und Urlaubsgäste zu den schönsten Sehenswürdigkeiten führen. Dafür brauchte man kein Studium, aber dieses zu absolvieren, war für ihren Vater Gesetz.

Wie wohl mein Leben verlaufen wäre, wenn ich meinen Traum nicht aufgegeben hätte?

Die Kirchturmuhr schlug zehn Mal, und Ana kroch unter die warme Daunendecke.

Ihr letzter Gedanke, bevor sie einschlief, galt Victor.

* * *

KAPITEL 13

Dezember 1998

Rufe mich an, so will ich dir antworten und will dir anzeigen
große und gewaltige Dinge, die du nicht weißt.

(Jeremia 33,3, LU)

Es war eine Woche vor Weihnachten.

Tausende Menschen drängten sich kurz nach Ladenschluss mit
vollen Einkaufstüten durch die Gänge der Münchner U-Bahn.
Ihre Gesichter wirkten gehetzt. Wintermäntel rieben aneinander,
und man hörte auf den Rolltreppen ein leises Fluchen.

Victor stand am hinteren Ende des Gleises, an welchem sich
bereits die Einfahrt des Zuges durch einen beißenden Wind
ankündigte.

Vor zwei Jahren wäre ich vielleicht gesprungen.

Der Neunzehnjährige hatte durch seinen Psychiater, Doktor
Alexander Kergedes, gelernt, mit seinen Depressionen
umzugehen. Trotz der Tatsache, dass sein Arzt ein klassischer
Mediziner war, so war er doch außergewöhnlich offen gegenüber
anderen Therapieformen und der Suche nach dem Sinn des
Lebens.

Und so gab dieser ihm nach ihrer letzten gemeinsamen Sitzung noch einen Rat mit auf den Weg:

„Herr Barbosa, Depressionen sind wie der Teufel, sie können eines Tages erneut vor Ihrer Tür stehen und wollen Sie vernichten. Sie brauchen keine Medikamente mehr, aber seien Sie auf der Hut. Gehen Sie weiterhin zu dieser Hypnotherapeutin. Und das Wichtigste, Herr Barbosa: Ihr Tagebuch! Führen Sie dieses bitte weiter. Sie haben anscheinend die außergewöhnliche Gabe, in Ihren Träumen hinter ‚sein' Geheimnis zu kommen. Ihre Niederschrift könnte somit für diejenigen, die sie einmal lesen werden, wie eine Art Erleuchtung sein."

Die U-Bahn hatte inzwischen unter lautem Quietschen angehalten. Mit einem Ruck öffneten sich alle Türen, und unzählige Fahrgäste wurden wie Kirschkerne aus den Waggons gespuckt.

Da Victor direkt neben einem Ausstieg stand, huschte er in den Innenraum und ließ sich auf einer der Sitzbänke nieder. Ihr rotes Kunstleder war in die Jahre gekommen, und der zwischen beiden Polstern angebrachte, kleine Klappmülleimer roch nach abgestandenem Essen.

Dadurch, dass er am Fenster saß und auf das Gleis blickte, konnte er das hektische Treiben entspannt beobachten.

Als sie losfuhren, schaute Victor den am Bahnhof zurückbleibenden Menschen so lange nach, bis der Zug in einen Tunnel eintauchte.

Dann fiel sein Blick auf den Mann, der ihm direkt gegenübersaß:

Er schätzte ihn auf weit über 80 Jahre. Sein Körper war in sich zusammengesunken, seine Hände faltig und mit großen Pigmentflecken übersät. Das weiße Haar war licht, und der überlange Mantel wies am unteren Saum zahlreiche Löcher auf.

Warme, grüne Augen schauten Victor an. Sie strahlten so viel Vertrauen aus, dass Victor nicht anders konnte als zu lächeln.

„Haben Sie auch Weihnachtsgeschenke besorgt?", fragte ihn der Mann neugierig.

„Nein. Ich komme gerade von einer Selbsthilfegruppe. Also, ich meine, ich leite diese Gruppe. Ich habe sie im Januar ins Leben gerufen."

Mein Gott, warum erzähle ich das nur einem Fremden?

„Selbsthilfegruppe?"

„Ja."

Victor hielt kurz inne.

Die Augen des alten Mannes schienen ihn förmlich zu verschlingen. Jedoch empfand er den Blick nicht als unheimlich, sondern als eine freundliche Aufforderung, weiter zu reden.

„Ich hatte bis vor einem Jahr Depressionen. Nachdem es mir wieder besser ging, erfuhr ich, dass sich viele Angehörige depressiver Menschen ohnmächtig fühlen und auch jemanden zum Reden brauchen, und denen widme ich seitdem meine volle Aufmerksamkeit."

„Respekt, junger Mann", kommentierte der Alte mit einem leichten Lächeln auf den Lippen.

Zwei Stationen später verabschiedete er sich und stieg aus.

Victor blickte aus dem Fenster und wollte ihm noch einmal zunicken, da erstarrte er:

Der Greis stand direkt vor ihm. Von dem freundlichen Wesen war nichts mehr übriggeblieben, denn ein stark verzerrtes, furchterregendes Gesicht grinste ihn mit weit geöffnetem Mund an. Die Haut war dunkelgrau, fast schon schwarz, und die Augenhöhlen lagen so tief, dass man die Farbe der Iris nicht mehr erkennen konnte.

Geschockt von diesem Anblick drehte Victor seinen Kopf blitzschnell nach rechts und bemerkte, dass außer ihm niemand mehr in der gleichen Sitzreihe saß.

Sein ganzer Körper zitterte, die Zähne klapperten, und die Enge im Brustkorb schnürte ihm so stark die Kehle zu, dass er laut würgen musste.

Der Zug fuhr wieder los, und Victor wagte einen erneuten Blick zum Gleis:

Die Station war menschenleer.

*

„Sie halten mich jetzt bestimmt für verrückt, Frau Andresen, aber das war ‚er‘!"

Victor lag auf einer großen, dunkelblauen Couch.

Ein edler Plaid aus heller Schafswolle bedeckte seinen Unterkörper und seine Hände umfassten verkrampft den feinen Stoff.

Er ging seit zwei Jahren monatlich zu Mathilda Andresen. Auf dem Schild zu ihrer Praxis in einem kleinen, rot angestrichenen Haus in der Nähe des Englischen Gartens stand „Heilpraktikerin".

Mit ihrem eigentlichen Spezialgebiet, der Hypnotherapie, ging sie nicht hausieren, und spätestens, nachdem ihr ein Unbekannter „Hexe" an den Briefkasten geschrieben hatte, bot sie diese Behandlungsform nur Patienten an, denen sie vertraute.

„Ich habe Sie übrigens noch nie für verrückt gehalten, Herr Barbosa", ging sie auf seine aufgeregte Begrüßung ein.

„Und es gibt nichts, was es nicht gibt. Lassen Sie uns gemeinsam dem Ganzen auf den Grund gehen. Bereit für die nächste Séance?"

Victor konnte nicht antworten, die ihm inzwischen bekannten Angstschauer übermannten ihn, und sein Kiefer begann zu malmen.

In der nächsten Sekunde stand er neben seinem Körper. Er vernahm, dass sein linker Zeigefinger Andresen das verabredete Zeichen gab, und sie begann mit der Augenfixation.

Zehn Zentimeter von der Nasenwurzel entfernt fing ein goldenes Pendel an, seine Kreise zu ziehen. Er spürte, wie die Muskulatur seines Auges ermüdete und er kurz davorstand, in Trance zu fallen.

„Du spürst mit jedem Atemzug Ruhe und Vertrauen in dir aufsteigen. Du findest in deinem Körper die Kraft der Ruhe, die dir beim Loslassen der Angst hilft. Alle Suggestionen, die du gehört hast, wirken jetzt noch tiefer und tiefer, und so vergeht jede denkbare Angst und Selbstvertrauen breitet sich weiter in dir aus."

Victor bekam von den letzten Worten nichts mehr mit.

*

In einem Regieraum flackerten nebeneinander zahlreiche Bildschirme.

Vor dem Mischpult war von hinten eine große Gestalt zu sehen, gehüllt in einen schwarzen Kapuzenmantel.

„Oh, wie es liebe, euch zu beobachten und zu steuern. Denn mein ist das Reich und die Kraft und die Herrlichkeit in Ewigkeit. Amen."

* * *

KAPITEL 14

Februar 2020

Und fürchtet euch nicht vor denen, die den Leib töten, und die
Seele nicht können töten; fürchtet euch aber vielmehr vor dem,
der Leib und Seele verderben kann in der Hölle.

(Matthäus 10,28, LU)

Während der Zugfahrt zur Arbeit kämpfte Ana mit Schmerzen im
Unterleib, die ihr bereits seit einigen Wochen Sorge bereiteten.

Es begann eines Morgens unter der Dusche. Ihr wurde von der
einen auf die andere Sekunde so schlecht, dass sie die Übelkeit für
mehrere Minuten handlungsunfähig machte.

Sie zog ihr Handy aus der Handtasche und fing an, im Internet zu
recherchieren:

„Der Begriff ,Würgen' bezieht sich auf die Abwehr von
Fremdkörpern im Rachenbereich, siehe Würgreflex und ist des
Weiteren eine Form der Strangulation", stand in einem Eintrag bei
Wikipedia.

Strangulation – wie bei Victor…

Ana wurde augenblicklich schlecht. Sie griff hastig nach ihrer Tasche und rannte in Richtung der nächsten Zugtoilette.

*

„Welche Termine warten heute auf uns, Frau Lazar?"

Henry van der Walt schien über die längst vergangenen Feiertage noch dicker geworden zu sein. Nicht nur der Hosenbund spannte und brachte seinen Bauch unter dem Norwegerpullover deutlich zur Geltung.

„Um zehn Uhr kommt Dominik Weber vorbei. Er hatte sich auf die Stelle des ‚Teamleiters' beworben, Sie erinnern sich?"

„Ach du Scheiße. Das ist doch die Pfeife, die ich nicht einladen wollte, aber bei der Sie mich schon fast genötigt haben, sie einzuladen, oder?"

Selber Pfeife, du Arschloch.

„Ich bin nach wie vor von Dominik überzeugt, Herr van der Walt. Schauen wir ihn uns nachher an. Zu verlieren haben wir schließlich nichts."

„Das sehen Sie vollkommen falsch, Frau Lazar. Ich verliere wertvolle Zeit, wenn ich mich mit Tröten und Nichtsnutzen treffe. Übrigens: Ist Ihre Probezeit eigentlich bereits abgelaufen?"

Anas Hand lag locker auf ihrem Oberschenkel. Bis zu van der Walts Gesicht reichte ihre Armlänge nicht, auch wenn es sie in beiden Händen gleichzeitig juckte.

„Auf unserer Agenda steht noch die Besetzung der Vakanz ‚Assistenz der Geschäftsleitung‘. Ich habe, wie Sie es bereits von mir kennen, keine Stellenanzeige geschaltet, sondern aktiv gesourced.“

„Herr Gott, Lazar, sprechen Sie Deutsch mit mir“.

Van der Walt wirkte angespannt, und Ana bemerkte, dass er kurz vor einem seiner cholerischen Anfälle stand.

„Ich habe mich doch klar und deutlich ausgedrückt. Wie immer. Die Vorgehensweise ist sonnenklar: Sie schalten eine Anzeige. Und zwar beim Arbeitsamt. Da warten arme Schweine auf einen neuen Job. Wie Sand am Meer lümmeln die dort herum. Und das beste Schwein, das, Frau Lazar, das schlachten wir dann höchstpersönlich.“

Das darauffolgende Gelächter van der Walts empfand Ana als ekelerregend.

Um abzulenken, klappte sie schnell die mitgebrachte Aktenmappe auf und holte eine ausgedruckte Folie hervor. Diese legte sie so auf den Schreibtisch, dass ihr Vorgesetzter mühelos nicht nur die Bewerbungsfotos von vier Frauen betrachten konnte. Darunter hatte Ana zusätzlich ein paar ihrer beruflichen Stationen aufgeführt.

Oh Mann, war für´n Arsch… lass ihn wenigsten eine von ihnen passend finden… keinen Bock mehr, weiterzusuchen… soll der doch selbst…

Sie nahm den Kugelschreiber mit der Aufschrift „WALTmann & Söhne" in die Hand, holte tief Luft und zeigte mit der Mine ihres Schreibgeräts auf das erste Foto.

Als sie alle vier kurz vorgestellt hatte, schaute sie van der Walt fragend an.

Komm schon… lob mich mal… wenigstens ein einziges Mal!

„Frau Lazar, darf ich ehrlich zu Ihnen sein?"

Er wartete ihre Antwort nicht ab, sondern fuhr mit einem zynischen Unterton fort:

„Also DIE da, die ist mir zu hässlich. DIE da ist zu fett. DIESE hier bekommt nächstes Jahr ein Kind. Und DIE, Frau Lazar, DIE würde ich gerne so ein- oder zweimal durchficken und dann ab dafür."

Der Sekundenzeiger der Bahnhofsuhr in van der Walts Büro sprang Stück für Stück weiter.

Ana musste sich sammeln. Sie konnte das, was sie gerade aus seinem Mund vernommen hatte, nicht glauben, und ihr Gehirn brauchte Zeit, um zu realisieren, dass sie nicht träumte.

*

Das Gespräch mit Dominik Weber verlief unspektakulär.

Vorerst.

Van der Walt suhlte sich in den Erfolgen seines Unternehmens und berichtete von den anstehenden Projekten. Dann stellte er dem jungen Mann, der die ganze Zeit nervös an den Ärmeln seines Sakkos gezupft hatte, die alles entscheidende Frage:

„Herr Weber, Sie haben in Ihrem Anschreiben angegeben, dass Sie gerne 50.000 Euro verdienen möchten. Wissen Sie, was ich gerne möchte? Ich persönlich möchte, dass Sie erst einmal von Ihren horrenden Vorstellungen runterkommen. Wir sind hier nicht im Schlaraffenland. Ach, und übrigens könnte ich Sie aufgrund der einen Lücke im Lebenslauf locker auf 40.000 runterdrücken."

Ana wäre am liebsten vor Scham im Boden versunken. Insgeheim wünschte sie sich, Dominik würde aufstehen und gehen. Ohne einen einzigen Ton, aber mit Mittelfinger.

Das Gespräch plätscherte noch einige Minuten vor sich hin, bevor van der Walt mit einem Ruck aufstand und dem Bewerber die Hand entgegenstreckte:

„Wir melden uns bei Ihnen", waren seine letzten Worte und Ana war froh, als sie Dominik persönlich zur Tür gebracht und sich mit einer motivierend wirkenden Floskel verabschiedet hatte.

„Sagen Sie mal, Lazar", begann van der Walt das übliche Vier-Augen-Gespräch im Nachgang.

„Der Weber, hat der eigentlich eine Kinderlähmung?"

„Ich verstehe nicht, was Sie meinen", fragte Ana irritiert nach.

„Na, der hat doch die ganze Zeit so komisch mit seinem Auge gezuckt. Ach, egal, wissen Sie, was ich Ihnen jetzt sage? Links eine, rechts eine, und dann ist er beidseitig gelähmt. Der ist nichts für uns. Das habe ich Ihnen doch bereits im Vorfeld gesagt. Ich kenne einfach meine Männer."

Einen Scheiß kennst du.

Ana ging zurück in ihr Büro und schloss die Tür.

Tränen schossen in ihre Augen und in ein ungutes Gefühl überkam sie. Ihre Emotionen waren eine Mischung aus Wut, Ekel,

Angst und Scham. Sie konnte nicht begreifen, dass sie zum wiederholten Male ins Klo gegriffen hatte, wie Valeria zu sagen pflegte.

Mittlerweile schämte sie sich sogar vor ihrer Friseurin. Denn mindestens einmal im Jahr musste sie ihr zwischen Haarschnitt und Strähnchen färben mitteilen, dass sie schon wieder den Arbeitgeber gewechselt hatte.

Die muss denken, irgendetwas stimmt nicht mit mir. Und was, wenn dem tatsächlich so ist? Was, wenn ich die einzige Versagerin auf Erden bin, die ihr Berufsleben nicht auf die Reihe bekommt?

Nach wie vor hatte jedoch Ana die Hoffnung nicht aufgegeben, eines Tages auf den für sie richtigen Arbeitgeber zu treffen. Einen Arbeitgeber, der sie so nehmen würde, wie sie war. Mit allen Ecken und Kanten. Der sie wertschätzte und der ihr ein Stück weit den roten Teppich ausrollen würde.

Obwohl sie selbigen nicht brauchte, denn es ging ihr eigentlich nur um ein kleines bisschen Respekt und Anstand.

Eigentlich.

* * *

KAPITEL 15

Juli 1966

Du hast mich verlassen, spricht der HERR, und bist von mir
abgefallen; darum habe ich meine Hand ausgestreckt wider dich,
dass ich dich verderben will; ich bin des Erbarmens müde.
(Jeremia 15,6, LU)

Im Hinterzimmer des kleinen, sizilianischen Friseursalons
„Barbiere Luigi" war es finster. Jedoch ermöglichte die schwach
leuchtende Stehlampe den Blick auf eine männliche Person:

Das erste, was auffiel, war die frisch rasierte Tonsur, denn die
Haut an der kahlen Stelle war dunkelrot.

Zahlreiche Spanngurte waren mehrfach um die Gliedmaßen des
Mannes gewickelt und an einen Holzstuhl festgezurrt. Eines der
Bänder reichte von seiner Stirn bis zum Wasserhahn des
Friseurwaschplatzes, welcher direkt hinter ihm im Boden
verankert war.

Durch die Zugspannung war der Hals so unnatürlich nach hinten
überdehnt, dass sich der Adamsapfel deutlich herausdrückte.

„Wo ist das Geld, du Wichser?"

Voller Gewalt drückte ein Mann mit schwarzem Hut den Kopf des gefesselten Opfers noch tiefer in das Becken hinein, der Stoffknebel im Mund unterdrückte jeden Laut.

Henry, der seinem Vater an diesem Abend unbemerkt durch die offenstehende Kellertür des Salons gefolgt war, konnte nur Bruchteile der Unterhaltung verstehen. Er beobachtete das unheimliche Schauspiel hinter einem Regal voller Weinflaschen und eingelegter Knoblauchzehen.

„Du wolltest Waffen, du hast sie bekommen. Und alles, was wir seit Wochen wollen, ist das Geld. So schwer zu verstehen?"

Es war Martin van der Walt, der sich voller Verachtung in seinen Worten über das Opfer gebeugt hatte.

Ein großer Topf mit kochendem Wasser tauchte hinter dem Rückwärtswaschbecken auf. Van der Walt kippte langsam den Inhalt des dampfenden Behälters auf den kahlrasierten Oberkopf.

Nach wenigen Sekunden fing die Kopfhaut an, Brandblasen zu bilden. Die Augen des fixierten Mannes stachen hervor, und trotz des Knebels vernahm man seine Schreie aus tiefster Kehle.

Seine Beine strampelten wild und der Oberkörper drehte sich unter starken Zuckungen von der einen auf die andere Seite.

„Arrivederci, Domenico."

Die Rasierklinge in van der Walts Hand fuhr von links nach rechts über den Hals des Mannes und zerfetzte die Venen. Das Blut spritzte aus den Aorten an die Wände des kleinen Hinterzimmers.

Es roch nach Tod und Verwesung.

Ein lautes Geräusch ließ die beiden Männer aufschrecken.

„Was war das?"

Der kleine Henry war während der Hinrichtung ein paar Schritte zurückgewichen und über eine offene Kiste voller Maschinenpistolen gefallen.

Bewegungslos lag er am Boden.

Das Licht einer grellen Taschenlampe leuchtete ihm direkt ins Gesicht.

„Henry?"

Van der Walt blickte hinunter auf seinen Sohn.

„Verfickte Scheiße, was zum Teufel tust du hier?"

Er riss ihn an seinem linken Arm hoch und bemerkte, dass zahlreiche Blutspritzer das kleine Gesicht übersäten.

„Weißt du, was wir jetzt machen, du Hurensohn? Du, ja, genau du kommst jetzt mit uns mit. Wenn schon von Anfang an dabei, dann auch bis zum bitteren Ende. Luigi, mein Sohn kommt mit uns!"

*

Der Friedhof lag am anderen Ende von Terrasini, direkt hinter der viel befahrenen Strada 113. Während der Fahrt in dem nach abgestandenem Zigarettenrauch riechenden, roten Alfa Romeo hatte sich Henry wie ein Hundewelpe zusammengekauert. Er dachte an seine Mutter, an seinen Bruder Rob, und das vergangene Jahr voller Schmerzen und Tränen zog noch einmal an ihm vorbei.

Ich will nicht sterben, bitte lieber Gott, hilf mir.

Das Auto parkte.

Martin van der Walt stieg aus, ging zum Kofferraum und öffnete ihn. Während er mit Luigi die Leiche herauszog, hob Henry vorsichtig seinen Kopf und schaute aus dem Fenster:

Ein großes Gelände mit zahlreichen Kreuzen tat sich vor ihm auf.

Oh, nein…, was machen wir hier auf dem Friedhof? Mama… ich will zu meiner Mama…

Die Tür an seiner Seite wurde ruckartig geöffnet.

„Aussteigen!", befahl ihm sein Vater.

„Papi, es tut mir so leid. Bitte, bitte, Papi, tu mir nichts an. Ich verspreche dir, auch artig zu sein. Ich mache doch schon alles, was du willst."

Van der Walt lachte hämisch.

„Bitte, bitte", äffte er seinen Sohn nach und schubste ihn in Richtung des Leichnams. Mit seiner Taschenlampe leuchte er auf das Gesicht des Toten.

„Schau ganz genau hin, Henry. Was fällt dir auf?"

Die Augen des leblosen Körpers waren weit aufgerissen. An dem tiefen, lang gezogenen Halsschnitt war das Blut bereits eingetrocknet.

Henry war starr vor Schreck und Ekel. Sein Blick fiel auf das linke Auge des Mannes:

Es war schwarz.

„Siehst du, was ich sehe, Henry? Faszinierend, nicht wahr? Meine Oma erzählte mir, als ich noch so klein war wie du, die Geschichte vom schwarzen Auge. ‚Warum ist es das Linke?', fragte ich sie damals. ‚Weil es besser als das Rechte Emotionen in Gesichtern erkennen kann', erklärte sie mir weiter. Und jetzt kommen wir zum entscheidenden Punkt, Henry: Scheiß auf Emotionen. Scheiß auf Menschlichkeit. Du wirst im Laufe deines

Lebens Menschen begegnen, die behaupten werden, du seist cholerisch oder narzisstisch oder gar durchtrieben. Aber genau das Gegenteil ist der Fall, denn wir sind die Guten und DIE nur darauf aus, uns zu vernichten. Verstehst du, was ich damit sagen will?"

Henry verstand nicht einmal die Hälfte.

Es war für ihn absurd, dass sein Vater gerade jetzt diesen Vortrag hielt, während sie mit der Leiche auf einem Friedhof waren.

„Und weil dieser Domenico ein Weichei war, hat heute Nacht nicht nur der Teufel über ihn gerichtet. Andiamo!"

Van der Walt packte den leblosen Körper an den Schultern und Luigi griff nach dessen Beinen.

Das sanfte Licht mehrerer hintereinanderstehender Laternen führte sie vorbei an zahlreichen Toten in ihren Gräbern. Nach wenigen Minuten standen sie vor einem tiefen Erdloch.

„Für die Besten nur das Beste."

Der Leichnam schlug unten mit einem dumpfen Knall auf.

* * *

KAPITEL 16

Freitag, 05. September 1997

Mein erster Tagebucheintrag… wie soll ich beginnen?

„Liebes Tagebuch", vielleicht?

Nein, denn ich schreibe ja DIR.

Hättest Du mir vor zwei Jahren gesagt, dass ich meine Gedanken auf ein Blatt Papier bringen würde, ich hätte dich für verrückt gehalten.
Nicht, dass ich es nicht tue, denn Du bist es in der Tat – verrückt und perfide. Oder soll ich lieber sagen: Pervers?

Jetzt lachst du sicherlich und fühlst dich erhaben.
Erhaben über mich.
Und über viele andere. Denn das, was du tust, hält dich am Leben.

Ebenso wie diejenigen, die du bereits für dich gewinnen konntest.
Die deine Diener sind. Deine Untertanen. Deren Taten von Tag zu Tag abscheulicher und menschenverachtender werden.

Und wofür das Ganze?

Ich denke, es geht dir um Macht. Um Unterdrückung. Und um das seelische Leid derjenigen, die im Grunde ihres Herzens „rein" sind.

So wie jedes Neugeborene.

Kein Mensch ist von Geburt an böse. Seine Seele ist weiß und unschuldig.

Die Familie jedoch, in die er hineingeboren wird, kann er sich nicht aussuchen. Entweder hat er Glück und wächst wohlbehütet auf oder DU erscheinst plötzlich auf dem Spielfeld.
Und dann erlebt dieser Mensch Dinge, die man nicht auszusprechen wagt, weil... weil sie zerstörerisch sind.

Jahr für Jahr wird die Welt um seine Seele dunkler und dunkler. Bis zu dem Punkt, an dem das Menschenkind größer geworden ist und freie Entscheidungen treffen kann.
Selbstverständlich bist du bei dieser Entscheidungsfindung stets an seiner Seite und präsentierst ihm Tag für Tag einen anderen deiner Gefolgsleute.

Das Kind, das inzwischen ein Jugendlicher ist, beginnt, an sich selbst zu zweifeln... geht hart mit sich ins Gericht... grübelt und fragt sich, was denn mit ihm nicht stimmen würde.

Wenn es schlecht für dich läuft, dann versteht dieser Mensch, dass mit ihm alles in Ordnung ist. Dass er gut so ist, wie er ist. Dass er liebenswert ist und dass er sich von denjenigen fernhalten sollte, die ihm nicht guttun.

Er wird NICHT wie du. Er wird NIEMALS deinem Kader angehören, denn er hat erkannt, dass das Leben nur dann lebenswert ist, wenn man gut zu sich und gut zu anderen ist.

Und dass die LIEBE alles ist, was zählt!

Wenn es jedoch gut für dich läuft, und das ist leider oft der Fall, dann werden diese inzwischen erwachsenen Seelen so wie Du:

Schwarz.

Es scheint, als würdest Du ihnen eine Art Droge verabreichen, deren Dosis von Tag zu Tag erhöht wird. Sie schlittern immer tiefer in einen Sumpf aus Intrigen, Verrat, Machtmissbrauch und Demütigung ihres Umfelds.

Weißt Du, was ich noch nicht verstanden habe?

Wenn deine schwarzen Seelen eine Schneise der Verwüstung hinterlassen, merken sie das eigentlich nicht?
Sind sie so mit sich selbst und ihren Taten beschäftigt, dass sie nicht mitbekommen, wie andere unter ihnen leiden? Oder ist es ihnen etwa egal?

Ein zermürbender Gedanke!

Anscheinend schaffst Du es, wie auch immer, sie von der Richtigkeit ihrer Taten zu überzeugen. Und zwar so, dass sie mächtig stolz auf sich zu sein scheinen.

Wie Du das machst – ich werde es herausfinden.
Auch wenn ich dafür mit meinem Leben bezahlen muss!

Letzte Nacht hatte ich einen Traum:

Ich befand mich in einem langen, hell erleuchteten Gang. Am Ende war ein großer Raum. Ein Hörsaal. Hunderte Menschen saßen in ihm, aber ich habe sie nur von hinten gesehen.

Ganz vorne war eine Gestalt, gehüllt in einen schwarzen, langen Mantel. Ich konnte ihr Gesicht nicht sehen, denn es war zu dunkel.

Warst das DU?

Ich denke schon. Ich werde auch das herausfinden.

Weißt Du, was ich noch denke?

Jeder Mensch hat bis zum Ende seines Lebens eine Wahl. Die Wahl, dir bis zu seinem Tode zu dienen, oder irgendwann einmal doch noch den Sprung zu schaffen und aus deinem perfiden Spiel auszusteigen.

Mein erster Tagebucheintrag… und das war nur der Anfang!

* * *

KAPITEL 17

Dezember 2020

Wer Sünde tut, der ist vom Teufel; denn der Teufel sündigt von
Anfang. Dazu ist erschienen der Sohn Gottes,
dass er die Werke des Teufels zerstöre.

(1. Johannes 3,8, LU)

Nicht nur der große Blumenstrauß, den Doris Beck zur
Vertragsunterzeichnung mitgebracht hatte, ließ Ana Lazars Augen
leuchten. Auch die dazugehörige Karte vergrößerte ihre Vorfreude
auf den neuen Arbeitsplatz:

*Liebste Ana, ich wünsche dir und deiner Tochter eine zauberhafte
Adventszeit. Dies ist wahrscheinlich die schönste Weihnachtskarte, die ich je
geschrieben habe! Ich freue mich schon sehr auf unsere Zusammenarbeit.
Herzlichst, deine Doris.*

Es war das erste Mal gewesen, dass nicht sie sich bewerben
musste, sondern zwei der einflussreichsten Vertreter eines
Unternehmens enthusiastisch um sie geworben hatten.
Angefangen von der angebotenen Position der Abteilungsleitung
mit zwölf Mitarbeitern, bis hin zu einem Gehalt, welches ihre
bisherigen weit übertraf.

Ana war bewusst, welchen Herausforderungen sie sich bei dem japanischen Halbleiterhersteller ConduCorp stellen würde. Trotzdem, oder gerade deshalb, fühlte sie sich bereit für den nächsten Schritt.

Vor einer Woche hatte sie van der Walt die Kündigung auf den Tisch gelegt.

Wie schön, endlich mal die Erste zu sein, war ihr letzter Gedanke, bevor sie an die Tür zu seinem Büro klopfte.

Er saß breitbeinig im roten Ledersessel und die beiden untersten Hemdknöpfe waren, wie immer, offen.

Van der Walt schaute auf das Blatt Papier. Im nächsten Atemzug unterbrach seine bissige Art zu reden, gepaart mit einem eingeschnappten Unterton, die Stille:

„Hat eh nicht gepasst, Frau Lazar. Sie sind weit hinter den Erwartungen zurückgeblieben. Ach, und dass sich in den letzten Monaten zahlreiche Kollegen über Sie beschwert haben, dürfte selbst Ihnen nicht entgangen sein, oder?"

Ana stand nach diesem Satz wortlos auf und ging.

Als sie einen Tag später erfuhr, dass der Choleriker auf ihre Kündigung mit einigen Kollegen und einem Kasten Bier angestoßen hatte, fühlte sie sich in ihrem Handeln bestätigt.

Die verbleibenden zwei Monate bis zum Start bei ConduCorp genoss Ana in vollen Zügen. Sie widmete sich intensiv ihrer Tochter Zoe sowie dem Ausmisten des Kellers – zwei schwere Kartons hatte sie noch vor sich.

Ihre zukünftige Vorgesetzte kam an diesem Freitagabend höchstpersönlich in ihrer Gartenwohnung vorbei. Es hätte sich zufälligerweise durch einen anstehenden Reifenwechsel in der nahe gelegenen Werkstatt angeboten, behauptete sie.

„Nun, kommen wir zum spannenden Teil, liebe Ana."

Doris Beck zwinkerte verschwörerisch in Zoes Richtung. Ihre wulstigen Hände mit künstlichen, dunkelrot lackierten Fingernägeln griffen zu der mitgebrachten Aktenmappe.

„Ich habe eine gute und eine schlechte Nachricht. Welche möchtest du zuerst hören, liebste Ana?"

Ihre Handbewegungen wirkten theatralisch und übertrieben.

„Die Schlechte zuerst bitte."

Anas Herz fing an, schneller zu schlagen.

„Wir hatten ja mit Jakob besprochen, dass du die Recruiting-Abteilung übernimmst. Aufgrund der Tatsache, dass wir uns, wie du weißt, inmitten einer Transformation befinden, wird dieses Department erst ab April an dich übertragen werden."

Jakob Priller war der Betriebsratsvorsitzende von ConduCorp, welches zwei Jahren zuvor von einem japanischen Konzern gekauft wurde. In zahlreichen Medienberichten war zu lesen, dass vonseiten der Vorstandsetage ein Stellenabbau in vierstelliger Höhe geplant war.

„Entschuldige bitte, dass ich dich unterbreche Doris. Ich weiß ja nicht, welche Neuigkeiten du sonst noch für mich hast, jedoch ist mir gerade ein bisschen mulmig zumute. Denn wie du weißt, bin ich eine alleinerziehende Mutter. Mein Job bei WALTmann & Söhne macht mir keinen Spaß mehr. Aber Jakob würde mich doch nicht zu euch holen, wenn er wüsste, dass demnächst auch meine zukünftige Abteilung vom Abbau bedroht wäre, oder?"

„Ana, unser gesamter Betriebsrat ist stark und integer. Das Management kuscht förmlich vor diesem Organ. Eigentlich dürften wir aktuell keine Externen wie dich einstellen. Aber Jakob und ich haben uns für dich starkgemacht. Wir haben alles gegeben. Nur für dich. Und wenn du mir eins glauben kannst, dann die Tatsache, dass Jakob ein wahrer Ehrenmann ist."

Als Doris Beck diesen Satz aussprach, blickten ihre Augen nach oben, und Ana nahm eine dunkle Verfärbung unter dem linken Wimpernkranz wahr.

„Mama, ich habe Hunger", unterbrachen Zoes Worte das für ihre Mutter unangenehme Warten auf die ganze Wahrheit.

„Hach, die lieben Kleinen", kicherte Doris Beck gekünstelt.

„Wo waren wir stehen geblieben? Genau, bei deiner Funktion bis zur Übernahme der Abteilung. Also, ab März bist du eine klassische Recruiterin. Das wird sich dann ab April ändern, denn bis dahin wird der aktuelle Leiter nicht mehr unter uns sein."

„Nicht mehr unter uns sein? Wie meinst du das?"

Doris Beck kicherte erneut.

„In der Tat, das hört sich jetzt unheimlicher an, als es ist. Alles, was du wissen musst, ist, dass es in diesem Unternehmen viele, viele Menschen gibt, die mir noch nie etwas gegönnt haben."

Ein leichter Seufzer kam aus Doris Becks Kehle.

„Man hat mir in den letzten zwanzig Jahren unzählige Steine in den Weg gelegt. Man hat mich gemobbt und gedemütigt."

Ana empfand tiefes Mitleid für die Frau, die in ihre Ledertasche griff und sich in ein Taschentuch schnäuzte.

„Oh, Gott, wie peinlich. Ich schäme mich gerade ein bisschen vor dir. Kommen wir noch zur guten Nachricht."

Hektisch blätterte Doris Beck in der Vertragsmappe, schlug die zweite Seite auf und deutete mit dem Zeigefinger auf das Blatt Papier. Anas Blick fiel auf eine Zahl, sie war um siebenhundert Euro höher als das Gehalt, das ihr ursprünglich angeboten wurde.

„Wie kann das sein?"

Ihr Erstaunen war deutlich in der Stimme zu hören.

„Nennen wir es schlicht und ergreifend Vorfreude-Bonus. Wir bekommen das alles gemeinsam hin. Ich habe im Kollegium schon viel von dir erzählt. Alle freuen sich riesig auf dich."

Nachdem Doris Beck gegangen war, griff Ana in den Kühlschrank, öffnete mit lautem Zischen eine Bierflasche, huschte in das Arbeitszimmer und rief ihre Freundin Valeria an.

„Erst einmal herzlichen Glückwunsch, meine Liebe. Du klingst jedoch ein bisschen verwirrt. Täuscht mich mein Eindruck?"

„Das Wort trifft meine Gedanken und Gefühle auf den Punkt genau. Es gibt zwei Dinge, die mich ein wenig irritieren."

„Erstens?", fragte Valeria ungeduldig.

„Erstens die Tatsache, dass ich bereits jetzt so viele Interna über unzählige Kollegen weiß, dass ich mittlerweile ein Regiebuch führen muss. Mit wem darf ich reden, mit wem nicht. Wem kann ich vertrauen und wem nicht."

„Tja, Schatzi, Großkonzern halt."

„Ich weiß doch, Valli. Trotzdem."

„Und zweitens?"

„Vergiss' es. Nicht wichtig."

„Nix da, raus mit der Sprache."

Ana schwieg. Ihre Beobachtung in Worte zu fassen, wäre ihr schwergefallen. Sie erinnerte sich nur dunkel, eine ähnliche Verfärbung wie auf Doris Becks Augapfel zuvor bei einem anderen Menschen gesehen zu haben.

Sie kam jedoch nicht darauf, bei wem.

* * *

KAPITEL 18

April 1997

Und viele, so unter der Erde schlafen liegen, werden aufwachen:
etliche zum ewigen Leben,
etliche zu ewiger Schmach und Schande.
(Daniel 12,2, LU)

„Klinik für Psychiatrie" stand auf dem Hinweisschild.

Doris' Hände zitterten, als sie die schwere Glastür aufdrückte. Der vor ihr liegende Gang war weiß und steril. Ihre Turnschuhe verursachten ein leises Quietschen auf dem PVC, und es roch nach Desinfektionsmittel und Kantinenessen.

Sie folgte einem Schild und bog nach rechts ab. Nach wenigen Schritten stand sie vor einer Tür. „Station 152". Es war die Schwerpunktstation für schizophren Erkrankte in der Klinik Menterschwaige im Südwesten Münchens.

Die Neunzehnjährige, die kurz vor ihrem Abitur stand, war vor drei Tagen aus dem Mathematikunterricht geholt und in das Büro der Rektorin gebracht worden.

„Deine Mama wurde heute Morgen von der Polizei in eine geschlossene Einrichtung gebracht."

Ein Kälteschauer durchfuhr Doris' Körper.

Oh Gott, nein... ich wusste, dass es irgendwann einmal...

„Sie hatte wohl in eurer Siedlung randaliert, mit Gegenständen um sich geworfen sowie eine Nachbarin bedroht und angespuckt. Doris, das tut mir so unendlich leid. Bitte gib uns Bescheid, wenn wir dich unterstützen können."

Weder die Direktorin noch sonst jemand hätten ihr helfen können. Sie war es gewohnt, seit ihrer Kindheit auf sich allein gestellt zu sein und hatte gelernt, mit dem seelischen Schmerz umzugehen.

„Darf ich Ihnen weiterhelfen?"

Ein kleiner Mann in weißem Kittel und Nickelbrille schaute sie neugierig an.

„Mein Name ist Doris Beck. Ich möchte zu meiner Mutter. Sie heißt Gabriele Beck."

„Ah, ja, genau, die Doris. Komm bitte mit", sagte der Arzt, als hätte er sie bereits erwartet.

Er ging ihr schnellen Schrittes voraus, bog am Ende des Ganges links ab und deutete mit seiner Hand auf die erste Tür rechts von ihnen.

Doris trat vorsichtig in das Zimmer ein. Sie setzte sich auf den Stuhl vor einem großen, unaufgeräumten Holzschreibtisch, nachdem der Arzt ihr den Platz mit einer erneuten Handbewegung angeboten hatte.

„Doris, ich darf doch ‚du' zu dir sagen, oder?"

Ein stummes Nicken bejahte seine Frage.

„Deine Mutter leidet unter einer Alkoholpsychose. Sie muss in den letzten Jahren so viel getrunken haben, dass der Alkohol eine Wahrnehmungsstörung bei ihr ausgelöst hat. War dem so, Doris? Gehe ich recht in der Annahme, dass du irgendetwas mitbekommen hast?"

Tränen rollten über Doris' Wangen, und sie wischte sie mit dem Ärmel ihrer Bluse ab.

„Natürlich habe ich das", flüsterte sie leise.

Der Arzt reichte ihr ein Kosmetiktuch, welches er aus einem Spender auf seinem Schreibtisch zog.

„Was genau bedeutet diese Psychose für meine Mutter?"

„Nun, ich werde versuchen, es dir so einfach wie möglich zu erklären: Deine Mutter lebt in ihrer eigenen Welt. Das, was sie wahrnimmt, hat nichts mit der Realität zu tun. Meine Kollegen und ich werden im Rahmen von einigen noch stattfindenden

Untersuchungen herausfinden, ob wir ihr sogar eine sogenannte „Alkohol-Halluzinose' diagnostizieren müssen."

„Eine Halluzinose?"

Doris' Magen zog sich zusammen.

„Leider ja, Doris. Die Symptome, die mit dieser Erkrankung einhergehen, ähneln sehr stark einer Schizophrenie. Die Patienten leiden in aller Regel unter akustischen Halluzinationen. Und manchmal sogar unter optischen Fehlwahrnehmungen."

In Doris' Kopf wurden zahlreiche Erlebnisse, welche sie mit ihrer Mutter durchlitten hatte, im Schnelldurchlauf abgespielt, und sie hörte diese zu ihr sprechen:

„Doris, da, da sind sie wieder. Sie wollen mich holen. Ja, und du, du hast sie bestellt. Was bist du nur für eine Verräterin. Gib es zu, dass du den Schwierigkeitsgrad bei meinem Heimtrainer umgestellt hast. Ja, das warst du. Wieso hast du das getan? Warst auch du das, die mein Bild auf der Titelseite der Tageszeitung veröffentlicht hat? Natürlich warst du das. Das ist echt krank, einfach nur krank."

Doris bemerkte noch rechtzeitig, dass ihr Frühstück durch die Speiseröhre bis hin zu ihrer Kehle hochgedrückt wurde. Ihre Augen entdeckten den Mülleimer, der neben dem Schreibtisch stand. Sie zog ihn hastig zu sich und übergab sich in ihn.

Währenddessen berührte der Arzt mitfühlend ihre Schulter.

Nachdem er den Eimer weggebracht hatte, fuhr er mit seinen Ausführungen fort. Er klärte Doris über die weiteren Behandlungsschritte auf und machte ihr deutlich, dass nach dem stationären Aufenthalt eine ambulante Therapie auf Gabriele Beck warten würde.

„Doris, bevor wir jetzt zu deiner Mutter gehen, musst du noch eins wissen: Sie ist noch sehr verwirrt und stellt somit eine Gefahr für sich und andere dar. Sie liegt aktuell in einem sogenannten ‚Krisenraum'. Und sie liegt in keinem normalen Bett."

Fünfpunktfixierung, schoss es Doris durch den Kopf.

Sie wischte sich noch einmal mit dem inzwischen durchweichten Tuch über die Lippen und folgte den gemächlichen Schritten des Arztes.

Zahlreiche, von außen verriegelte Stahlflächen mit Sichtfenster unterbrachen auf beiden Seiten des Ganges die Wände. Als sie an der dritten Tür angekommen waren, hämmerte plötzlich von links ein Mann mit seiner geballten Faust an die Scheibe.

Starr vor Schock blieb Doris stehen und schaute direkt in seine weit aufgerissenen Augen. Vor seinem Mund hatte sich Schaum gebildet.

„Die wollen uns brechen. Mit allen Mitteln. Sie sind besessen. Vom Teufel!", war durch die Schutzverglasung gedämpft zu hören.

Doris' Knie waren kurz davor, nachzugeben, doch sie spürte den festen Griff des Arztes an ihrem Oberarm und ließ sich von ihm weiterziehen.

Nach wenigen Metern verlangsamte sich sein Gang. Er blieb vor dem nächsten Sichtfenster stehen und deutete ihr mit seinem Blick an, dass sie hineinschauen durfte:

Gabriele Beck lag in einem hellblauen Schlafanzug auf der Matratze eines breiten Krankenhausbettes. Zahlreiche Gurte waren an ihrem Bauch sowie an den Hand- und Fußgelenken angebracht.

Der Arzt betrat als erster den fensterlosen Raum.

„Frau Beck, ich habe Ihnen jemanden mitgebracht."

Als diese Doris erblickte, riss sie verzweifelt an den Gurten, versuchte mehrmals, sich aufzubäumen und schrie zu ihrer Tochter:

„Verdammt sollst du sein, du Missgeburt."

* * *

KAPITEL 19

März 2003

Wo ihr aber in ein Haus geht, so grüßt es; und so es das Haus
wert ist, wird euer Friede auf sie kommen. Ist es aber nicht wert,
so wird sich euer Friede wieder zu euch wenden.
Und wo euch jemand nicht annehmen wird noch eure Rede
hören, so geht heraus von demselben Haus oder der Stadt und
schüttelt den Staub von euren Füßen.
(Matthäus 10,12-14, LU)

Himmel, was hat die denn heute noch vor?

Als Irina Timoschenko an Anas Büro vorbeistolzierte, war die
Länge des Rockes unübersehbar: Er endete in der Mitte ihrer
schlanken Oberschenkel und war aus schwarzem, glänzenden
Leder.

*Snyder ist direkt nach dem Meeting gegangen… vielleicht werden die sich
gleich…*

„Ana, ich habe dich doch vor einer Stunde angerufen!",
unterbrach Timoschenko ihre Gedanken.

Sie schaute mit einem vernichtenden Blick zur Tür herein, und
Ana hielt vor Schreck den Atem an.

„Wie kann es sein, dass du nicht auf meine Nachrichten antwortest? Wie kann es sein, dass du weder auf meine Anrufe noch auf meine E-Mails reagierst? Ana, schau mich an und beantworte mir endlich die Frage!"

Als wären es die Enden einer Peitsche, knallten die einzelnen Worte in Anas Gesicht.

Alle Anschuldigungen waren haltlos und dienten der puren Vernichtung. Dessen war sie sich bewusst.

Aber auf grausame Art und Weise hatte Timoschenko sie bereits wenige Tage nach Praktikumsbeginn so tief in die Knie gezwungen, dass Zweifel an ihren Fähigkeiten zu einem täglichen Begleiter geworden waren.

Nachdem ihre Vorgesetzte wieder gegangen war und sich mit „Ich bin dann mal weg" verabschiedet hatte, schloss Ana die Tür zum Büro.

Sie machte die unterste Schublade ihres Schreibtisches auf und stopfte sich einen Schokoriegel nach dem anderen in den Mund.

„Du musst so schnell wie möglich von dieser Furie weg. Hey, das ist dein allererstes Praktikum. Nach dem kräht kein Hahn mehr. Also hör auf zu heulen, nimm deine Beine in die Hand und renn!", hatte ihr Valeria vor drei Tagen den mütterlichen Rat gegeben.

*

Bevor sie die Autotür öffnete, schaute Irina noch einmal in den Spiegel der Sonnenblende und zog ihre Lippen mit einem hellbraunen Liner nach.

Auf dem Parkplatz des Etablissements stand bereits Snyders roter Bugatti. Er hatte vorgeschlagen, sich gleich vor Ort zu treffen, da er davor noch etwas zu erledigen hatte.

„You look amazing, Honey. Ich habe heute eine ganz besondere Surprise für dich, my Lovebird", hatte er ihr nach dem Meeting ins Ohr geflüstert.

Irina ging die ihr vertrauten Stufen nach oben. Am Tresen wartete bereits Anita auf sie, die Frau mit den eisblauen Augen.

„Heute lässt es Timothy aber krachen!", bemerkte sie mit einem süffisanten Grinsen.

„Na, dann folge mir bitte."

Rechts neben dem Tresen führte eine steile Treppe in den Keller. Diese war Irina bei ihrem ersten Besuch vor zwei Jahren aufgefallen. Und sie hatte sich seitdem schon oft gefragt, ob im Keller nur der Champagner lagerte.

Unten angekommen, standen sie direkt vor einer schwarzen Eisentür. Sie musste schalldicht sein, denn von drinnen war gedämpft ein Basssound zu hören.

In blutroter, nach unten auslaufender Schrift stand geschrieben:

Frei sein heißt wählen können,
wessen Sklave man sein will.

Anita drückte auf den Klingelknopf.

Minuten schienen zu vergehen, in denen die Tür geschlossen blieb, und in Irinas Körper machte sich langsam die Angst breit.

Ein Gefühl, welchem sie sich zuletzt als Teenager stellen musste.

Plötzlich öffnete sich die Tür:

Der laute Bassriff, begleitet von einer aggressiven, männlichen Stimme, fegte wie ein Orkan über Irina hinweg und stach schmerzhaft ihr Trommelfell.

Zwei Hände stießen sie nach vorne. Irina drehte sich zu Anita um und wollte sich beschweren, aber vor ihr befand sich nur noch die schwarze, geschlossene Eisentür.

Von Anita war keine Spur mehr.

Irinas Hände zitterten. Sie stützte sich an der Wand ab und wagte einen Blick auf das, was feinsäuberlich sortiert daran hing:

Handschellen, schwarze Atemmasken, Eisenketten, Peitschen unterschiedlicher Länge, und dazwischen zahlreiche, lodernde Fackeln.

Langsam ging Irina den Flur entlang.

Der Song „Killing In The Name Of" von Rage Against the Machine begleitete sie dabei mit ohrenbetäubendem Lärm.

Die ganze Atmosphäre hatte einerseits etwas Magisches, etwas Mystisches an sich. Jedoch wurde Irina das Gefühl nicht los, dass gleich unfassbar degradierende Dinge passieren würden.

Was hat Timothy damit zu tun? Wo ist er bloß?

Der Gang bog nach links ab.

Vorsichtig streckte Irina ihren Kopf um die Ecke und erschrak.

Durch die offenstehende Tür erblickte sie in einem Sklavenkäfig einen gefesselten Mann. Sein Kopf steckte in einer Bondagemaske aus schwarzem Latex. In seinem Mund befand sich ein roter Ballknebel.

Er sah aus wie ein gefesseltes Tier.

Irina ging ein paar Schritte weiter in Richtung Käfig, und dann erkannte sie ihren Kollegen, Luke Anderson, mit dem sie seit Monaten das eine oder andere Schäferstündchen verbrachte.

Der Raum war mit Utensilien ausgestattet, die sie bisher nur von Fotos kannte:

Ein Domina-Thron, eine hölzerne Streckbank, mehrere Strafböcke und ein schwarzes Andreas-Kreuz ließen keinen Zweifel an der Tatsache, dass es sich hier um ein Bizarrstudio handelte.

„Willkommen im Reich von Master Lucifer", hörte Irina plötzlich links von sich.

„Heute Nachmittag gehört ihr beiden mir allein. Because I am the God of Obsession!"

Hätte sie Snyder im Rahmen einer anderen Situation in schwarzer Lederhose mit Kettenunterhemd und Schiebemütze gesehen, sie hätte losgebrüllt vor Lachen.

Jedoch war ihr in diesem Augenblick nur nach Flucht zumute.

„My dearest Irina: Ich kenne dich nun schon lange genug, du devote Bitch. Ich weiß, dass du auf Fesseln stehst. Und ich weiß auch, dass du für deinen beruflichen Erfolg über Leichen gehen würdest. Du erniedrigst gerne Menschen, demütigst sie verbal. Aber heute werde ich dich benutzen. Und ich werde mich an deinem Leid ergötzen! Kommt dir das nicht irgendwie bekannt vor, Honey?"

Irina ahnte nur, was Snyder damit meinte. Was sie jedoch nicht verstand war die Tatsache, warum er gerade ihr dies antat.

Als hätte er den Gedanken gelesen, antwortete er:

„Geld und Macht sind eins, so unzertrennlich sind in dieser Gesellschaft vielleicht nur Macht und Sex. Und da ich euch beide noch für das eine oder andere in meinem Unternehmen brauche, ist es umso schöner zu wissen, dass ihr ab heute nicht anders könnt, als mich zu unterstützen. Denn ich kenne sie, eure dunkelsten Geheimnisse. Und somit seid ihr mir machtlos ausgeliefert. Hipp horey."

Irina spürte, wie ihr Tränen den Hals bis hin zu ihrem Dekolleté herunterliefen.

* * *

KAPITEL 20

September 1988

Darum richtet nicht vor der Zeit, bis der HERR komme, welcher
auch wird ans Licht bringen, was im Finstern verborgen ist,
und den Rat der Herzen offenbaren;
alsdann wird einem jeglichen von Gott Lob widerfahren.
(1. Korinther 4,5, LU)

Während des Abendessens hörte man nur vier Löffel an die
Ränder der mit frisch zubereitetem Borschtsch gefüllten
Keramikschüsseln klappern.

Irina und ihre Eltern saßen im Wohnzimmer um den Esstisch.
Ihre vier Jahre ältere Schwester Nadeschda erweckte den
Anschein, ebenso schweigend in ihr Essen vertieft zu sein. Jedoch
beobachtete sie aus dem Augenwinkel die Situation und spürte,
dass großer Ärger in der Luft lag.

„Wie ist das möglich?"

Die Frage ihres Vaters Timofei Timoschenko durchbrach die
gespenstische Stille.

„Frau Kuszenowa hat mit uns gesprochen, Irina. Wir sind
entsetzt."

Jekaterina Timoschenko schaute von ihrer Schüssel auf und erkannte in den Augen ihrer Tochter die pure Verzweiflung.

Ein Gefühl, welches auch sie von ihrer Kindheit als Rhythmische Sportgymnastin kannte. Sie hatte jedoch im Laufe der Jahre gelernt, dieses zu unterdrücken und sich einzureden, dass sie es ohne eine gewisse Härte und Lieblosigkeit niemals so weit geschafft hätte.

„Das Leben ist kein Ponyhof", hatte damals schon ihr eigener Vater gesagt.

Ihre Mutter dagegen war anders. Jedoch hatte sie gegenüber dem Patriarchen des Hauses keinerlei Mitspracherecht.

„Was genau meinst du, Papascha?"

Irina versuchte, durch den sanften Unterton wertvolle Minuten herauszuschlagen.

Im nächsten Augenblick griff Timoschenkos rechte Hand über den Tisch und riss seine Tochter am langen Pferdeschwanz nach oben. Er wickelte die Haare einmal um seine Hand und zog sie noch näher an sich heran.

Irinas Hals knickte zur Seite und ihr Kopf befand sich direkt über der noch dampfenden Suppenschüssel.

„Timofei, bitte, hör auf. Es ist doch unser Kind!", schrie Jekaterina, die abrupt aufgestanden war.

Kaum hatte sie den Satz ausgesprochen, wurde sie mit der Wucht von Timoschenkos Ellenbogen nach hinten geschleudert, krachte mit ihrem Rücken in den Fernseher und stürzte zu Boden. Das Gerät streifte durch den Aufprall zuerst ihre rechte Schulter und fiel dann mit einem dumpfen Schlag auf die alten Holzbretter.

Der Bildschirm gab nur noch ein nervöses Flackern von sich.

Hellrotes Blut tropfte aus Jekaterinas Nase.

„Verdammte Schlampen", schrie Timoschenko, Irinas Zopf weiterhin fest umklammert.

„Ihr kommt jetzt mit. Alle drei!"

Er ging um den Esstisch herum und zog Irina hinter sich her. Nadeschda lief zu ihrer Mutter und half ihr beim Aufstehen.

Die blanke Angst stand ihr ins Gesicht geschrieben.

„Los jetzt. Bewegt euch", knurrte er und stieß Irina mit seinem Knie in den Rücken.

An ihrem Kinderzimmer angekommen, ließ er den Pferdeschwanz los und schob mit dem Zeigefinger den Lichtschalter nach oben.

Auf dem gesamten Teppichboden lag der zusammengeknüllte Verpackungsmüll unzähliger Aljonka-Schokoladentafeln.

Du bist heute auch ganz besonders traurig, nicht wahr?, sprach Irina stumm zu dem auf der Vorderseite aller Papiere abgedruckten Mädchen mit Kopftuch und blauen Augen.

Zeitverzögert durch den Schock verstand sie erst jetzt, dass ihr Vater in ihren Schubladen herumgeschnüffelt hatte.

„Was zum Teufel ist das, Irina?"

Timoschenko zeigte mit seiner Hand auf den Abfall. Jekaterina, die sich an Nadeschdas Schulter abstützte, wischte sich mit dem Ärmel ihres Pullovers über die noch blutende Nase.

Erinnerungen an ihre eigene Jugend kamen hoch:

Das ist genau das, was ich immer vermeiden wollte. Und ich habe es nicht geschafft. Was bin ich nur für eine schlechte Mutter?

„WIE KANN DAS SEIN?"

Die peitschenden Worte ihres Mannes ließen sie aus ihren Gedanken hochschrecken.

„Ich habe ein Problem, Papa", bekannte Irina heiser.

„Was hast du gerade gesagt? Sprich lauter, verdammt."

„Ich habe ein Problem", sagte sie noch einmal und wäre vor Scham am liebsten im Boden versunken.

„So, meine Tochter hat also ein Problem. Na, um welches Problem handelt es sich denn, wenn ich fragen darf?"

„Ich habe eine Essstörung."

Wieder waren Irinas Worte kaum zu hören.

„Du hast eine was? Sprich lauter, verdammt noch mal."

„Ich habe eine Essstörung, Papascha!"

21, 22, 23.

Die Zeit schien stillzustehen.

„Eine Essstörung?"

Das laute Gelächter Timoschenkos ließ die Wände des Kinderzimmers erbeben.

„Soll ich dir mal sagen, was du hast, Irina? Du hast keine Essstörung – was auch immer das sein soll. Du hast einfach keinen Willen mehr! Ja, genau das hat uns auch deine Trainerin gesagt. Keinen Funken von Willen, dir einfach mal deinen fetten Arsch aufzureißen und das zu tun, was man dir sagt. Es einfach nur tun, damit nicht nur du, nein, sondern damit wir alle hier auf ein besseres Leben hoffen können. Denn es ist endlich an der

Zeit, dass nicht nur ich mir den verdammten Hintern aufreiße. Nein, ihr drei seid jetzt auch mal dran."

Während er wild vor Zorn einzelne Wörter betonte, sammelte sich in seinem Mund überschüssiger Speichel an, der an der Außenseite der Lippen austrat.

„Du bekommst jetzt von mir ein letztes Ultimatum, Irina. Also hör mir gut zu: Sollte ich noch ein einziges Mal dieses Schokoladenpapier in den Schubladen entdecken und sollte mir Frau Kuszenowa berichten, dass du wieder zugenommen hast, dann stecke ich dich nach deinem Schulabschluss in das Internat Neukrotimyy. Und dann wollen wir sehen, was mit einer Unbeugsamen wie dir wird. Ach ja, und das Taschengeld ist ab sofort für dich gestrichen."

Oh nein… Neukrotimyy… Gott bewahre, das wäre mein Ende!

Die staatliche Hochschule, von der ihr Vater sprach, war eine der härtesten Moskaus und lag im südöstlichen Verwaltungsbezirk, kurz vor der Stadtgrenze. Viele inzwischen international bekannte Wissenschaftler waren durch ihren Kader gegangen. Aber nicht, ohne Tag für Tag ihre Seele an der Hochschulpforte abzugeben.

*

Zwei Tage nach dem Vorfall übermannte die Esssucht erneut Irinas Denken und Handeln.

Ihre Eltern waren nicht zu Hause. Nadeschda hatte sich in ihrem Zimmer verkrochen und hörte zum hundertsten Mal „Kuda uhodit destvo" von Alla Pugatschowa, ein trauriges Lied über vergangene Kindheitstage.

Irina wusste, dass sie eines Tages rennen würde. Weit weg von zu Hause. Und sie würde es allen zum Trotz beweisen.

Sie spürte, dass es ihrer Schwester genauso schlecht ging. Aber der unnachgiebige Druck, sich sofort mehrere Tafeln ihres Suchtmittels reinzustopfen, war größer als zu ihr zu gehen und das Leid gemeinsam zu teilen.

Einen letzten Geheimvorrat an Schokolade hatte sie im Bettkasten versteckt, ganz hinten in zwei Kissenbezüge gewickelt.

Sie schloss die Tür zu ihrem Zimmer, zog die quietschende Schublade aus der Verankerung und steckte ihre zitternde Hand tief hinein.

* * *

KAPITEL 21

Vor 70 Tagen

Und in den Tagen werden die Menschen den Tod suchen und
nicht finden; werden begehren zu sterben,
und der Tod wird vor ihnen fliehen.
(Offenbarung 9,6, LU)

„Meine Damen und Herren, heute Nacht darf ich Ihnen in diesem
erlauchten Kreis einen Liebhaber der versuchten Vergewaltigung
vorstellen!"

Trotz der leichten Theatralik durchzog eine beklemmende Stille
den Hörsaal.

Alle Anwesenden verharrten starr und regungslos.

„Ach, schau einer an. Es fühlt sich keiner angesprochen?", fragte
die kratzige Stimme in die Runde.

„So, dann drücke ich das Ganze mal ein wenig unverfänglicher
aus: Gibt es hier in diesem Raum nicht eine einzige Person, die
zumindest einmal in ihrer Karriere eine ihrer Angestellten sexuell
genötigt hat?"

Betretenes Schweigen.

„C´mon, Ladies and Gentlemen", tönte es mit Nachdruck durch die unsichtbaren Lautsprecher.

„Noch nicht einmal am Allerwertesten der Kollegin rumgegrapscht?"

Vereinzeltes, schwaches Räuspern ging durch die Reihen.

Fast unmerklich wurden nacheinander mehrere Hände über den Köpfen sichtbar.

„Na, also, wer sagt´s denn. Hätte mich auch schwer gewundert, wo doch Macht und Missbrauch unweigerlich zusammengehören. Aber wer will schon freiwillig zugeben, dass seine Taten nicht in beiderseitigem Einvernehmen geschahen", hallte es lachend vom Podium.

„Sie können wieder Ihre Arme runternehmen. Denn aufgrund der knappen Zeit werde ich mich heute nur einem einzigen Role Model widmen. Ach, bevor ich es vergesse: Henry? Henry van der Walt? Dich habe ich doch hier auch schon erspäht."

Van der Walt quetschte seinen dicken Bauch an der Tischplatte vorbei und stand auf.

„Ich habe dich nicht vergessen, mein Guter. Einem Choleriker wie dir muss es schwerfallen, nun doch unverhofft warten zu müssen. Beim nächsten Mal lasse ich dich bluten, versprochen.

Jedoch war mir heute nach ein bisschen ‚Sex and Crime' zumute", versprach die Stimme.

Wichser, ging es van der Walt durch den Kopf.

„Wo waren wir stehen geblieben? Richtig, bei unserem heutigen Ehrengast. Ladies and Gentlemen, darf ich vorstellen: Herr Klaus Lechner!"

Das zaghafte Klatschen vereinzelter Hände mündete in einen Applaus mittlerer Lautstärke, nachdem sich Lechner von der Sitzfläche erhoben hatte. Hektisch zog er den Stoff seines zu kurzen Sakkos nach unten und machte den zweiten Knopf zu.

„Herrlich, fast wie ein braver Schuljunge", fuhr die unheimliche Stimme fort, als wieder Ruhe im Saal eingekehrt war.

„Über deine bescheidene Kindheit wollen wir heute nicht reden, denn es geht mir eher darum, dass alle hier von dir lernen. ‚Learn from the best', nenne ich das liebevoll", lachte das Wesen laut schallend.

„Danke für dieses wunderbare Entree, Herr, äh, wie auch immer. Ich bin in der Tat ein würdiger CEO", antwortete Lechner unbeholfen, woraufhin von zahlreichen Plätzen ein verschämtes Kichern zu hören war.

„Entzückend, Klausi Mausi. Und so würdig. Hach, was für eine wunderbare Überleitung zum Thema ‚mangelnde Selbstreflexion‘. Meine Damen und Herren, ein Klassiker unter den Führungskräften. Und ich kann jedem von Ihnen nur anraten, es unserem Klaus gleichzutun. Lassen Sie sich nicht beirren, wenn das, was Sie gleich zu Gesicht bekommen, nicht zum gewünschten Erfolg führt. Mühsam ernährt sich das Eichhörnchen, nicht wahr, Klaus?“

Lechner führte die Innenflächen seiner kleinen Hände so vor den Bauch, dass sich Daumen und Zeigefinger an den Spitzen berührten.

„Nun, ich bin gespannt, auf welches Ereignis Sie hinauswollen.“

Er versuchte so selbstbewusst wie möglich zu klingen. Dass seine Hände jedoch dabei zitterten, war unübersehbar.

„Bitte verzeih, dass ich so ausschweifend bin, Klausi. Manchmal muss eine ganz besondere Form des Spannungsbogens sein“, bemerkte das Wesen mit einer unüberhörbaren Ironie in dessen Stimme.

„Na, dann lasse ich mal die Bombe platzen, mein Lieber: Vor vierzehn Jahren hast du den ersten Versuch gestartet, eine dir Unterstellte in den Büroräumlichkeiten zu vergewaltigen. Du erinnerst dich sicherlich, Klaus. Ich spreche von einer gewissen Ana Lazar.“

Stille.

Woher kennt der denn die Lazar?, dachte Henry van der Walt, und ein noch übrig gebliebener Funke gekränkten Stolzes aufgrund ihrer verjährten Kündigung stach unangenehm in seinen Bypass.

„Anschließend hast du es immer und immer wieder bei anderen versucht, selbst als deine Frau an Brustkrebs erkrankte und sich einer Chemo unterzog. Beschämend! Nun gut, manchmal muss man einfach nur an sich denken, nicht wahr, Klausi? Lange Rede, kurzer Unsinn: Schauen wir uns gemeinsam an, wie das missglückte Spektakel vonstattenging. Regie: MAZ ab.“

Die Projektionswand flackerte hinter dem Rednerpult auf.

Der Hörsaal wurde so stark abgedunkelt, dass man in den letzten Reihen seine Hand nicht mehr vor Augen sah.

Tonlos folgte die Kamera einer Frau mit einem gelockten Pferdeschwanz. Sie ging schnellen Schrittes an der Reihe verglaster Büros vorbei. Durch das Weitwinkelobjektiv konnte man sehen, dass die Büros verwaist waren.

Die Frau öffnete die Tür zu einem Raum und trat ein:

Es war Ana Lazar.

Im nächsten Moment wurde die Türklinke herangezoomt. Langsam wurde sie nach unten gedrückt.

Die Kamera schwenkte in den sich immer weiter öffnenden Spalt und Lechners gieriger Blick füllte die gesamte Leinwand aus.

Von der Szene im Kopierraum bekam der Zuschauer nichts mehr mit, denn nach wenigen Sekunden fing die Kamera von außen die Tür ein.

Ana schien zu schreien, ihr Mund war weit geöffnet, der Blick voller Panik. Ihre offenen Haare standen in alle Richtungen ab und zeugten von dem Kampf, der sich in dem Raum abgespielt haben musste. Der linke Ärmel ihrer weißen Bluse war an der Schulternaht so tief eingerissen, dass ihr gesamter Oberarm zu sehen war.

Dadurch, dass sich die Kamera nicht bewegte, zeichnete sie Anas Flucht durch den endlosen Gang auf.

Der Zuschauer fand sich plötzlich in der Folgeszene wieder:

Ana saß an einem hellgrauen, quadratischen Tisch, der in dem kleinen Verhörzimmer einer Polizeistation stand. Ihre Wimperntusche war durch die Tränen so stark verlaufen, dass die gesamte Augenpartie tiefschwarz verschmiert war.

Der Ton sprang urplötzlich an.

„Sind Sie sich sicher, Frau Lazar, dass Sie den CEO anzeigen möchten?"

Der ernste Blick des Polizisten, dessen Schirmmütze er zu Beginn des Gesprächs auf die Tischplatte gelegt hatte, verunsicherte Ana.

Sollte sie sich den Vorfall etwa nur eingebildet haben?

„Es muss Ihnen klar sein, dass Sie nicht nur einen Rechtsbeistand brauchen, sondern dass ein langer, beschwerlicher Weg vor Ihnen liegt. Aussage gegen Aussage. Ich rate Ihnen deshalb dringend an, Frau Lazar, sich das Ganze noch einmal in Ruhe zu überlegen. Sprechen Sie heute Abend mit ihrem Freund darüber. Und wenn ich zum Abschluss noch etwas sagen darf: Seien Sie bitte auch ehrlich zu sich selbst. Vielleicht finden Sie Ihren Chef besser, als Sie sich eingestehen möchten. Schließlich scheint er sich Hoffnungen gemacht zu haben. Sie müssen wohl das eine oder andere falsche Signal ausgesandt haben."

Die Kamera verfolgte Ana, als sie tränenüberströmt und schnellen Schrittes die Polizeistation verließ.

Dann ging der Schwenk noch einmal zurück zu dem Beamten, der in der Zwischenzeit nicht mehr allein im Zimmer war. Er tuschelte mit seinem Kollegen, das ekelerregende Grinsen war auf den Lippen beider Männer deutlich zu erkennen.

In dem Moment hängte sich das Bild im Standby-Modus auf, und mit einem Schlag gingen im Saal alle Deckenfluter an.

„Try and error, Mr. Lechner", raunte das Wesen.

*

„Try and error", murmelte Klaus in sein voluminöses Kissen.

Madeleine Lechner wachte auf, drehte sich zu ihrem Mann um und streichelte sanft über seinen Rücken.

„Alles in Ordnung, Schatz? Du hast wohl schlecht geträumt."

* * *

KAPITEL 22

Oktober 1987

Und ich will Pestilenz und Blutvergießen unter sie schicken auf
ihren Gassen, und sie sollen tödlich verwundet drinnen fallen
durchs Schwert, welches allenthalben über sie gehen wird; und
sollen erfahren, dass ich der HERR bin.
(Hesekiel 28,23, LU)

Es war Freitag, der 23. Oktober.

Die Herbstferien standen an.

Seit er in die 5. Klasse des Marie-Curie-Gymnasiums ging, gab es
für den zehnjährigen Klaus wenig Erfreuliches im Leben. Das
Mobbing durch seine Klassenkameradinnen Anja Kuhnert,
Melanie Mattukat und Simone Zimmermann nahm von Woche zu
Woche immer größere Ausmaße an. Die Tatsache, dass er seit
Schuljahresbeginn keine neuen Freunde gefunden hatte, trug
zusätzlich zu seiner gedrückten Stimmung bei.

Klaus' Kinderzimmer lag im ersten Stock des Einfamilienhauses,
das sich in einer ansehnlichen Siedlung im Düsseldorfer Vorort
Gerresheim befand, und er teilte sich die Etage mit seinen zwei
Jahre jüngeren Zwillingsschwestern.

Beide bekamen des Öfteren mit, wie ihr Bruder Albträume hatte, denn sein nächtliches Schreien war laut und markerschütternd.

Auch seine Eltern hörten es. Barbara Lechner blieb dann immer so lange am Bett ihres Sohnes sitzen, bis sein Atem wieder einen regelmäßigen Rhythmus gefunden hatte.

Anfänglich sprach die Familie am Abendbrottisch darüber. Jedoch rückte Klaus selbst nach wiederholtem Nachfragen der Eltern nicht mit der Wahrheit heraus. Er schämte sich und hielt mittlerweile sowohl seine geringe Körperstatur, als auch die roten Haare für einen berechtigten Anlass zum Mobbing.

*

Der Himmel über Düsseldorf war leicht bewölkt und die Lufttemperatur von 15 Grad Celsius fühlte sich in der Sonne wärmer an.

13:00 Uhr, die Schulglocke ertönte.

Mit einem Schlag rannten Hunderte von jubelnden Kindern aus dem Gebäude und verteilten sich in alle Richtungen.

Als er das Gelände verlassen hatte, drehte sich Klaus noch einmal um, er schien der Letzte zu sein. Tief sog er die herbstliche Luft in sich auf und hatte für einen Moment die Hoffnung, dass alles wieder gut werden würde.

Er überquerte die Straße und schlenderte das kleine Pfeffergässchen entlang.

Als er an der Basilika St. Margareta angekommen war, hielt Klaus inne. Er schaute an ihrer Fassade mit dem erhöhten Mittelschiff empor und blieb mit seinem Blick am achteckigen Kirchturm hängen. Zwei Tauben hatten es sich auf dem spitzen Faltdach gemütlich gemacht und gurrten zufrieden vor sich hin.

Katholisch erzogen, glaubte er nach wie vor an das Gute im Menschen und dass niemand von Grund auf schlecht war.

Lieber Gott, bitte sei gnädig und schenke mir Kraft.

Klaus ging weiter und bog nach der Basilika links in Richtung des Gerresheimer Tennisclubs ab; seine wöchentlichen Privatstunden waren neben der Familie ein wichtiger Halt.

Die Kirchturmuhr der Basilika schlug dreimal.

13:45 Uhr.

Klaus hatte somit noch eine halbe Stunde Zeit, bevor er sich im Vereinsheim für das Training umziehen musste.

Von Weitem sah er die mächtigen Kastanienbäume des nahe gelegenen Parks, deren farbenfrohe Blätter ihm einladend zuwinkten. Dort angekommen, setzte er sich auf eine Bank aus grünem Kunststoff und blickte in den Himmel.

„Hey, pssst, Feuerteufel."

Die ihm wohlbekannte, sonore Stimme von Anja ließ ihn ruckartig aus seinen Tagträumen hochschrecken. Er drehte sich um und erblickte des Weiteren Melanie und Simone – alle drei bildeten eine demonstrative Front.

„Na? Was machst du denn hier so mutterseelenallein?"

Aus den drei Mündern erklang ein mitleidiges und lang gezogenes „Ohhh".

Scheiße, was haben die vor? Ich muss hier ganz schnell weg.

Klaus erhob sich von der Parkbank und warf den Schulranzen über die rechte Schulter. In seiner linken Hand hielt er den schwarzen Tragegurt der Tennisschlägerhülle fest umklammert.

„Du wirst doch nicht schon was vorhaben?", fragte ihn Simone.

„Ich, äh, ich habe jetzt gleich Sport", erwiderte Klaus mit zitternder Stimme.

Was bin ich nur für ein Schisser.

Er ging links an der Bank vorbei und wollte die Dreierformation in einem großen Bogen umgehen. Doch Melanie stellte sich ihm breitbeinig in den Weg.

„Wegzoll", sagte sie barsch.

„Wegzoll? Wie meinst du das?"

Klaus versuchte, durch sein vermeintliches Unwissen das nahende Unheil zu vermeiden.

„Der Feuerteufel weiß nicht, was Wegzoll bedeutet. Mädels, ich denke, dann ist es an der Zeit, dass wir ihm dieses Wort ein bisschen genauer erklären."

Die drei lachten so voller Häme, dass Klaus spürte, wie seine Blase sich vor lauter Angst ihres Inhalts zu entledigen drohte. Angsterfüllt suchten seine Augen die Parkanlage ab und hofften, irgendwo eine Menschenseele zu erblicken, die er um Hilfe bitten konnte.

Weit und breit war niemand zu sehen.

„Was wollt ihr eigentlich von mir? Ich hab' euch doch nichts getan. Warum seid ihr schon seit Wochen so fies zu mir?"

Er bemerkte, dass die Tränenflüssigkeit seine Sicht beeinträchtigte.

„Ist er nicht putzig, Mädels? Ach, und fies sollen wir sein?"

Anja ging langsam auf Klaus zu. Als sie direkt vor ihm stand, schaute sie von oben herab in sein angespanntes, angsterfülltes Gesicht.

„Jetzt hör mal gut zu, du kleines Arschloch. Meli, Simi und ich, wir finden es schon seit langer Zeit ekelerregend, wie du dir ständig an deinem Schwanz rumfummelst. Jetzt schau' mich nicht so unschuldig an, du Sack. Ständig greifst du dir in den Schritt, wenn du ein Mädchen siehst. Und da wir das einfach nur scheiße finden, haben wir uns heute etwas ganz Besonderes für dich ausgedacht."

Klaus war speiübel. Am liebsten hätte er Anja gepackt und durchgeschüttelt. Wie konnte sie nur eine derart obszöne Behauptung von sich geben? Nie im Leben würde er so etwas vor anderen tun!

Zugegeben, wenn er allein in seinem Kinderzimmer war und abgesperrt hatte, dann gab es diese Momente, in denen er seinen Körper erkundete. Er dachte jedoch bisher, dass diese Expeditionen nichts Verwerfliches seien; umso verletzender war für ihn die Aussage.

Und dann ging alles ganz schnell:

Anja riss ihm den Schulranzen von der Schulter und stieß ihn in das naheliegende Gebüsch. Im gleichen Moment zog Simone ein Hanfseil aus ihrem Turnbeutel hervor und wickelte dieses gemeinsam mit Melanie um seine Fußknöchel.

Zum krönenden Abschluss stopfte sie ihm noch etwas in den Mund. Sowohl von dem Geruch als auch dem leicht bitteren Geschmack auf seiner Zunge drehte sich ihm der Magen um.

„Ist meine gebrauchte Unterhose. Extra für dich ein paar Tage getragen, mein Lieber. Ganz schön lecker, nicht wahr?"

Die folgenden 15 Minuten brannten sich für immer in Klaus Gedächtnis ein. Ausgeliefert, wehrlos, gedemütigt und ohne einen Funken Respekt, forderten die drei Elfjährigen ihn auf, sich vor ihren Augen selbst zu befriedigen.

Als wäre die Tragödie nicht schon grausam genug, das Schlimmste für Klaus war, dass er aus unerklärlichen Gründen nach einer gefühlten Ewigkeit ejakulierte. Vielleicht lag es an dem, was sie ihm von der Seite ins Ohr hauchten. Vielleicht war es der unaufhaltsame Drang, jetzt und sofort mit dem Akt fertig zu werden und flüchten zu können.

*

Der 23. Oktober 1987 war nicht nur der Tag, an dem sich Klaus' Verhältnis zu Frauen unwiderruflich änderte. Es war auch der Tag, an welchem er für immer den Glauben an Gott verlor.

* * *

KAPITEL 23

Montag, 12. Januar 1998

Ich kann es kaum glauben: Heute Abend habe ich meine Selbsthilfegruppe eröffnet – dass es überhaupt dazu kam, ist einfach unfassbar!

Auf der einen Seite traurig, dass mir das alles passieren musste... na ja, es ist so, wie es ist. Hauptsache, ich schaffe es endlich, diese meine dunkle Zeit auf ein Blatt Papier zu bringen.

Nicht, weil ich der Nachwelt damit Angst einjagen möchte – nein. Ich möchte, dass man diese Erkrankung endlich ernst nimmt. Dass man erfährt, wie dreckig es einem Betroffenen in seinem tiefsten Inneren geht. Begreift, wie kurz der andere davor ist, alles hinzuschmeißen, an den nächsten Baum zu fahren, sich vor die U-Bahn zu stürzen.

Depressionen sind keine Einbildung. Und hey, sie treffen nicht nur den „Schwachen". Sie können JEDEN treffen.

Das ganze Gequatsche mit Prädisposition und so geht mir schon seit Langem auf den Sack. Sorry, aber: Fuck – who cares?

Es geht doch um den Menschen und seine Seele!!!

Auf der anderen Seite auch unfassbar befreiend, dass sich überhaupt jemand auf den Aushang im Therapiezentrum gemeldet hat. Die Leiterin hat ja vor zwei Monaten gedacht, da kommt kein Mensch. Na ja, wer redet denn schon gerne vor Fremden darüber, dass einer seiner Liebsten depressiv ist?

Als ich dem Kergedes bereits letztes Jahr von meiner Idee erzählt habe, war der wie immer megarelaxed. Gott, was ist das für ein wunderbarer Mensch. Was hätte ich nur ohne ihn getan?
Aber was würde ich auch ohne die Andresen tun?

Auf jeden Fall komme ich durch sie DIR immer weiter auf die Schliche.

Ha, und jetzt halt dich fest:

Du glaubst nicht, wer in meiner Gruppe ist:
Er heißt Volker, ist 60 Jahre alt, und seine Tochter wurde letztes Jahr von ihrem Reitlehrer missbraucht. Seitdem ist sie suizidal gefährdet, und Volker erkennt sie natürlich nicht mehr wieder.

Es gibt da etwas ganz Besonders an ihm.
Etwas „Besonderes" hört sich in seinem Fall eigentlich nicht passend an, denn: Er ist blind, hat im Laufe der letzten Jahre sein Augenlicht verloren – irgendeine fiese Netzhauterkrankung.

Das für mich absolut Unfassbare ist die Tatsache, dass er noch sehen kann. Natürlich nur in seinen Träumen. Und er erzählte, dass es einen schrecklichen Ort gäbe, an dem das Böse im Menschen geschmiedet werden würde.

Klar, dass es heute Abend ein paar in der Runde gab, die ungläubig ihre Köpfe geschüttelt haben.

Also, ich glaube ja an etwas Mystisches im Leben. Etwas, das im Verborgenen geschieht. Spätestens seit ich diese seltsamen Träume habe und in diesem einen Regieraum war.

Ich glaube auch, dich dort gesehen zu haben…

Alles noch sehr nebulös für mich, aber ich will und werde es herausfinden. Und ich weiß, dass Volker mir eine große Hilfe sein wird.

Ich schaue auf die Uhr, es ist bereits 23:58. Hundemüde bin ich, aber seit Langem wieder so richtig glücklich.

Eines werde ich noch vor dem Schlafengehen tun, ich habe es bereits gefühlte 100.000 Male vom CD-Player abgespielt… und ich kann davon nicht genug kriegen… wie naheliegend für einen Depressiven, nicht wahr?

Es ist „Everybody Hurts" von R.E.M.
Ich werde dieses Lied immer lieben, egal, ob ich gesund oder krank bin.

Hör genau zu, denn DU bist schließlich derjenige, der auch verdammt gerne verletzt. So tief, so abgrundtief. Die Frage ist nur:

MUSS DAS DENN WIRKLICH SEIN ???

* * *

KAPITEL 24

April 2005

Denn die da reich werden wollen, die fallen in Versuchung und
Stricke und viel törichte und schädliche Lüste, welche versenken
die Menschen ins Verderben und Verdammnis.

(1. Timotheus 6,9, LU)

„Bereit für ein richtig geiles Projekt?"

Freitagmorgen, 9:00 Uhr.

Anas einziger Tag in der Woche, an welchem sie keine
Vorlesungen hatte und sich somit voll und ganz ihrem Praktikum
bei Eddie Konieczny widmen konnte.

Trotz der zugezogenen Jalousie im Büro erreichten ein paar
Sonnenstrahlen sein Gesicht und ließen die leicht
blutunterlaufenen Augen wie zwei Laternen leuchten. Die Pupillen
waren stark erweitert, und an der Unterseite des linken
Nasenflügels befand sich ein weißer, pulverförmiger Rückstand.

Was er ein paar Minuten zuvor gemacht haben musste, war Ana
spätestens nach besagtem Abend vor zwei Wochen klar.

„Hallooooo? Hörst du mir eigentlich zu, Ana? Du wirkst gerade so abwesend… naja, sei´s drum. Also: Es handelt sich dieses Mal um einen Event, der ein bisschen, sagen wir mal ‚anders‘ ist als die anderen."

„Anders als die anderen? Somit nicht, wie geplant, das Kino-Release im Olympiastadion?"

Anas Herz pochte schneller, und irgendwie beschlich sie das ungute Gefühl, dass es gleich zu einer erschreckenden Art von Offenbarung kommen würde.

„Scheiß auf Open-Air, Schätzchen. Diesmal geht's richtig zur Sache. Diskretion ist das A und O. Eine astreine Orga sowieso. Dein Talent wird über alle Grenzen hinaus gefordert sein, denn wir haben nur drei Wochen Vorbereitungszeit. Klar ist, glaube ich, dass ich maximalen Einsatz von deiner Seite erwarte."

What the fuck?, ging es Ana durch den Kopf.

Sie brauchte nur noch diesen einen Praktikumsnachweis, um sich für die Prüfungen im Frühjahr anmelden zu können. Konieczny war für sie unberechenbar, und eine derartige Abhängigkeit von anderen mochte sie nicht.

„Eintausend Prozent Einsatz, Süße. Lass in der Uni mal Fünfe grade sein. Denn so etwas Geiles wirst du so schnell nicht mehr erleben. Vermarktet sich ganz sicher auch megamäßig in deinem Lebenslauf."

Konieczny prustete vor Lachen und rieb sich zum bereits fünften Mal die Nase.

„Keine Sorge, ich schreibe in den Wisch natürlich nur braves Zeug rein, inklusive einer Eins mit Sternchen."

*

Als sie sich am Abend mit Victor in einem Restaurant traf und ihm von dem anstehenden Projekt erzählte, lachte dieser laut auf:

„Hammer, meine Freundin organisiert eine Sexparty."

„Pssst, nicht so laut", raunte Ana ihm unter der Hand zu.

„Das ist alles andere als witzig. Wir sprechen hier nicht von meinem privaten Amüsement, sondern einem eigentlich seriösen Pflichtpraktikum. Ich könnte kotzen, dass mir so ein Kerl nach meinem Fehlgriff mit der Timoschenko noch einmal unterkommen konnte. Haben denn alle Inhaber und Vorgesetzten einen an der Klatsche und nichts anderes im Kopf als Sex und Drogen?"

„Nicht alle natürlich, meine Liebe, aber viele. Viel zu viele. Ha, jetzt zählen wir mal Eins und Eins zusammen: Wahrscheinlich ist sein Doppelleben einer der Gründe für die einbruchsichere Tür.

Sieh es mal so, Ana: Wann wirst du dich je wieder in einem derart illustren Kreis bewegen? Du bist nur für die Organisation zuständig. Nicht mehr und nicht weniger. Betrachte es nüchtern, zieh das Ding durch, hol dir im Nachgang dein Zeugnis ab, fertig! Aber nicht, dass du mir noch Gefallen an dem Spektakel findest."

Seine Worte sollten beruhigend auf sie wirken, trugen jedoch nicht dazu bei, dass sich der Kloß in ihrem Magen vollends auflöste.

Ana bemerkte, dass nicht die Party und deren Motto das Problem waren, es war Koniecznys Unberechenbarkeit, die sie fürchtete.

*

Drei Wochen später fuhr Ana um 15:56 Uhr mit dem pinkfarbenen Firmenwagen an die Toreinfahrt des Modegroßhandels „FashionFactorias" vor.

Heinz, der Werkschutzmitarbeiter an der Schranke, erwartete sie schon freudestrahlend. Er reckte seinen Kopf aus dem Pförtnerhäuschen heraus und hob enthusiastisch den Daumen.

„Servus, Ana. Alles klar bei dir? Wünsche viel Spaß heute Abend", kicherte er und ließ sie passieren.

Minutenlang schlängelte sie sich in Schrittgeschwindigkeit vorbei an zahlreichen, heruntergekommenen Lagerhallen, bis von Weitem der Ort des Geschehens zu sehen war:

Ein schmuckes, kleines Schloss, welches von einer imposanten Parkanlage mit hochgewachsenen Tannen und Sträuchern umgeben war.

Inzwischen kannte Ana jeden Winkel des Grundstücks, denn im Zuge der Vorbereitungen war sie jeden zweiten Tag aus der Innenstadt in den Norden Münchens gefahren, um vor Ort alles zu besprechen. Nichts durfte dem Zufall überlassen werden, auch wenn ihr Studium darunter litt.

Es blieben ihr noch vier Stunden, bis die ersten Gäste erwartet wurden, und Konieczny hatte sich für 19:30 Uhr angekündigt.

Mit einem leisen Seufzer setzte sie sich zum Küchenmeister Andy an den Tresen, bestellte einen schwarzen Kaffee, öffnete den mitgebrachten Aktenordner und ging einzelne Dokumente hinter jedem Reiter noch einmal durch:

Motto: sexy Monaco
Dresscode: all in black
Damen / Herren: venezianische Maske
Must-use: Kondome (werden vom Veranstalter gestellt)
No-Gos: Fotoaufnahmen, Filmaufnahmen, Betrunkene
Berühre niemanden, ohne ihn zuvor zu fragen!

Letztere Regel gefiel Ana am besten und ließ sie aus Angst vor unerwünschten Grapschern durchatmen.

Als ihr Konieczny selbige vor drei Wochen präsentierte und die Erleichterung in ihrem Gesicht bemerkte, kommentierte er mit einem breiten Grinsen:

„Bist halt ein kleiner Schisser-Hase. Aber hey, schon ok. Ich war auch mal unschuldig, ist lange, lange her."

Dass Drogen nicht verboten waren, ging aus dem Zitat auf der Rückseite der edlen, schwarzen Einladungskarten hervor:

Kokain reizt die Schleimhäute der Vagina ungemein. Mir wurde von verschiedensten Frauen gesagt, dass das unheimlich antörnt.
(Jack Nicholson)

Konieczny hatte sich vor Lachen minutenlang auf seine Schenkel geklopft, als er Ana diese beiden Sätze diktiert hatte.

*

16:30 Uhr.

Nach und nach trudelten im Schlösschen alle Dienstleister ein, die Ana engagiert hatte: Vom Getränkehändler, dem Lieferanten für Mietmöbel, bis hin zum Lichttechniker und DJ wusste jeder, was noch zu erledigen war.

Ana ging die imposante Wendeltreppe bis zum ersten Stock empor und vergewisserte sich, dass das Badezimmer so angerichtet war, wie es der Kunde bei Auftragserteilung gewünscht hatte: Ein blitzeblank geputzter Whirlpool, flauschige Handtücher in rosa, schwarze Bademäntel, Duftkerzen, Badeschaum, Sektkübel und natürlich Kondome.

Der Kunde war der Geschäftsführer von „FashionFactorias", Marcus Blohmberg.

Ana hatte ihn ein einziges mal vor Ort in Koniecznys Büro gesehen. Ihr Chef wirkte an diesem Nachmittag sehr angespannt und bevor er die Tür zu seinem Zimmer zumachte, bekam sie noch mit, wie Blohmberg ihn anschrie:

„Eddie, was soll die Scheiße, Mann. Die Qualität stimmt einfach nicht mehr. Woher beziehst du das Mehl? Ich warne dich, Alter, verarschen lasse ich mich nicht von dir. Und solange du das nicht regelst, kriegst du auch nicht dein scheiß Geld. Zur Not komm' ich nachts mal hier bei dir vorbei und überzeuge mich von deinen echten Goldvorräten."

*

19:29 Uhr.

„Hey, Schätzchen, passt alles soweit?"

Ana drehte sich zu Konieczny um und stellte zu ihrem Erstaunen fest, dass er außergewöhnlich entspannt wirkte.

Hinter seinem edlen Frack zauberte er zwei schwarze Masken hervor und überreichte ihr das Modell aus filigraner Spitze.

„Dresscode und so", grinste er über das ganze Gesicht, und Ana bemerkte den weißen Pulverrest in seinem Philtrum.

„Dann lass uns mal die angeknipsten Lichter da draußen bestaunen. Folgen Sie mir bitte unauffällig, Frau Lazar."

Erstaunt über so viel Förmlichkeit trippelte ihm Ana hinterher.

Mittlerweile war der Ballsaal unterhalb der Wendeltreppe in schummeriges Licht getaucht. Zahlreiche schmiedeeiserne Kerzenleuchter stimmten mit sanfter House-Musik wirkungsvoll in den Abend ein.

Durch die drei Meter hohe Fensterfront, die zur Auffahrtsallee ging, sahen die beiden von Weitem die Scheinwerfer einer großen Limousine auf sie zurollen. Langsam fuhr sie den Weg entlang, der durch die Außenlaternen in ein mystisches Licht getaucht wurde.

Als der Wagen an den letzten beiden Lichtquellen angekommen war, flackerten diese nervös auf und waren auf einen Schlag erloschen.

„Scheiße, was ist das denn für ein Fuck? Der Blohmberg kommt auf seine eigene Party und die Lichter gehen aus? Wie kann das sein, Ana?"

„Ich klär' das", flüsterte sie mit zittriger Stimme und rannte zu Andy, der in der Küche die Schälchen mit den Austern anrichtete.

„Gaaanz ruhig, Ana, der typische Wackelkontakt. Jetzt trinkst du erst mal ein Schlückchen. Alles wird gut."

Er reichte ihr ein bis zum Rand gefülltes Champagnerglas und klopfte ihr beim Rausgehen ermutigend auf die Schulter.

Nichts wird gut… ich krieg die Krise!

Sie kippte den Inhalt hinunter, rückte die Maske zurecht und ging auf wackeligen Beinen zurück zum Saal.

Konieczny stand bei Blohmberg und fuchtelte wild mit seinen Armen durch die Gegend. Er erblickte Ana, und in dem Moment, in welchem er sie erneut zusammenfalten wollte, gesellte sich Andy zu ihnen.

„Es werde Licht, und es ward Licht", grinste er in die Runde und verschwand wieder in der Küche.

*

20:18 Uhr.

Nach und nach füllten die Gäste den majestätischen Raum. Alle hatten sich an den Dresscode gehalten, und das sich gegenseitig zaghafte Beschnuppern erinnerte Ana an einen Besuch im Zoo.

Wie aus dem Nichts wurde sie fest und bestimmend an ihrem Oberarm gepackt und in einen weiteren, menschenleeren Raum gezerrt.

Konieczny starrte sie mit zusammengekniffenen Augen an.

„1000 Prozent, Ana. Das war der Deal."

Oh Gott, ich sterbe. Der Teufel höchstpersönlich.

„Das ist so unfair von dir, Eddie."

„Das ist so unfaiiir, das ist so unfaiiir von dir, Eddieee", äffte dieser sie lautstark nach und fuhr fort:

„Verlass sofort das Schloss. Auf der Stelle!"

Anas Beine zitterten und ihr Kopf war leer.

Sie rannte zu Andy, schnappte sich ihre unter dem Tresen verstaute Handtasche, murmelte ihm noch etwas Unverständliches zu und stürzte aus dem Schloss.

Als sie an dem Pförtnerhäuschen vorbeilief, vermied sie den möglichen Blickkontakt mit Heinz. Nach weiteren 200 Metern kam sie an einer Bushaltestelle an und sackte auf deren Sitzbank tränenüberströmt in sich zusammen.

Kalter Schweiß lief Anas Rücken entlang.

Hastig kramte sie in der Tasche nach ihrem Handy und dabei fiel der Schlüssel von Koniecznys Firmenwagen auf den Boden.

Mein Pfand, du Arschloch!

„Ana? Was ist passiert?"

Victor nahm verschlafen den Hörer ab.

„Bitte, bitte hol mich in 30 Minuten am Marienplatz ab", sprach sie mit gebrochener Stimme und sah von Weitem den gesetzten Blinker des nahenden Linienbusses.

* * *

KAPITEL 25

Mai 1983

Und ob ich schon wanderte im finstern Tal, fürchte ich kein
Unglück; denn du bist bei mir,
dein Stecken und dein Stab trösten mich.

(Psalm 23,4, LU)

Zitternd führte die alte Dame ihren Zeigefinger zur Wählscheibe
des khakifarbenen Telefons, welches neben dem Kühlschrank an
der Wand hing.

„Gymnasium am Tegernsee, Zelinski am Apparat, was kann ich
für Sie tun?"

„Guten Morgen, Frau… Frau Zelinski", sprach sie mit zittriger
Stimme in den Hörer.

„Mein Name ist Elisabeth Santner. Ich bin die Oma von Eddie.
Eddie Konieczny. Er geht in die 9a, und er… er ist heute Nacht
nicht nach Hause gekommen."

Das betretene Schweigen am anderen Ende der Leitung war für
Elisabeth unerträglich.

„Oh, ich verstehe. Bitte bleiben Sie dran, Frau Santner. Ich verbinde Sie nun mit Herrn Kroiß, dem Vertrauenslehrer von Eddie, er hat zufälligerweise keinen Unterricht. Moment mal eben."

Leichtes Knacken und Rauschen war zu hören.

Es war Freitag, der 23. Mai, und morgen würden die Pfingstferien beginnen. Eigentlich ein Grund zur Freude, jedoch wusste Elisabeth schon seit längerem, dass die Versetzung ihres Enkels gefährdet war.

Sie wusste auch, dass er gestern nach der Schule mit der Bayerischen Oberlandbahn nach München gefahren war.

Zu einem Freund – und er hatte ihr versprochen, am Abend wieder nach Hause zu kommen.

Elisabeth fühlte sich hilflos und verlassen. Im Stich gelassen sowohl von ihrer Tochter, als auch von ihrem Schwiegersohn, die beide am gestrigen Nachmittag zu einem Wochenendseminar gefahren waren. Wie so oft in den letzten Jahren.

Das Kind braucht doch seine Eltern…

„Frau Santner? Hier Hans Kroiß."

Die sanfte, dunkle Stimme weckte in Elisabeth schlagartig einen Funken von Hoffnung.

„Wir atmen jetzt gemeinsam durch, liebe Frau Santner. Es wird eine Erklärung geben. Eddie ist ein vernünftiger Junge. Aber die anstehende Wiederholung der 9. Klasse hat ihn schwer getroffen."

Elisabeth hatte zwischenzeitlich ein Stofftaschentuch aus ihrer Schürze gefischt und schnäuzte sich.

„Wir machen jetzt Folgendes, Frau Santner: Ich bin noch zehn Minuten im Schulgebäude, danach fahre ich nach Hause. Und mit Eddie hatte ich bereits vor einer Woche ausgemacht, dass er mich dort um elf Uhr besucht, auf einen kleinen Plausch. Ich bin mir mehr als sicher, dass er kommen wird. Und danach rufe ich Sie sofort an. Ist das okay für Sie?"

Natürlich war das für Elisabeth mehr als in Ordnung. Sie gab ihm ihre Telefonnummer und bedankte sich mehrfach.

Als sie aufgelegt hatte, ging sie von der Küche in das nebenan gelegene Wohnzimmer. Auf der rechten Seite des Raumes stand ein edler Tischsekretär aus dunkler Eiche. Sie öffnete diesen und griff nach der Flasche mit Eierlikör.

Elisabeth versuchte sich zu erinnern, wann sie das letzte Mal um diese frühe Uhrzeit Alkohol getrunken hatte.

Es dürfte vor 14 Jahren gewesen sein, nachdem sie sich am Sterbebett von Hannes, ihrem geliebten Mann, hatte verabschieden müssen. Viel zu früh war er von ihr gegangen und hatte sie in tiefster Trauer zurückgelassen.

Der einzige Sinn in ihrem Leben war von diesem Zeitpunkt an nur ein Mensch:

Eddie.

Mit dem noch halb vollen Glas ging Elisabeth zum weißen Klavier, der zwischen Sekretär und Fenster stand. Sie stellte das Glas vorsichtig auf das Sims ab und öffnete den Klavierdeckel.

Während sie noch stand, strich sie vorsichtig von links nach rechts über die Klaviatur. Beim „A" hielt sie inne. Dreimal hintereinander drückte sie die Taste langsam und bedacht nach unten. Der entweichende Ton wirkte beruhigend auf Elisabeth. Er verhinderte jedoch nicht, dass ihr erneut die Tränen über das Gesicht liefen.

Sie setzte sich auf die Klavierbank und stimmte leise die Melodie des Intermezzos „Méditation" aus der Oper „Thaïs" an.

Hannes hatte es geliebt. Dieses Meisterwerk, welches von Leidenschaft, Verführung und Verzicht erzählte.

Eddie, bitte komm' bald wieder nach Hause. Ich liebe dich!

*

„Servus, Alter. Na, alles fit im Schritt?", begrüßte ihn sein Freund Toni am gestrigen Nachmittag.

„Du siehst ein bisschen verstrahlt aus. Aber egal, das wird sich ganz schnell ändern", versprach er lachend, als sie gemeinsam vom hintersten Teil des Gleises in Richtung Bahnhofshalle schlenderten.

„Haste was genommen?", fragte ihn Eddie augenzwinkernd.

„Naaa, ich bitte dich, kennst mich doch! Das oberaffengeile Zeug hab' ich extra für heute Abend aufgehoben."

„Wie bist du eigentlich zum ersten Mal an den Stoff gekommen?".

Eddie schaute Toni mit großen Augen an, er war neugierig.

Sein Freund drehte sich, auf der Rolltreppe vor ihm stehend, um und dämpfte seine Stimme.

„Lektion Eins: Dieser Stoff hat mehrere Codenamen, wie zum Beispiel Charlie, Coca, Fickpuder, Nasengold, Persil, Schnee, weißes Gold und Zaubermehl."

Das fahrende Band war zu Ende, und Toni zog Eddie an dessen Arm in Richtung eines Schildes, auf welchem „Lieferanteneingang" stand.

„Wenn du also ‚Stoff‘ sagst, weiß jeder, dass du keine Ahnung hast. Und genau das wollen wir ja nicht, korrekt, Alter?“

„Korrekt“, antwortete Eddie und bemerkte ein leichtes Kribbeln in seinem Bauch.

„Zurück zu deiner Frage, wie alles bei mir begann. Ist schon zwei Jährchen her. Da war ich 16 und hab‘ einen Ferienjob an einer Tanke gemacht. Ein älterer Kollege hat mir nach der Schicht ganz selbstverständlich eine Line angeboten. Na ja, und kaum hatte ich das Zeug geschnupft, wusste ich: Was für ein krasser Scheiß, das wird meine Droge. Und Tatsache, Alter, sie hat mein Leben verändert. Seitdem bin ich einfach unbesiegbar. Wie der Herrscher der Welt.“

Herrscher der Welt… ich bin dabei, dachte Eddie.

„Kommen wir noch kurz zu einer weiteren Lektion, Eddie. Zur Lektion Nummer Zwei. Es ist vielleicht die Wichtigste. Die anderen bringe ich dir mit der Zeit schon bei.“

Zwischenzeitlich hatten sie sich auf eine Bank gesetzt und ließen die hektischen Menschen an ihnen vorbeieilen.

„Also, wir beide wollen mit dem Shit so richtig fett Kohle machen. Die abhängigen Wichser sollen sich die Coca reinziehen, zufrieden sein, immer wieder bei uns kaufen und somit dauerhaft high durch ihr beschissenes Leben gehen. Kann uns doch egal sein, was mit denen passiert. So, und dafür braucht´s Selbstkontrolle. Keine Line unter der Woche. Und nur eine am Wochenende. Biste dabei?"

„Logisch", antwortete Eddie, und vor seinem inneren Auge sah er sich bereits in einem babyblauen Mercedes Cabrio durch die Innenstadt cruisen.

*

Die Türklingel riss Eddie am nächsten Morgen aus dem Schlaf.

„Scheiß Postmann", murmelte Toni und drehte sich noch einmal um.

Eddie schaute auf die Uhr an seinem Handgelenk und sprang blitzartig auf.

Fuck… der Termin bei Kroiß!, fuhr es ihm durch den Kopf.

* * *

KAPITEL 26

Mai 2005

Ihr Schmuck soll nicht auswendig sein mit Haarflechten und
Goldumhängen oder Kleideranlegen, sondern der verborgene
Mensch des Herzens unverrückt mit sanftem und stillem Geiste;
das ist köstlich vor Gott.

(1. Petrus 3,3-4, LU)

Als die Haustür aufging und den Blick auf den Bewohner der
Dachgeschosswohnung freigab, stockte Ana der Atem.

Victor stützte sich mit der rechten Handfläche am Türrahmen ab
und lehnte sich in ihre Richtung. Die Hemdsärmel waren nach
oben gekrempelt und betonten seine muskulösen Unterarme.

Meins, meins, meins, hüpfte der Dreiklang durch ihren Kopf.

„Hereinspaziert, die Dame", flüsterte er ihr mit einem
verführerischen Lächeln zu und zog sie dabei an seinen
Oberkörper. Sein Mund legte sich vorsichtig auf ihren und Ana
schmolz dahin.

„Liebe geht durch den Magen", unterbrach er poetisch
beschwingt die knisternde Stimmung.

„Ich habe für uns gekocht. Komm' rein."

Er trat hinter sie, schlang seine Arme um ihren Bauch und schob sie sanft durch den schmalen Gang. Im Wohnzimmer wartete bereits eine sonore, weibliche Stimme aus der Stereoanlage auf die beiden.

„Herrlich. ‚Café del Mar‘. Ich liebe diesen Sound", schwärmte Ana, während sie in Richtung der duftenden Kochnische weiterging.

Und ich liebe dich, Ana.

Ihre dunklen Locken wippten im Takt der Klänge, und Victor sog ihren Anblick tief in sich auf.

„Ich hoffe, du magst portugiesisches Essen. Wir hätten da zum einen ‚Cozido à portuguesa‘, das ist ein traditioneller Eintopf."

„Ich sehe schon: Möhren, Bohnen, ah und Kohl. Hähnchen, Rind… und was ist das da Feines?"

Ana hielt in ihrer linken Hand den Deckel, mit dem rechten Zeigefinger deutete sie auf das dampfende Innere des Tongefäßes.

„Das da, das sind Schweine- und Blutwürste. Musst du aber nicht essen, wenn es dir zu gruselig ist".

Die weiße Zahnreihe, welche Ana schon im „Cherry Club"
aufgefallen war, blitzte ihr entgegen.

„Und dazu ‚Bolo do caco'. Das Knoblauchbrot ist eine Spezialität
aus Madeira. Ich hoffe, Rotwein ist okay für dich? Ich hätte hier
einen Redoma im Angebot. Entschuldige bitte, ich bin ein wenig
nervös. Bitte setz dich doch."

Egal ob weiß oder rot, sie würde alles trinken. Das Wichtigste für
Ana war die gemeinsame Zeit, und dass er offen zugab, nervös zu
sein, schmeichelte ihr.

„Danke für die Einladung. Auf uns!"

Ihre Gläser klirrten aneinander.

Den Geschmack des ersten Suppenlöffels ließ Ana ganz
besonders lange auf ihrer Zunge zergehen.

„Mmh… es ist köstlich, Victor. Ich liebe es."

„Und ich liebe dich, Ana."

*Mich lieben… ist das nicht noch ein bisschen zu früh? Nein, ist es nicht,
denn ich fühle genauso.*

Schüchtern, leise und mit gesenktem Blick hauchte sie in seine
Richtung:

„Und ich liebe dich, Victor."

*

Nach dem Essen nahmen beide ihre Gläser und setzen sich auf den bereits mit Kerzen beleuchteten Dachbalkon.

„Hat der Konieczny dir mittlerweile das Zeugnis ausgestellt?"

„Gott sei Dank, ja. Kam gestern per Einschreiben an."

„Na siehst du. Bei dieser Ausgangslage hatte er keine andere Wahl. Dann noch sein Autoschlüssel, den du zufälligerweise als Pfand hattest. Und ganz zu schweigen von den zahlreichen Hintergrundinformationen über diese illustre Party", grinste Victor und zündete sich eine Zigarette an.

„Wie bist du eigentlich an den geraten? Als angehende Kunsthistorikerin hält man sich doch eher in Kirchen und Bibliotheken auf."

„Eigentlich ja. Hm, doofes Wort, dieses ‚eigentlich'. Denn im Grunde genommen weiß ich gerade gar nicht, was ich wirklich will. Zu diesem Studium bin ich nur durch meinen Vater gekommen. Ich gebe zu, es ist vielseitig und hat mir die letzten acht Semester wirklich Spaß gemacht. Aber am liebsten würde ich irgendetwas mit Menschen machen. Sie motivieren, sie fördern. Ihnen zeigen, dass sie nicht unsichtbar sind. Dass sie gesehen werden, mit all ihren individuellen Facetten. Ich finde, das passiert viel zu selten in dieser Geschäftswelt voller vermeintlichem Glitzer, Glamour und Machtgehabe."

„Du hast in meinen Augen viele Talente, Ana. Jung bist du auch noch. Probiere dich aus, und du wirst deinen Weg gehen. Einen Grundsatz solltest du jedoch beherzigen."

„Der da wäre?"

Ana drückte ihre Zigarette aus und nahm einen Schluck aus dem Rotweinglas.

„Dir selbst gegenüber immer treu zu bleiben. Dich nicht von Menschen beeinflussen zu lassen, deren Verhaltensweisen anderen gegenüber vernichtend sind."

Ob ich Ana von IHM erzählen soll?

„Ich weiß, was du meinst. Die eine oder andere dunkle Seele habe ich bereits kennenlernen müssen", stöhnte sie und schnaufte unüberhörbar durch.

„Darf ich dir eine ehrliche Frage stellen, Ana?"

„Ja natürlich. Immer doch."

„Glaubst du an Dinge, die wir mit unserem menschlichen Auge nicht sehen können, von denen wir jedoch ahnen, dass sie existieren?"

Mach' langsam. Nicht, dass sie dich für verrückt erklärt.

„Na, klar glaube ich an eine höhere Macht. Ich glaube daran, dass alles im Leben einen Sinn hat, so etwas wie die göttliche Fügung. Weißt du, was ich meine?"

„Selbstverständlich. Ich sehe das genauso. Denkst du, dass es neben Gott auch den…"

Victor hielt inne.

„… den Teufel gibt?", vollendete Ana seine Frage.

Victor nickte und zog an seiner mittlerweile dritten Zigarette. Das Thema, die Stimmung und die Erinnerungen an seine Vergangenheit wühlten ihn innerlich auf. Ihm war bewusst, dass er Ana noch nicht in seine tiefsten Geheimnisse einweihen durfte, was würde sie nur von ihm denken?

„Tja, dieser vermeintliche Teufel. Ob es ihn gibt und wie ich ihn mir vorstelle?", unterbrach sie seine Gedanken.

„Eine gruselige Vorstellung jedenfalls. Nun gut, er wird wohl nicht im rosafarbenen Tutu, sondern in Schwarz gekleidet sein. Ich sehe ihn vor mir mit tieferliegenden Augenhöhlen, einem weitaufgerissenen Mund sowie einem skelettierten Gesicht. Aber vielleicht stimmt das gar nicht, und wir alle sind durch die ganzen Horrorfilme und Psychothriller zu dieser bildhaften Vorstellung gekommen. Hm, je länger ich darüber nachdenke, umso mehr bin ich der Überzeugung, dass es IHN gibt. Irgendetwas muss doch die Menschen zu ihren dunklen Taten antreiben. Ich denke nicht, dass Gott so manches zwischenmenschliche Leid gewollt hätte. Aber weißt du was, Victor? Dieses letzte Geheimnis will ich, ehrlich gesagt, überhaupt nicht wissen. Manchmal ist das besser so."

Du hast recht, Ana. Die Wahrheit hätte auch ich nicht wissen müssen.

Victor rutschte auf dem großen, weichen Sitzkissen, das die geschliffene Holzpalette in eine bequeme Couch verwandelte, näher an sie heran.

„Kommt jetzt zwar überraschend, aber so bin ich nun mal: Hast du Lust, im Juli mit mir und meinem Bully an den Atlantik zu fahren? Runter bis nach Lissabon. Zuerst zu meinen Großeltern und dann weiter auf die Halbinsel Setubal. Unendlich viele Sandstrände warten dort auf uns. Und natürlich viele Abenteuer und ganz, ganz viel Liebe. Klingt das nach einem Plan für dich?"

Ana strahlte ihn an:

„Ja, ich will", kicherte sie – wohlwissend, seine Frage nicht korrekt beantwortet zu haben.

* * *

KAPITEL 27

Abermals ist gleich das Himmelreich einem Netze, das ins Meer
geworfen ist, womit man allerlei Gattung fängt. Wenn es aber voll
ist, so ziehen sie es heraus an das Ufer, sitzen und lesen die guten
in ein Gefäß zusammen; aber die faulen werfen sie weg.
Also wird es auch am Ende der Welt gehen: die Engel werden
ausgehen und die Bösen von den Gerechten scheiden.
(Matthäus 13,47-50, LU)

„Hallo. Mein Name ist Victor, und ich hatte bis Mitte letzten
Jahres Depressionen."

Zwölf Personen musterten ihn neugierig.

„Ich bin erst 19. Ich bin kein Arzt und ich bin kein Psychologe.
Trotzdem habe ich diese Selbsthilfegruppe ins Leben gerufen.
Denn ich bin der tiefsten Überzeugung, dass ehemalige Betroffene
die Angehörigen depressiver Menschen unterstützen können. Nur
gemeinsam schaffen wir das."

Victor schaute verstohlen in die Runde, aus der keinerlei Regung
zu vernehmen war.

Der kleine Raum, welcher für die in einem Stuhlkreis sitzenden, dreizehn Anwesenden Platz bot, befand sich in einem unscheinbaren Gebäude der Münchner Volkshochschule.

„Danke, dass ihr gekommen seid", fuhr Victor fort.

„Ich finde es erschreckend, dass in unserer Gesellschaft diese psychische Erkrankung weiterhin ein Tabu ist. Unter den Betroffenen geht die Angst um, abgestempelt zu werden. Auch ich fürchtete die Stigmatisierung durch mein Umfeld."

Er hielt kurz inne.

„Ja, so viel für den Moment von meiner Seite."

Ein Mann mit dunkel getönten Brillengläsern sowie einem Langstock auf dem rechten Oberschenkel klatschte leise.

„Vielen Dank", erwiderte Victor ehrfürchtig.

„Lasst uns fortfahren. Magst du etwas über dich erzählen, bitte?"

Er wandte sich lächelnd der Frau zu, die rechts von ihm auf dem Holzstuhl saß.

„Äh, ja, hallo. Ich bin die Anne, und mein Bruder ist seit ungefähr vier Jahren depressiv. Unsere Eltern haben sich damals scheiden lassen. Irgendwie hat er das Ganze nicht verkraftet. Mehr möchte ich für den Moment nicht sagen. Danke."

„Das ist vollkommen in Ordnung, Anne. Vielen Dank. Schön, dass du bei uns bist. Neben Anne sitzt der…?"

„… Matze. Hallo in die Runde. Meine Frau ist seit einem halben Jahr depressiv. Um genauer zu sein, seit der Geburt unserer Tochter. Ich erkenne sie nicht wieder. Ich weiß schon seit langem nicht mehr weiter. Also, ähm, das war's von meiner Wenigkeit. Danke, Victor, dass du diese Gruppe ins Leben gerufen hast."

Zwölf Köpfe nickten zeitgleich und ein leises, zustimmendes Gemurmel schwang durch den Raum.

Die Vorstellungsrunde ging bis zum letzten Stuhl weiter, er stand schräg links von Victor.

„Last but not least kommen wir zu?"

Victor schaute zu dem Mann mit dem Blindenstock.

„Oha, das kann ja nur noch ich sein. Hallo, ich heiße Volker. Wie ihr schon bemerkt habt, bin ich sehbehindert", und er klopfte leise mit dem Stock auf den Boden.

„Meine Tochter wurde letztes Jahr von ihrem Reitlehrer missbraucht. Seitdem ist sie suizidal gefährdet und hat eine posttraumatische Belastungsstörung. Es zerreißt mir das Herz. Alles zu Hause ist unerträglich geworden und bringt mich an meine Grenzen."

Die Schwere, die den Raum füllte, war bleiern. Alle Blicke waren zu Boden gesenkt.

„Mein eigenes Schicksal und leider auch das meiner Tochter sind die Rache des Teufels", sprach Volker weiter.

Mehrere Köpfe schnellten nach oben.

„Bitte entschuldigt, dass ich euch so unverhofft irritiere. Ich möchte meine Aussage kurz erklären, denn die Wahrheit ist für die Menschheit von immenser Bedeutung."

Volker machte eine kurze Pause und schaute ängstlich in die Runde. Keiner hatte sich nur einen Millimeter bewegt und die Zeit schien stillzustehen.

„Der Teufel hat am Ende über mich gerichtet, denn ich war jahrelang sein Diener. Genauer gesagt war ich im Geschäftsleben ein Arschloch vorm' Herrn, habe Kollegen und Mitarbeiter wie Dreck behandelt und fiese Nummern abgezogen. Natürlich habe ich gemerkt, wie scheiße es meinem Umfeld durch mich ging. Aber irgendwer oder irgendwas hat mir eine Art Absolution in den Kopf gepflanzt. Es schien für mich okay zu sein, was ich da trieb. Tja, und dann kam er, dieser eine Moment, der mir meine damals noch sehenden Augen geöffnet hat: Carola, meine direkte Assistentin, schmiss nach zwei Jahren ihren Job und tauchte in einer psychosomatischen Klinik unter. Sie kam nicht mehr zurück. Erstaunlicherweise hat sie mir nie einen Vorwurf gemacht. Ich kapierte irgendwann, dass ich über die Monate und Jahre maßgeblich zu ihrem Leiden beigetragen hatte. Da musste ich schnell aussteigen. Aussteigen aus diesem miesen Spiel. Seinem Spiel, welches aus perversesten Intrigen und seelischem Missbrauch besteht. Also distanzierte ich mich von ihm und der Schmiede."

Volker holte noch einmal tief Luft.

„Für mich ist es ‚Die Schmiede der schwarzen Seelen'. Ich war auch eine von ihnen. Leider! Wenn ich eins gelernt habe, dann die Tatsache, dass jeder von uns bis zum Ende eine Wahl hat. Eine Wahl, wie wir uns anderen gegenüber verhalten. Hört sich einerseits versöhnlich an. Anderseits muss jedem Täter klar sein, dass der Ausstieg aus der Schmiede einem Hochverrat gleichkommt. Die Rache des Teufels ist gnadenlos, wie man an meinem Beispiel sieht."

Die Stimmung im Raum war düster und morbide.

„Äh, Entschuldigung, aber falsche Gruppe, Volker. Klare Sache, Mann. Wir sind doch nicht bei der Teufelsaustreibung oder irgendeiner krassen, scheiß Sekte", beschwerte sich die blonde Frau einen Stuhl rechts von ihm.

„Himmel, nein, natürlich nicht", versuchte Victor die Situation zu retten. „Alle dürfen hier jedoch ihre persönlichen Erfahrungen äußern, ohne verurteilt zu werden. Ich bin Volker dankbar für seine Ausführungen. Wann trifft man schon jemanden, der offen und ehrlich über seine Fehler spricht."

Vor allem bin ich ihm dankbar, nun zu wissen, nicht verrückt zu sein – und dass es IHN wirklich gibt.

"Schon klar", unterbrach die gleiche Frau Victor mit einem ruppigen Unterton. "Großartig, dass es noch die edlen Ritter gibt. Aber was hat denn der ganze Bullshit mit Depressionen zu tun? Deswegen sind wir doch hier. Also, ich zumindest."

Matze schaltete sich ein, sein Ton wirkte beruhigend und man spürte, dass die Worte wohl gewählt waren.

"Meines Erachtens spielen mehrere Faktoren eine Rolle, bevor ein Mensch depressiv wird. Von mangelnder Liebe in der Kindheit bis hin zu schweren Traumata im Privaten wie auch im Beruflichen. Frage in die Runde: Sind wir uns denn hier alle einig, dass jahrelanges Fehlverhalten von Vorgesetzten die Menschen in deren unmittelbaren Umfeld brechen, ja sogar depressiv machen kann?"

Einheitliches Nicken im Stuhlkreis.

"Fein", sagte Matze zufrieden.

"Vielleicht kann uns Volker noch kurz etwas zu…"

„… zu meiner Erblindung sagen", vollendete dieser Matzes Überleitung.

Den Langstock fest umklammert, spürte er, dass seine Hand schweißnass war.

„Ja, das kann ich. Als ich vor ungefähr fünf Jahren verstand, dass ich mich grundlegend ändern musste, fing meine Netzhauterkrankung an. Bis zum heutigen Tage habe ich fast mein gesamtes Augenlicht verloren. Die Ärzte haben mich schon damals für verrückt erklärt, als ich meinte, der schwarze Fleck auf meinem Augapfel sei ein Teufelswerk, sein typischer Rachefeldzug. Ich bin somit nicht der Einzige mit diesem Brandmal. Es gibt ja schließlich genügend Arschlöcher, wie ich eines war."

Victor war zwischenzeitlich aufgestanden und hatte das große Fenster geöffnet.

„Ich bin gleich mit meinen Ausführungen fertig", sagte Volker. „Ein letzter, entscheidender Faktor kommt für meine Erblindung noch hinzu: Er wollte nicht mehr, dass ich mitbekomme, was nachts in seiner Schmiede vor sich geht. Er hatte Bedenken, ich könnte andere warnen und sie würden ebenso aussteigen. Aber irgendwie scheint er nicht verstanden zu haben, dass ich nach wie vor in meinen Träumen sehen kann. Und wisst ihr, was der Clou ist? Er macht tatsächlich keinen Hehl daraus, dass jeder am Ende für seine Untaten bestraft wird. Trotzdem hören die meisten nicht auf. Kranke Scheiße, sag ich euch!"

Während Volker zum Ende kam, setzte er seine Brille ab. Den Zeige- und Mittelfinger der linken Hand führte er zum linken Auge und holte tief Luft.

„Bitte nicht erschrecken", sagte er noch schnell und zog ruckartig den Wimpernkranz nach oben: Bis auf eine kleine, weiße Fläche unterhalb der Iris war der gesamte Augapfel schwarz.

Die blonde Frau neben Volker rannte schreiend aus dem Raum und auch Matze schnappte sich seinen Rucksack und verließ panikartig die Gruppe.

„Oh, wir haben bereits 19:30 Uhr. Ich hoffe, wir sehen uns wieder?", fragte Victor zum Abschluss in die Runde.

Dadurch, dass er selbst unter Schock stand, fiel ihm kein passenderer Schlusssatz ein. Einer nach dem anderen huschte aus dem Raum, bis auf zwei Personen.

„Lust auf einen Drink, Volker?", fragte ihn Victor, während er das Fenster schloss.

* * *

KAPITEL 28

März 2021

Ich bin der HERR, dein Gott.

Du sollst keine anderen Götter haben neben mir.

(Das erste Gebot, LU)

Die ersten drei Wochen bei ihrem neuen Arbeitgeber vergingen für Ana wie im Flug.

Da es sich das Unternehmen auf die Fahnenstange schrieb, Familien und Alleinerziehende bei ihrer Tätigkeit im Homeoffice zu fördern, arbeitete Ana an drei Tagen von zu Hause, unrecht war ihr das nicht. Denn auch wenn Zoe als Sechstklässlerin von Tag zu Tag selbstständiger wurde, so verhielt sie sich gleichzeitig immer mehr wie ein ganz normaler Teenager.

„Brotzeit zum Abendessen? Boah, ej, Mama, ich krieg' die Krise!"

Oder auch: „Jetzt chill' mal – alle anderen dürfen, nur ich nicht!"

Bis bin zu: „Wehe, du addest mich auf Insta!"

Sätze, die sie Ana von Zeit zu Zeit um die Ohren haute.

Das Kind bräuchte gerade jetzt seinen Papa!

Victor fehlte auch Ana, seit mittlerweile elf Jahren.

Elf Jahre voller Trauer, Einsamkeit und vielen unbeantworteten Fragen.

„Schatzi, du weißt doch, dass du die Maus immer zu mir bringen kannst. Ich hänge sowieso einsam und verlassen mit meiner brotlosen Kunst in der Bude rum und heul' mir die Augen aus dem Kopf", bot Valeria an.

„Außerdem wird's mal wieder Zeit."

„Was willst du mir damit sagen, Valli?", fragte Ana, wohlwissend, welche Standpauke als Nächstes kommen würde.

„Er hätte es nicht gewollt, Liebes. Victor hätte es niemals gewollt, dass du bis zu deinem Lebensende allein bleibst und dich nicht mehr verliebst. Wie heißt er doch gleich, dein Kollege aus dem Marketing?", fragte Valeria augenzwinkernd.

„Lilian."

„Wusste ich's doch: Du stehst auch auf Frauen."

„Och Mensch, Valli. Lilian ist ein Mann und kommt aus Frankreich. Daher der Name."

„Ist mir Wurst wie Käse, woher der Kerl kommt. Hauptsache, dir gehts gut, Schatzi."

Er war Ana bereits an ihrem ersten Arbeitstag über den Weg gelaufen. Zumindest virtuell. Doris hatte die beiden mit ihrer enthusiastischen Art einander vorgestellt.

„Liebster Lilian, darf ich dir unsere fantastische, phänomenale und über alle Maßen talentierte Ana vorstellen? Ana Lazar! Im Übrigen sieht sie auch noch verdammt gut aus, nicht wahr? Hach, du kannst dir nicht ausmalen, wie lange Jakob und ich auf diese Frau gewartet haben. Eine gefühlte Ewigkeit. Aber jetzt ist sie endlich da. So, und die liebe Ana ist bei uns seit heute die neue…"

Doris zögerte einen Moment.

„Hm, weißt du, was? Dir vertraue ich voll und ganz. Im Gegensatz zu manch anderen gemeinen Menschen um mich herum."

Theatralisch zog sie die Nase hoch.

„Herrje, was bin ich wieder emotional unterwegs. Du Lilian, du kannst doch ein Geheimnis für dich behalten, oder?"

Noch während Doris ihn fragte, fummelte sie kurz mit ihren Fingern am Laptop herum und stellte Lilian in das Spotlight der Sitzung:

Der grau melierte Dreitagebart kam durch das herangezoomte Bild enorm gut zur Geltung und seine längeren Haare am Oberkopf standen in alle Richtungen.

Wohl gerade aufgestanden... hm, er ist ganz anders als Victor, aber irgendwie... Himmel, Ana, konzentrier dich, ermahnte sie sich selbst.

„Na selbstverständlich, Frau Doktor Beck. Ich bin die Verschwiegenheit in Person", antwortete Lilian mit einem Lächeln und rückte dabei ein paar Zentimeter näher an seinen Bildschirm heran.

Dunkelgrüne Augen... wow...

„Prima, wusste ich es doch", unterbrach Doris Beck Anas Gedanken und fasste kurz und knapp den Status quo bezüglich ihrer neuen Mitarbeiterin zusammen:

„Die offizielle Version ist folgende, lieber Lilian: Seit heute ist Ana eine unserer Recruiterinnen und wird die Besten der Besten für ConduCorps finden."

Doris senkte während des Satzes theatralisch ihre Stimme und beugte sich dabei nach vorne. Die Kamera fing ihr ausladendes Dekolleté ein. Ihr schwammiger Busen quoll aus dem Stoff des enganliegenden T-Shirts heraus, und wie bei einer Verschwörung flüsterte sie weiter.

„Du hast sicherlich aufgepasst, Lilian. Ich sagte ‚die offizielle Version‘. Und somit kommen wir zur Inoffiziellen: Ana wird ab dem ersten April unsere neue ‚Head of Recruiting‘ sein, somit die gesamte Truppe von dreizehn Mitarbeitern führen, und schwupps ist sie keine Nullnummer mehr.“

Der darauffolgende Lachflash ließ Ana erschaudern. Die Augen ihrer Vorgesetzten waren zusammengepresst und ihr Mund wirkte breit, grotesk und voller Häme. Nachdem sie sich beruhigt hatte, setzte sie wieder ihr herzlichstes Lächeln auf und flirtete mit der Kamera.

„Ernst komm raus, du bist umzingelt. Hach, was bin ich heute kindisch drauf. Zur Sache: Bis Akito Nakamura seinen Posten geräumt hat, müssen wir die Füße stillhalten. Das bedeutet auch für dich, Lilian, dass du mit Ana offiziell keine gemeinsame Sache machst, also rein geschäftlich betrachtet.“

„Sicher doch, Frau Doktor Beck. Ober sticht Unter. Und ansonsten: Maul halten.“

„Huuuch“, kommentierte Doris kichernd. „Ganz so krass habe ich es nun auch wieder nicht ausgedrückt.“

„Nö, aber ich“, lachte Lilian, und Ana zuckte beim Anblick seiner strahlend weißen Zahnreihe kurz zusammen.

„Verstanden", gab Doris knapp zur Antwort. „Ach, eins noch zu Nakamura: Mich beschleicht das Gefühl, dass er mega überfordert ist. Entsetzlich tiefe Augenringe hat der gute Mann bekommen. Der wird doch nicht etwa kurz vor einem Burn-out stehen? Hach, ich kümmere mich um ihn, so bin ich eben."

Hammer, eine empathische Frau in einem Konzern, dachte das Engelchen auf Anas Schulter. Das Teufelchen jedoch tippte sich mit dem Zeigefinger an die Stirn und hob den Dreizack in die Höhe.

„Mensch Ana, beinahe hätte ich es verschwitzt: Unser lieber Lilian ist bei ConduCorps zuständig für alles rund um Kommunikation und Bildsprache. Na, schnackelt es bei dir, warum ich euch beide heute schon zusammenbringe?"

„Employer Branding, Anzeigengestaltung und so?"

„Perfekt, Ana. Du hast es erfasst. Hach, wie ich diese Frau liebe", schwärmte Doris.

Himmel, wie peinlich... ich vertraue ihr dennoch... warum sollte ich nicht einmal im Leben Glück haben?

*

Zwischen Neujahr und dem offiziellen Start im März hatte Ana zweimal wöchentlich eine Konferenz mit ihrer zukünftigen

Vorgesetzten. Als Stress empfand sie es nicht, eher als die rührende Eingliederung ihrer Person in eine für sie noch undurchsichtige Konzernstruktur.

Und so mehrten sich Seite für Seite ihre handschriftlichen Aufzeichnungen in einem extra großen Notizbuch. Die ersten beiden dieses „geheimen Regiebuchs", wie Ana es selbst nannte, zeigte sie Valeria nach vier Wochen Arbeitszeit:

Betriebsrat Morawietz: eifersüchtig auf Doris, hat gegen sie gestimmt bei Aufsichtsratswahl; er kann mich wahrscheinlich auch nicht leiden; laut Doris bin ich für ihn wie ein Eindringling

immer freundlich sein, aber zurückhaltend agieren – Doris hält mir Rücken frei, inhaltlich und bei Querelen

Jakob wöchentlich ab 01.03. Zusammenfassung der letzten Tage schicken; Datei auf Laufwerk Z; mindestens 5 PowerPoint-Seiten; zusätzlich auf Englisch

ACHTUNG: alles zuerst an Doris, ihre Freigabe abwarten, dann Dokument kopieren, Fuß- und Kopfzeilen anpassen, andere Frontpage einfügen; dann an Vorstand Dr. Lange mailen; Vorsicht: Er hat Doris den angedachten Posten weggeschnappt

ACHTUNG: erst nach ein Uhr am Freitag, Sekretärin Lisa vorher in Yoga

„Ach, du große Scheiße!", empörte sich Valeria. „Heiliger Bimbam. Was für eine Konzern-Kacke. Tu mir einen Gefallen, Schatzi, und pass bitte auf dich auf."

„Logo, Valli, versprochen. Darf ich dich mal was fragen?"

„Doofe Frage, nächste Frage. Klaro."

„Ich habe in der Tat dann noch eine Zweite auf Lager."

Ana lachte und fuhr fort:

„Hast du schon einmal bei einem Menschen gesehen, dass er auf seinen Augapfel einen schwarzen Fleck hatte?"

„Äh, bitte was? Also, wenn du seine Pupille meinst, dann ja. Warum fragst du?"

„Egal. Nicht so wichtig. Okay und zweitens: Könntest du bitte am Samstag auf Zoe aufpassen? Ich muss den Keller zu Ende aufräumen. Paar Kartons und noch den…"

„… den Lilian treffen", vollendete ihre Freundin den Satz und knuffte sie herzlich in die Wange.

* * *

KAPITEL 29

November 1985

Und er sprach: Was aus dem Menschen geht, das macht den
Menschen gemein; denn von innen, aus dem Herzen der
Menschen, gehen heraus böse Gedanken; Ehebruch, Hurerei,
Mord, Dieberei, Geiz, Schalkheit, List, Unzucht, Schalksauge,
Gotteslästerung, Hoffart, Unvernunft. Alle diese bösen Stücke
gehen von innen heraus und machen den Menschen gemein.
(Markus 7,20-23, LU)

„Papa, machst du bitte den Kassettenrekorder an, wenn ich dir ein
Zeichen gebe?"

Doris lächelte zu ihrem Papa, der es sich im Wohnzimmer auf der
ockerfarbenen Couch aus schwerem Cord mit einer dampfenden
Tasse Kaffee gemütlich gemacht hatte.

Es war einer der wenigen Samstage, die sie über alles liebte.
Jedoch waren sie eine Seltenheit, da Reinhardt Beck in den letzten
Jahren immer öfter beruflich unterwegs war.

Dadurch war Doris größtenteils sich selbst überlassen.

Ihre Mutter arbeitete mittlerweile wieder als Verkäuferin in einer
Bäckerei. Während ihre Tochter in den frühen Morgenstunden

schlief, verließ Gabriele Beck das Haus. Und wenn Doris von der Schule kam, erwartete sie ihre Mutter bereits mit belegten Broten und einem halb vollen Weinglas.

„Das mache ich sehr gerne, mein Liebling", antwortete Reinhardt Beck freudestrahlend.

„Habe ich dir schon gesagt, dass ich mich riesig auf deine Aufführung heute Abend freue? Gott sei Dank muss ich erst morgen Früh nach Prag reisen. Dir scheint das Ballett noch Spaß zu machen, oder?"

Doris zögerte einen Moment und blickte verstohlen zu Boden.

„Irgendwie schon, Papa. Aber die Mama sagt immer, ich sei zu dick, um Pirouetten zu drehen. Sie meint auch, ich würde in diesem rosafarbenen Trikot aussehen wie Miss Piggy."

Reinhard Beck schaute Doris entsetzt an.

„Das sagt deine Mutter wirklich zu dir?"

„Na ja, irgendwie hat sie auch recht. Schau mal hier, meine Speckrolle am Bauch", und sie kniff in eine Hautfalte.

Ihr Vater stand auf und nahm sie fest in den Arm.

„Mein Liebling, du darfst nicht alles ernst nehmen, was deine Mutter sagt. Sie ist leider manchmal… "

Er hielt zögerlich inne.

„… betrunken?", vollendete Doris seinen Satz.

„Es tut mir so leid. Ehrlich. Weißt du was? Ich werde versuchen, meine ganzen Reisen auf mindestens die Hälfte zu reduzieren. Das bin ich dir schuldig, Doris. Ich schäme mich, dass ich das jetzt erst realisiere. Gib mir bitte nur ein bisschen Zeit. Ich regle das. Versprochen! Apropos: Wo ist denn eigentlich deine Mutter? Seit dem Frühstück ist sie wie vom Erdboden verschluckt."

„Sie ist bestimmt bei ihrer Freundin. Ich weiß aber nicht, wie die heißt. Sagt mir Mama auch nie."

„Nie? Heißt das, sie ist des Öfteren samstags nicht da?"

„Ja", bestätigte Doris traurig. „Lass uns aber bitte nicht mehr darüber reden, Papi. Ich mag jetzt tanzen. Also, wenn ich den Daumen hebe, dann drückst du auf ‚Start', okay?"

„Okay", antwortete Reinhardt Beck und ein ungutes Gefühl drückte auf seine Brust.

„Zu deiner Info, Papa: Die Musik, zu der ich gleich und auch heute Abend bei der Aufführung tanze, ist aus der Oper ´Thaïs` von… hach, wie heißt er doch gleich?"

„Jules Massenet. Wow, wie schön, ich liebe dieses Intermezzo. Aber dich, dich mein Engelchen, dich liebe ich bis ans Ende der Welt und wieder zurück."

Während er sprach, füllten sich seine Augen mit Tränen.

„Ich liebe dich auch, Papi. Wann kommst du eigentlich die Tage aus Prag zurück?"

„Am Mittwoch, Doris. Am Mittwoch bin ich wieder bei dir."

*

Der dunkelrote Samtvorhang des kleinen Theaters war noch geschlossen, da hörte man bereits die Solovioline über ihre Saiten streichen.

Im Saal war es dunkel, und Reinhardt Becks Fingerspitzen kribbelten vor Freude.

Ein plötzliches, lautes Poltern ließ ihn zusammenzucken. Er schaute nach links zur Eingangstür und erblickte mit Entsetzen seine Frau:

Sie trug einen überdimensional großen Hut mit Krempe und ein schwarzes, langes Abendkleid. Da sich ihre Augen erst noch an die Lichtverhältnisse im Saal gewöhnen mussten, kniff sie diese leicht zusammen. Aufgrund ihrer schrägen Körperhaltung wusste Reinhardt Beck, dass sie stark alkoholisiert war.

Abrupt stand er auf und ging auf sie zu. Fest packte er ihren Oberarm und zog sie an sich heran.

„Gabriele verdammt. Was machst du denn hier? Setz dich sofort hin", zischte er.

In dem Moment bemerkte er aus dem Augenwinkel, dass sich der Vorhang öffnete.

„Fass mich nicht an", raunzte Gabriele Beck zurück.

Reinhardt Beck schob seine Frau wenige Schritte weiter, drückte sie bestimmt auf den vorletzten Sitzplatz der Stuhlreihe und ließ sich links von ihr nieder. Er riss ihr hektisch den Hut vom Kopf und knüllte diesen zwischen seinen Füßen zusammen.

„Hey, du Arsch", nölte sie unüberhörbar.

Ein paar Zuschauer drehten sich daraufhin mit strafendem Blick in ihre Richtung um.

Die Bühne war nun hell erleuchtet.

Zehn Mädchen in rosafarbenen Tutus fingen an, das Publikum mit ihrem Tanz zu verzaubern. Reinhardt Beck entdeckte Doris in der zweiten Reihe. Ihr Blick war konzentriert. Einen Schritt nach dem anderen zelebrierte sie mit so viel Andacht und Hingabe, dass ihm wieder die Tränen in die Augen stiegen.

Nach 45 Minuten war die Aufführung zu Ende. Applaudierend erhob sich das Publikum von seinen Sitzen. Gabriele Beck hatte sich bis zu diesem Zeitpunkt zusammengerissen. Jetzt hielt sie nichts mehr, und lautstark rief sie in Richtung ihrer Tochter:

„Schatziii, suuuper. Du bist meine Allerbeste. Bravooo!"

Reinhard Beck war froh, dass ihre Rufe im Getöse der anderen Eltern untergingen.

*

Doris brauchte lange, bis sie einschlafen konnte. Die zahlreichen Eindrücke flackerten im Sekundentakt vor ihrem inneren Auge vorbei. Sie spürte noch die Aufregung. Sah den Theatersaal vor sich, in welchem sie aufgrund der Scheinwerfer kein Gesicht erkannt hatte. Jedoch hallten die Jubelschreie ihrer Mutter schrill und laut nach.

Unruhig wälzte sich Doris von der einen auf die andere Seite ihres Kissens.

„Deine Tochter braucht dich, Gabriele", hörte sie ihren Vater durch die geschlossene Kinderzimmertür sagen. „Und du? Bist ständig besoffen. Schäm dich. Wirklich. Abgrundtief! Ich habe schon zu der Kleinen gesagt, dass ich den Großteil meiner Vorlesungen abblasen werde."

Vorsichtig kroch Doris unter der Decke hervor und öffnete die Tür einen Spalt breit.

„Das wirst du nicht tun, Reinhardt. Wir kommen hier schon ohne dich klar. Sehr gut sogar."

Während ihre Eltern weiterstritten, begaben sich zum Rauchen auf den Balkon. Nach wenigen Minuten kamen sie wieder rein und Doris sah, dass die Tür zur Terrasse geschlossen wurde.

„Ich bring dich um! Ich bring dich um!", brüllte ihre Mutter.

Leise machte Doris die Tür ihres Zimmers wieder zu, legte sich in ihr Bett und zog die Bettdecke über den Kopf.

Tränen durchnässten augenblicklich ihr Kopfkissen.

„Tschüss, Papi. Bis Mittwoch", flüsterte sie und schlief ein.

*

Ein Geräusch riss Doris aus ihrem Schlaf.

Der Mond leuchte durch die zugezogenen Gardinen und gab den Blick auf ihren Marienkäfer-Wecker frei: Es war halb fünf Uhr morgens und noch stockfinster.

Der Kofferraumdeckel eines Wagens wurde zugeknallt.

Auf Zehenspitzen lief Doris zum Fenster und lugte hinter dem Vorhang vorsichtig auf die Einfahrt zum Grundstück.

Sie glaubte, den Morgenmantel ihrer Mutter erkannt zu haben, als sich die Person auf die Fahrerseite setzte und mit quietschenden Reifen davonfuhr.

Ich muss mich irren… das kann nur Papa gewesen sein… auf dem Weg nach Prag.

„Bis Mittwoch", flüsterte sie, kuschelte sich in ihr Bett und schlief wieder ein.

* * *

KAPITEL 30

Vor 60 Tagen

Denn alles Fleisch ist wie Gras und alle Herrlichkeit der
Menschen wie des Grases Blume.
Das Gras ist verdorrt und die Blume abgefallen.
(Offenbarung 9,3, LU)

„Sind Sie das erste Mal hier?"

„Ich denke nicht. Wieso?"

„Nur so. Sie haben da etwas Weißes an Ihrem Nasenflügel. Was
ist das denn?"

„Geht dich 'nen Scheiß an. Wer bist du eigentlich?"

„Henry. Henry van der Walt. Und Sie?"

„Eddie. Hey, Alter, zieh dir mal den Stock aus dem Arsch!"

Was hat der eben zu mir gesagt?

Van der Walt holte gerade tief Luft und wollte seinen
Sitznachbarn herunterputzen, da ertönte plötzlich die laute,
aggressive Stimme des Wesens:

„Welcome to the Show, Ladies and Gentlemen. Huhu, hier bin ich."

Hunderte von Köpfen drehten sich und suchten mit ihren Augen den Saal ab.

„Ätschi bätschi, ihr seht mich heute mal nicht", fuhr die Stimme fort. „Liegt daran, dass ich in der Regie sitze. Denn ich habe euch eine ganz besondere Reportage mitgebracht. Die bedarf mehrerer technischer Finessen. Aber was tut man nicht alles, damit das Spiel größer wird. It´s all about Entertainment, nicht wahr?"

„Whoopwhoop", ertönte es aus der ersten Reihe.

„Eine perfekte Überleitung zu unserem heutigen Gast. Er hat lange auf seinen großen Auftritt gewartet. Beim letzten Mal musste ich ihn vertrösten. Für einen Choleriker wie ihn die reinste Folter. Jedoch: Was ist schon diese Form der Demütigung gegenüber all den Taten, die er seinen Mitarbeitern gegenüber an den Tag legt? Nichts für ungut, ich vergöttere seine Art. Meine Damen und Herren: Henry van der Walt."

Applaus brandete auf und füllte den Hörsaal.

Zügle dich in deiner Sprache, sonst macht er dich erneut fertig, ermahnte sich van der Walt selbst.

Er stand auf und drückte dabei seinen Bauch an der Tischplatte vorbei.

„Henry, mein Guter. Ich habe dir versprochen, dich heute bluten zu lassen. Wie blutig darf es denn sein?"

„Keine Ahnung, was ich jetzt darauf antworten soll, Meister. Ich hatte noch nie etwas mit Blut zu tun."

Das Gelächter des Wesens war laut und markerschütternd, und van der Walts Herzfrequenz erhöhte sich merklich.

„Meister. Wie genial. Danke dir, Henry. Nehm' ich! Was ich jedoch nicht nehme, ist deine verdammte Lüge, noch nie etwas Blutiges erlebt zu haben. Ich sage nur ‚Terrasini'. Ah, jetzt hast du verstanden, nicht wahr? Über deinen ekelerregend kriminellen und perversen Vater will ich heute Gnade walten lassen. Gott hab' ihn selig – oder auch nicht."

Der nächste Herzinfarkt wird mein Tod sein, fürchtete van der Walt in grausamer Vorahnung.

„Nun, machen wir es uns alle gemütlich in den Kinosesseln. Licht aus und Spot an bitte."

Während des letzten Satzes leuchtete die Projektionswand auf.

Dieses Mal war das Lautsprechersymbol nicht durchgestrichen. Der Rest des Hörsaals wurde abgedunkelt und für wenige Augenblicke lag eine angespannte Stille in der Luft.

Eine Zeile erschien mittig auf dem Bildschirm:

Die tickende Zeitbombe Henry van der Walt

Neben zahlreichen Rosskastanien und Sträuchern füllte ein lang gezogener Flachbau das Bild. Die Kamera zoomte von Weitem an das Firmenschild heran:

„WALTmann & Söhne", las man in roten Buchstaben.

Der Film nahm den Zuschauer mit in das Erdgeschoss des Gebäudes. Ein Mikrofon mit schwarzem Schaumstoffwindschutz tauchte im unteren Bildrand auf.

Die Kameraführung vermittelte den Eindruck, mit der Person durch das Gebäude zu laufen, die das Mikrofon in ihrer Hand hielt.

Sie ging ein paar Treppenstufen nach oben, eine Zwischentür öffnete sich und man bog nach rechts ab. Nach wenigen Schritten bog die Person wiederum rechts ab, ging durch einen Türrahmen, und vor ihr stand eine Frau mittleren Alters.

Ein Mikrofon wurde in ihre Richtung gestreckt.

„Wie man die Zusammenarbeit mit Henry van der Walt in zwei Sätzen zusammenfassen kann? Vielleicht so: Eben noch war die Stimmung gut und kaum kommt der Chef um die Ecke, ist die Luft zum Schneiden dick. Die Kollegen und ich sind verunsichert und ängstlich."

Eine weitere Frau stellte sich zu ihr.

„Kann ich absolut bestätigen. Van der Walt kommt schon morgens rein und schreit. Er rastet ständig aus. Entschuldigen tut er sich danach nie."

„Warum sollte er auch?", fügte aus dem Off ein Mann hinzu und sprach weiter: „Er staucht mich immer zusammen, wenn ich nicht gleich verstehe, was er von mir will."

Nach seinen Ausführungen hörte man ein lautstarkes Schnäuzen.

„Entschuldigung, darf ich auch etwas dazu sagen?"

Die Kamera schwenkte mit dem Mikrofon zu der weiteren Stimme und blieb bei einem jungen Mann stehen.

„Dieser Monk will nie diskutieren und weiß natürlich alles besser. Es haben schon mehrere Personen wegen ihm gekündigt. Am liebsten würde ich auch gehen, aber ich bin erst 17 und habe letztes Jahr meine Lehre in diesem Saftladen begonnen. Einer meiner Kollegen ist noch schlimmer dran als ich: Van der Walt sagt ihm ständig, er sei der größte Idiot, den er je gesehen hat. Ach, und dann sagt der noch so Sachen wie ´Sie machen alles falsch` oder ´Sie sind eine Niete`.“

Das Mikrofon wanderte zu der ersten Befragten zurück.

„Wie die Belegschaft damit umgeht, meinen Sie? Das kann man kurz und knapp in einem einzigen Satz zusammenfassen: Nach van der Walts Ausrastern ist es üblich, den Vorfall totzuschweigen und weiterzumachen wie bisher.“

Sie holte noch einmal tief Luft.

„Nichts, aber auch rein gar nichts wird sich ändern. Da kann man nur hoffen, dass er bald… Entschuldigung, das sag‘ ich jetzt lieber nicht. CUT.“

Der Film wurde für die Zuschauer angehalten und blieb für eine Weile stehen.

Die Stimmung im Saal war angespannt und in van der Walt brodelte es wie ein Geysir.

Wie ich euch verachte, euch verabscheue, ihr kleinen beschissenen Mitarbeiter. Undankbares Pack. Ich werd´s euch zeigen. Ich werde euch…

Seine Gedanken stoppten abrupt, denn plötzlich wurden zahlreiche vergangene Situationen in Zeitumkehr abgespielt. Im Schnelldurchlauf galoppierte der Zuschauer durch einen

Flashback von mindestens einem Jahr. Die geschockt wirkenden Gesichter aller Mitarbeiter sprachen selbst bei der Geschwindigkeit des Abspulens Bände, und van der Walts cholerische Mimik kam auf jedem Bild ausgiebig zur Geltung.

Wieder stoppte der Film.

Im Standbild-Modus sah man eine weibliche Person von hinten. Dunkle, lockige Haare waren zu einem Zopf zusammengebunden.

Der Film wurde erneut abgespielt.

Die Kamera fuhr einmal um die Frau herum und blieb aus einer Entfernung von einem halben Meter direkt vor ihrem Gesicht stehen.

„Die Fotze kenne ich von irgendwo her", rief Konieczny in die dunkle Stille hinein.

Unter Ana Lazars Kinn tauchte das schwarze Mikrophon auf.

„Wie ich persönlich als Personalleiterin mit van der Walt umgehe? Schwierig. Also, schwierige Frage und schwieriger Umgang für mich. Am Anfang kam ich noch damit klar, versuchte, es mit Humor zu nehmen. Aber das gelingt mir seit vielen, vielen Wochen nicht mehr. Jeden Morgen, wenn ich zur Arbeit fahre, habe ich einen Kloß im Hals, besser gesagt ein Würgen. Die permanente Anspannung schlägt mir im wahrsten Sinne des

Wortes auf den Magen. Direkter ausgedrückt: Ich könnte kotzen! Ja, ich finde van der Walt mittlerweile einfach nur noch zum Kotzen. Und genau aus diesem Grund werde ich demnächst kündigen. Ich habe Gott sei Dank schon etwas Neues in Aussicht. Diesmal dann eine weibliche Vorgesetzte. Die ist einfach toll. Ein sehr authentischer und zuvorkommender Mensch."

Das Bild hängte sich erneut im Standby-Modus auf und ein unheimliches, lautes Gelächter ließ die Zuschauer aus ihren Sitzen hochschrecken.

„Wie geil… ´Die ist einfach toll`. Ist sie denn eigentlich heute da? Doris? Doktor Doris Beck? Sind Sie anwesend, meine Liebste?"

Nur vereinzelt drehte sich der eine oder andere Kopf suchend um.

„Macht nichts. Beim nächsten Mal, eben. Aber wissen Sie, Ladies and Gentlemen, was ich so geil an der Aussage von dieser Ana Lazar finde? Dass die Täuschung tatsächlich funktioniert hat. Doris hat nun mal alle ihre Hausaufgaben perfekt gemacht. Perfide, würde ich schon fast sagen. Kommen wir wieder zurück zu Henry."

Van der Walt stand nach wie vor hinter der Tischplatte. Auch wenn er sich über das, was er im Film gesehen hatte, weiterhin aufregte, so gab es doch einen Funken von emotionalem Schmerz, der seinem Herz schwer zu schaffen machte.

„Let´s analyse, Henry: Was war im Rahmen all deiner bisherigen Verhaltensweisen gut? Und was kann deutlich besser gemacht werden?"

„Ähm, erst mal vorab: So bin ich eben! Was soll ich machen? Das Cholerikergen liegt nun mal bei uns in der Familie. Ist nicht meine Schuld. Naja, wenn, dann vielleicht nur ein bisschen. Mein Verhalten verschafft mir Erleichterung. Ich brauche es einfach, meine Fehler auf andere abwälzen zu können. Ist ein irres Gefühl. Leider hält dieses nicht lange vor. Und dann heißt es: Der oder die Nächste, bitte."

„Nicht sonderlich kreativ, mein Guter", urteilte die Stimme aus dem Off.

„Hat jemand hier im Hörsaal eine Idee, was Henry besser machen kann?"

Mehrere Hände aus dem Publikum erhoben sich nacheinander.

„Wow, so viele gleich. Spitzenmäßig! Die Choleriker unter sich."

Das Wesen lachte voller Häme und Stolz.

„Rechte Seite, Reihe drei, letzter Platz ganz außen, bitte?"

Die aufgerufene Person erhob sich und drehte sich in Richtung des restlichen Podiums um: Der Mann war zirka Anfang Vierzig und hatte seine schulterlangen Haare im Nacken zu einem Zopf zusammengebunden.

„Ich persönlich finde es essentiell wichtig, zwischendurch auch mal nett zu seinen Untergebenen zu sein. Vermeintlich nett, natürlich nur. Honig ums Maul schmieren, und so. Wir wollen die Leute doch bei der Stange halten. Wir wollen, dass sie immer und immer wieder denken, dass unser Verhalten reine Einbildung von deren Seite sei. ‚Zuckerbrot und Peitsche‘, sagt man auch dazu. Und in diesen netten Phasen unsererseits müssen wir Vertrauen zu den armen Kröten aufbauen. Wir müssen mehr Privates aus ihnen rauskitzeln und erfahren, wie es um ihre persönliche Konstitution steht. Denn wenn jemand bisher viele, schreckliche Dinge erlebt hat, dann können wir mit unserem wertvollen Zutun schneller und effizienter dazu beitragen, dass sie gebrochen werden. Bis sie zerbrechen! Ich finde das einfach nur teuflisch gut. Vielen Dank.“

Der Mann setzte sich wieder.

In den Reihen fingen mehrere der Anwesenden an, sich leise miteinander auszutauschen.

„Himmel! Oder soll ich lieber sagen Hölle? Ich bin begeistert. Der Herr da vorne, wir sprechen uns noch. Weißt du was, Henry? Jetzt nimm doch erstmal wieder Platz.

Van der Walt gehorchte wider seinem Naturell, denn er hasste es, herumkommandiert zu werden.

„Setzen wir dem Ganzen noch die imaginäre Krone auf, Ladies and Gentlemen. Ich bin der vollsten Überzeugung, dass ein reales Nachempfinden des Gemütszustands der eigenen Mitarbeiter ein zusätzlicher Trigger für eure weiteren, schwarzen Taten sein kann. Denn dann, ja, dann wisst ihr nämlich, was noch möglich ist. Nothing is impossible."

Kaum hatte er den Satz ausgesprochen, wurde van der Walt von hinten eine Tüte über den Kopf gezogen und ruckartig an seinem Hals festgezurrt. Zwei Hände übten einen massiven Druck aus und würgten ihn auf so stark, dass er kurz davor war, ohnmächtig zu werden.

Die Tüte blähte sich durch die panikartige Atmung auf. Der große Bauchumfang machte van der Walt in der engen Sitzreihe unbeweglich. Er konnte sich nicht wehren, nur seine Beine strampelten im Todeskampf wild umher.

Hilfesuchend drehte er seinen Kopf nach rechts zu Konieczny und glaubte, durch die mittlerweile angelaufene Tüte zu erkennen, dass dessen Augenhöhlen leer waren.

„Ja… genau so fühlt es sich an, wenn du deinen Mitarbeitern die Luft zum Atmen nimmst. Aber du lebst noch, Henry. Du lebst. Und das bedeutet, es geht immer noch ein bisschen mehr, oder?"

*

„Neiiin, es geht nicht mehr", schrie van der Walt.

Er wachte auf und lag regungslos in seinem Bett.

Der stechende Schmerz im linken Auge war genauso unerträglich wie der Druck auf dem gesamten Brustkorb.

„Maria, Schatz, ruf den Notarzt. Schnell."

* * *

KAPITEL 31

August 1969

Dann werdet ihr an euren bösen Wandel denken und an euer Tun,
das nicht gut war, und werdet euch selbst zuwider sein um eurer
Sünde und eurer Gräuel willen.

(Hesekiel 36,31, LU)

Der mächtige Körper rollte von dem schmalen Jungen runter.

Martin van der Walt stand auf und zog sich seine Hose wieder an.
Er hob den Ledergürtel vom Boden auf, fädelte ihn durch die
Gürtelschlaufen entlang und schloss die Schnalle am vorletzten
Loch.

Henrys Kopf war leer.

Sein ganzer Körper pulsierte und er spürte, dass die Haut am
Rücken aufgescheuert war. Bäuchlings lag er auf einer
heruntergekommenen Couch in der Abstellkammer, in welcher
sich nur noch ein Regal mit Konservendosen und Weinflaschen
befand.

Es war der kleinste Raum ihres Ferienhauses, das zwanzig
Autominuten oberhalb von Terrasini in den Bergen lag.

Die idyllisch wirkende Siedlung war durchzogen von engen Gassen, prächtigen Oleanderpflanzen und lautem Kinderlachen, welches aus den gepflegten Gärten tönte.

So fröhlich der Ort schien, so unheimlich und bedrückend war er nachts.

Durch die geschlossene Tür hörte Henry seine Mutter in der Küche das Abendessen vorbereiten. Sie hatte am späten Nachmittag freudestrahlend verkündet, ihnen Spaghetti aglio e olio zu machen.

Henry überkam nicht zum ersten Mal die Gewissheit, dass diese Euphorie nur gespielt war. Denn das Leuchten in den Augen seiner Mutter war schon seit Jahren einem tiefen Seelenschmerz gewichen.

Er wusste, dass sie mitbekam, was seinem Bruder und ihm in vielen Nächten widerfuhr. Angelika van der Walt versuchte, es zu ignorieren. Ein einziges Mal hatte sie sich zwischen ihre Söhne und deren Vater gestellt, ihre Nase war dabei gebrochen worden.

Gerade wollte Martin van der Walt die Tür öffnen, da drehte er sich noch einmal zu Henry um:

„Ich treffe mich heute Abend mit Luigi in seinem Friseursalon. Rob und du, ihr beide kommt mit. Es gibt da etwas, das wir unbedingt miteinander bereden sollten."

Während er sprach, drückte er die Klinke runter und ging aus dem Raum.

Bei Luigi. Oh Gott, nein!

Henry hatte eine düstere Vorahnung. Nach dem Mord vor drei Jahren war er nur zum Haareschneiden im Salon gewesen.

Vergessen würde er die blutigen Bilder und den Geruch von damals jedoch nie.

Er schlüpfte in die Stoffhose und lief mit nackten Füßen auf dem mit Terracottasteinen gefliesten Gang entlang.

Der Duft von frischem Knoblauch lag in der Luft.

In der Küche angekommen, schaute Henry verstohlen zu seiner Mutter. Er sah, dass ihre Tränensäcke rot und geschwollen waren.

Mama, warum hast du geweint?

Rob saß bereits am Esstisch. Seinen Kopf in beiden Händen abgestützt, blickte er zu der vor ihm stehenden Schüssel.

„Wo bleibt das Essen, verdammt noch mal?"

Martin van der Walt betrat den Raum. In seiner rechten Hand hielt er eine Kleinkaliberwaffe. Henry und sein Bruder zuckten zusammen und ihre Mutter stieß einen spitzen Schrei aus.

„Was ist los? Habt ihr etwa Angst? Nein, das müsst ihr doch nicht, ich bitte euch. Zeit für ein bisschen Aufklärung am heimischen Esstisch. Her mit dem Fraß, Geli."

Er ließ sich ächzend auf einem der Holzstühle nieder und legte die Waffe auf seine breiten Oberschenkel.

„Rob, mein Junge. Du kennst dich ja inzwischen schon ein bisschen aus. Frage: Was genau ist die ‚Cosa Nostra'?"

„Also, Papa, das, äh, also, das ist…"

Er stotterte.

„Das ist die sizilianische Mafia. Das… das ist wie eine Familie. Man hilft sich gegenseitig. Also, da… da gibt es viele Ehrenmänner. Und die tun alles dafür, dass es jedem gut geht. Die kämpfen gegen das Böse…"

„Dein Gestotter geht mir auf den Sack, Junge. Sprich deutlich weiter: Können wir als van der Walts auch Teil dieser großartigen ‚La Famiglia' sein?"

Rob zupfte nervös mit den Mittelfingern an der Nagelhaut beider Daumen.

„Äh, nein, also, ich glaube nicht, Papa. Denn wir sind keine Sizilianer und leben in München. Aber… aber wir können Luigi und seine Freunde unterstützen. Die wollen bald nach

Deutschland kommen. Und diese Familie soll bei uns, also… die soll da irgendwie größer werden und so und dir auf dem Bau helfen und so."

„Und so, und so, und so", wiederholte Martin van der Walt genervt. „An deiner Antwort kann noch gefeilt werden. Lasse ich dennoch heute ausnahmsweise durchgehen. Nur ausnahmsweise! Sag, Rob: Wann genau wird in dieser großen Familie ein Junge zu einem echten Mann geschlagen?"

Geschlagen?

Henrys Herz raste.

„Ich denke, mit zehn?", fragte Rob leise.

„Richtig, mein Sohn. Und was muss er dafür tun?"

„Er muss… er muss zum Beispiel die Waffen putzen."

„Bravissimo! Oha, ich bemerke, dass es in Henrys Spatzenhirn arbeitet. Du bist erst acht, mein Kleiner. Richtig. Von einem echten Mannsbild noch weit entfernt. Aber was nicht ist, kann noch werden. Ging deinem Bruder vor zwei Jahren genauso. Auch er hat sich an die wunderschönen Instrumente gewöhnt."

Martin van der Walt streichelte mit leuchtenden Augen über den Lauf seiner Waffe.

„Anfangs werden sie wie unerforschte Spielsachen für dich sein. Das gibt sich mit der Zeit, nicht wahr, Rob?"

Ein Nicken von der anderen Seite des Tisches bestätigte seine Aussage.

Die Kiste in Luigis Keller, ging es Henry durch den Kopf.

„Wenn wir nachher bei unserem Freund sind, erklären wir dir alles ganz genau, Henry. Wisst ihr, Kinder: Irgendwann einmal gibt es mich nicht mehr. Weil ich tot bin. Vielleicht Herzinfarkt. Vielleicht auch ermordet. Kommt schon, jetzt schaut mich nicht so entgeistert an. Tja, das Leben geht manchmal ungeahnte Wege. Gewiss ist jedoch, dass diese Bestien mit den schwarzen Augäpfeln unter uns sind. Du erinnerst dich, Henry?"

Wie konnte er es vergessen, auch wenn er es weiterhin nicht verstand. Er nickte zaghaft.

„Sie wollen uns vernichten. Sie werden uns jedoch nicht kleinkriegen. Dafür müssen wir zusammenhalten. Ihr beide habt die Pflicht, in meine Fußstapfen zu treten. Denn wie sagte bereits ein unvergessener Padrone: ´Nur der Schmerz hält die Familie zusammen`."

„Warum lässt du sie nicht in Ruhe?"

Die belegte Stimme von Angelika van der Walt war kaum zu hören. Sie hatte sich während der vergangenen Minuten nicht vom Herd bewegt und war mit ihrem Rücken noch immer dem Esstisch zugewandt.

„Was hast du da gerade gesagt?", polterte Martin van der Walt mit zornerfüllter Stimme.

Für den Bruchteil einer Sekunde war nur noch das leise Geräusch von ausströmendem Gas unter der noch halb vollen Nudelpfanne zu hören.

Ruckartig stand Martin van der Walt auf und sein Stuhl krachte nach hinten. Er öffnete seinen Gürtel, und zog diesen mit einem lauten Schnalzen durch die Schlaufen der Hose.

Angelika van der Walt konnte gar nicht so schnell reagieren, da spürte sie bereits, dass sich das Leder von hinten fest um ihren Hals zog und sie herumgewirbelt wurde.

Die angsterfüllten Gesichter ihrer Söhne versetzten sie in noch größere Panik. Ein Röcheln entwich ihrer zugeschnürten Kehle. Angelika verharrte regungslos, als hätte sie bereits aufgegeben.

„Schaut sie euch an. Schaut euch die Hure ganz genau an. Seht ihr, was ich sehe?"

Mit der rechten Hand zog Martin van der Walt den Gürtel noch fester um den Hals seiner Frau. Die andere griff an ihr linkes Auge und zog dessen Wimpernkranz voller Gewalt nach oben, Angelika zuckte zusammen.

Außer einem weißen Glaskörper mit weit aufgerissener Pupille war nichts Außergewöhnliches zu sehen.

* * *

KAPITEL 32

Volker war gestern nicht da. Schade, er hat mir gefehlt.

*Er rief mich am Wochenende kurz an, seiner Tochter geht es sehr schlecht…
sie hat versucht, sich das Leben zu nehmen. Er hat sie noch rechtzeitig
gefunden… vollgepumpt mit den Beruhigungsmitteln ihrer Mutter.*

*Tod durch Überdosis, der Weg dahin wäre mir zu unsicher – was, wenn man
mich doch noch findet?*
So wie Volkers Tochter.

*Ich wollte das nicht, denn ich hätte mich ja bis zu diesem Zeitpunkt
entschieden, zu gehen.*

Für immer!

*Und dann bist du plötzlich wieder mitten in der ganzen Scheiße, vor der du
flüchten wolltest, weil du keinen Bock mehr hattest, keine Kraft mehr, keinen
Sinn mehr gesehen hast in deinem kleinen, beschissenen Leben.*

*Ja, vor zwei Jahren habe auch ich darüber nachgedacht, wollte mich vor die
einfahrende U-Bahn werfen. Der Fahrer wäre mir dabei egal gewesen; schon
richtig perfide, so etwas zu sagen.*

Aber wie du siehst: Ich lebe noch.
Und ich danke GOTT dafür!

Warum ich es nicht getan habe?
Ich habe es nicht übers Herz gebracht – meinen Eltern gegenüber. Die waren IMMER für mich da, sind es heute noch. Sie bedeuten mir alles!

Wenn den beiden etwas passieren würde, dann, ja, dann würde ich mich wirklich umbringen. Und davor habe ich einfach nur Schiss, ich hoffe, es ist keine böse Vorahnung…

Vor einiger Zeit hatte ich einen furchtbaren Albtraum, schweißgebadet bin ich aufgewacht, meine Eltern hatten einen Autounfall auf irgendeiner Landstraße. Es war dunkel. Plötzlich tauchte irgendetwas vor ihrem Auto auf. Ich konnte nicht erkennen, ob es ein Mensch oder ein Tier war.
Mein Vater musste ausweichen, sie sind dann einen Hang heruntergestürzt, der Wagen zerschmetterte, beide waren auf der Stelle tot.

Weißt du, was mir im Traum das Herz zerrissen hat?

Das waren die weit aufgerissenen Augen meiner Mutter. Sie schrie, und dann war alles Schwarz und ich bin aufgewacht.

Seitdem bekomme ich die Bilder nicht mehr aus dem Kopf…

* * *

KAPITEL 33

März 2003

Der HERR ist nahe allen, die ihn anrufen,

allen, die ihn mit Ernst anrufen.

(Psalm 145,18, LU)

Sie konnte sich nicht mehr erinnern, wie sie es zurück zu ihrem Wagen geschafft hatte. Sie wusste nur, dass sie unfassbar erleichtert war, als sie den Rückwärtsgang einlegte.

Beinahe hätte sie den roten Bugatti von Timothy Snyder gerammt, es wäre ihr egal gewesen.

Nach sieben Minuten Fahrtzeit kam Irina Timoschenko auf dem weitläufigen Parkplatz eines Baumarktes an und schaltete den Motor ab. Sie rutschte auf dem Sitz so tief nach unten, dass man von außen lediglich das zerzauste Haupthaar sehen konnte.

Zahlreiche Stimmen und Geräusche klangen gedämpft durch die Scheiben ins Wageninnere.

Ihr Oberkörper vibrierte durch den Tränenausbruch, die Oberarme krampften und sie war kurz davor, zu hyperventilieren. Den einzigen Halt, den ihre Finger bekamen, war die Unterseite des Lenkrads.

Minuten vergingen.

Minuten voller Verzweiflung, Trauer und Scham.

Sie löste die rechte Hand vom Lenkrad und wischte sich über das nasse Gesicht.

Du hast es in der Hand, ob du dem Teufel die Macht über dein Leben und Handeln gibst, kleine Irischa. "

Die Worte ihrer Großmutter drangen plötzlich an ihr Ohr.

Babuschka, du fehlst mir. Wo bist du gerade?, fragte sie in stillem Gedenken.

An einem Ort der Ruhe, meine süße Irischa. Hör bitte noch einmal gut zu: Du bist bereits jetzt umgeben von Menschen, die dir nicht immer Gutes wollen", sprach diese weiter.

Ihr letzter Satz war exakt der gleiche wie vor zweiundzwanzig Jahren.

Vor Irinas innerem Auge flackerte die knallrote Wand des Kellergewölbes auf, vollbehangen mit den Utensilien aus Leder, Metall und schwarzem Kunststoff. Sie sah sich panikartig auf den Parkplatz rennen. Mit schweißnassen Händen hatte sie den schmalen Autoschlüssel aus dem Schaft ihrer Stilettos geholt und war davongefahren.

Nachhallend kreischte die ohrenbetäubende Musik von Rage Against The Machine durch Irinas Gehörgänge. Sie würde deren Song für immer hassen.

So wie Timothy.

Denn sie sind ihm bereits verfallen, obwohl sie eine Wahl hatten, genau wie du. Sie wählten aber einen Weg, von welchem sie dachten, er würde ihnen ein Leben lang Ruhm, Ehre und Erfolg versprechen.

Auch ich habe das gedacht, Babuschka. Ich gebe es zu, und ich schäme mich abgrundtief für all meine hässlichen Verhaltensweisen.

Das Gedankenkarussell in Irinas Kopf drehte sich immer schneller.

Jedoch wird der Teufel einen nie beschützen. Er wird am Ende über jeden richten.

„Babuschka, bitte steh mir bei!", sagte Irina laut zu sich.

*

Zwei Stunden zuvor zog Snyder mit einem Ruck den sich im Mund von Luke Anderson platzierten roten Ballknebel nach unten. Dadurch, dass dieser von einem Riemen umschlungen und an den sich seitlich befindenden Eisenstäben befestigt war, entstand ein schmerzhafter Zug auf Andersons Unterkiefer.

Er stöhnte auf und rang nach Luft. Seine Mundwinkel waren stark gerötet. Die Bondagemaske klemmte das Blut ab und ließ seine Augen hervortreten.

„Master Lucifer ist stolz auf euch two Bitches. Selbstverständlich ist das nicht gelogen. Ich bin doch so honest", versicherte Snyder hämisch.

„Menschenkinder, du wurdest ja noch gar nicht verarztet, Irina. Hm, lass mich mal kurz überlegen. Hey, ich hab´s, and you will love it", fuhr er fort.

Dann ging alles sehr schnell:

Snyder riss Irina an sich und platzierte sie bäuchlings auf dem hölzernen Strafbock. Ihre Gliedmaßen wurden an den vier Beinen des Foltergeräts festgezurrt. Er schob ihren Lederrock nach oben und zerriss den weinroten Stringtanga.

Irinas nacktes Gesäß zeigte in Richtung der beiden Männer und Snyder bearbeitete es noch einige Male mit einer kurzen Floggerpeitsche.

In seinem Gesicht spiegelten sich gleichzeitig Lust und Verachtung wider.

„I saw your eyes when I called Luke a Bitch. Einen Kerl so zu bezeichnen, bedarf der Aufklärung, right?"

Sie war nicht fähig, zustimmend zu nicken. Ihr Kopf hing zu Boden und wurde durch den nach unten laufenden Blutfluss immer bleierner.

„Well, Honey. Auch wenn du mit Luke schon das eine oder andere sexuelle Highlight erlebt hast, so muss ich dich leider enttäuschen. Denn unser Luke steht auch auf Männer. Yeah! Echte, geile Männer mit big dicks. So wie meinem. Isn´t it, Luky Luke? Davon konnte ich mich heute ausgiebig überzeugen, bevor du dich, zu uns gesellt hast, Irina. But so what, leben und leben lassen. Lasst uns über etwas Spannenderes reden: Das Geschäft.“

Während Snyders Monolog hatte Irina vor Angst und Ekel ihre Augen geschlossen. Nach seinem letzten Wort öffnete sie diese wieder und blickte auf das schwarz lackierte Laminat.

Direkt unter ihrem Kopf hatte sich bereits eine kleine Tränenlache gebildet.

„Ich erwähnte, dass Macht und Sex nicht getrennt voneinander betrachtet werden können. Ihr wollt weiterhin die Macht bei ‚T.S.G. Capital‘? Ihr kriegt sie! Ihr denkt, dafür keinen Preis bezahlen zu müssen? Fucking bullshit, guys – no way! Zwischendurch aber eine gute Nachricht: Ihr habt mit dem heutigen Tag den Großteil eurer Zeche bezahlt. Denn ich kannte bereits davor eure dunkelsten Geheimnisse. Und das bedeutet, dass ihr mir forever untergeben seid. And you know what that means?"

Snyder schlenderte zum Andreas-Kreuz und streichelte andächtig dessen Beschläge.

„Ach ja, um es uns allen noch einmal ins Gedächtnis zu rufen: ‚T.S.G. Capital' bedeutet ‚Timothy. Snyder. God.'. Nicht mehr und nicht weniger. Oh my fucking god. Aber, hey, ich kann auch ernst. Kommen wir zum Kapital."

Snyder setzte sich vor dem Kreuz auf den Boden und schlug seine ausgestreckten Beine übereinander. Die enganliegende, schwarze Kunstlederhose gab dabei ein leises Knistern von sich.

„Dass wir seit Jahren, rein rechtlich und totaly nüchtern betrachtet, mit unserer vermeintlich gemeinnützigen Kinderstiftung Gelder veruntreuen, ist euch beiden nicht unbekannt. Irgendwie müssen eure fetten Gehälter bezahlt werden. Next good news: Als Vorstand dieser Stiftung kann ich unbemerkt einen Großteil auf mein Privatkonto umleiten und euch somit das eine oder andere Salary on top ausbezahlen. But the bad news, my Bunnys: Sollte einer von euch quatschen, werde ich früher oder später im Bau landen. Wenn dem so sein sollte, zieh ich euch da mit rein. Das schwör' ich beim Teufel."

Scheiße, ich hab' vorhin die Lazar gebeten, ein paar Dateienordner aufzuräumen, ging es Irina trotz Schmerzen durch den Kopf.

„But you two don´t have to be afraid. Master Lucifer hat an alle Exits gedacht. Somit ist das really fucking Coole an unserer Konstellation folgendes: Du, Irina, verkörperst ganz offiziell das Kuratorium und bist Kontrollorgan. Du überwachst die Vermögensverwaltung und die Zweckerfüllung. Tja, und angenommen, diese wäre nicht gegeben, da käme ja plötzlich eine Strafbarkeit aller Mitglieder in Betracht. Und zufälligerweise ist dein Schwager auch ein Mitglied. Sitzt zwar in Moskau, macht aber nix – the Russian Secret Service will be happy about it. Okay, okay, dezent übertrieben, aber ich denke, ich konnte dir veranschaulichen, wie gefährlich das Ganze für deine Familie werden könnte. Also mach gefälligst immer schön brav deine Hausaufgaben."

Während er sprach, stand er vom Boden auf, ging einmal um den Strafbock herum und klatschte mehrmals mit seiner flachen Hand auf Irinas Gesäß.

Dann drehte er sich zum Sklavenkäfig um.

„Nun zu dir, Luky Luke. Ich gehe stark davon aus, dass du bereits als mein persönlicher Planer damit begonnen hast, die laufenden Einnahmen auf unterschiedliche Konten zu verteilen. Somit dürften die nächsten Investments in der Pipeline sein, is this right, man?"

„Right", gab Anderson leise von sich, und er schmeckte Blut auf seiner Zunge.

„Awesome! Ich hab' da nämlich im Urin, dass uns demnächst die Wirtschaftsprüfung einen Besuch abstatten wird – unangekündigt versteht sich. Bis dahin muss alles clean sein. The question is, what ist the question? Gibt es in eurem direkten Wirkungskreis jemanden, der von unserer hübschen Vorgehensweise Wind bekommen haben könnte?"

„Ja", krächzte Irina.

„Oh really? Just tell me, Honey."

„Meine Assistentin, Ana Lazar. Die ist zwar noch Studentin, aber nicht dumm. Ich hatte vor ein paar Tagen das Gefühl, dass…"

Ein Hustenanfall überkam sie.

„And how, Irina, how did you treat this Ana up till now? Bist du eine nette Chefin oder einfach nur unfassbar fucking scheiße?"

Ein lauter Peitschenknall ließ Irina zusammenzucken.

„Unfassbar fucking scheiße", antwortete sie mit zittriger Stimme.

„Oh my godness. Dann hast du jetzt noch ein paar extra Hausaufgaben, isn´t it?"

„That´s right, Timothy", flüsterte sie leise.

*

Irina schaltete ihr Autoradio an und stellte anhand der elektronischen Zeitanzeige fest, dass sie bereits seit mehr als einer Stunde auf dem Parkplatz des Baumarkts stand.

Der laufende Song von Robbie Williams trieb ihr schlagartig wieder die Tränen in ihre Augen. Es waren Tränen der Trauer, denn irgendwie hatte sie die gemeinsame Zeit mit Timothy geliebt.

Irgendwie.

Vielleicht war es auch nur seine Macht gewesen, zu der sie sich hingezogen gefühlt hatte.

Es waren aber auch Tränen der Erleichterung, denn Irina wusste ganz genau, was sich ab heute in ihrem Leben ändern würde.

Und sie wusste auch, dass das ihre letzte Chance war.

* * *

KAPITEL 34

Februar 1989

Der Mann aber soll das Haupt nicht bedecken, sintemal er ist
Gottes Bild und Ehre; das Weib aber ist des Mannes Ehre. Denn
der Mann ist nicht vom Weibe, sondern das Weib vom Manne.
Und der Mann ist nicht geschaffen um des Weibes willen,
sondern das Weib um des Mannes willen.

(1. Korinther 11,7-9, LU)

„Du siehst bezaubernd aus in diesem Kleid."

Jekaterina Timoschenko betrachtete ihre Tochter voller
Bewunderung. Sie saß auf Irinas Bett, auf welchem sie noch zwei
weitere ihrer teuersten Abendroben ausgebreitet hatte.

Irina strahlte sie an und drehte sich vor dem Standspiegel einmal
um die eigene Achse. Mehrlagige Volants aus dunkelblauer Seide
schwangen mit und umspielten sanft ihren durchtrainierten
Körper.

Frei wie ein Vogel, so fühle ich mich gerade…

„Dünn bist du geworden, Kind", merkte ihre Mutter mit einem
Hauch von Sorge in der Stimme an. „Die Vitamine scheinen dir
aber gut zu tun, nicht wahr?"

Mir geht es nicht gut, aber keiner will es sehen!

Dass es sich jedoch bei den bunten Pillen um eine Mischung aus Schmerzmitteln und andere Substanzen handelte, konnte selbst Jekaterina nicht verdrängen, so ordnete auch sie sich seit Jahren dem System unter.

Immer freitags verteilte die Trainerin an die Sportgymnastinnen der internationalen Wettkampfklasse von ZSKA Krasnodar eine Plastikbox. Feinsäuberlich sortiert nach den einzelnen Wochentagen warteten die Kapseln darauf, eingenommen zu werden.

„Na, dann wollen wir dich noch ein wenig schminken", lenkte Jekaterina ab und öffnete den kleinen Kosmetikbeutel, welcher auf ihrem Schoss lag: Ein roter Lippenstift, schwarze Wimperntusche sowie ein Fläschchen mit rotem Nagellack rollten auf die Bettdecke.

„Warum der ganze Zirkus, Mama?"

„Irina, mein Schatz. Es ist an der Zeit, dass ich dir die Rolle von uns russischen Frauen erkläre. Komm, setz dich zu mir", und sie klopfte mit ihrer Hand auf die Matratze.

„Wir Frauen vollbringen schon seit jeher die Wunder im Hintergrund und lassen unsere Männer wie Helden aussehen. Es macht uns glücklich, kleine Opfer zu bringen. Und jedes Mädchen in Russland träumt davon, einen reichen Mann zu heiraten. Gerade ihr Gymnastinnen habt die einmalige Möglichkeit, aus euren schönen Körpern Kapital zu schlagen."

„Und du, Mama?", unterbrach Irina ihren Redefluss. „Was ist mit dir? Wenn Papa reich wäre, dann würden wir doch nicht…"

„Schweig, Irina. Dein Vater ist ein guter Mann. Er hat nur leider viele Jahre das Geld aus dem Fenster geschmissen. Als ich ihn mit neunzehn geheiratet habe, war er achtunddreißig und seine Geschäfte liefen gut. Ich hoffte, ein Leben lang finanziell abgesichert zu sein. Dann habe ich mitbekommen, wie er mich mit anderen Frauen betrog. Zuerst hat mein Herz geblutet, aber daran gewöhnt man sich schnell, Irina. Ich konnte mich auch nicht mehr von ihm trennen, denn ich war bereits schwanger mit deiner Schwester. Zwei Jahre später kamst du."

„Mein Weg soll ein anderer sein, Mama. Ich möchte studieren und in Deutschland arbeiten. Ich möchte mein eigenes Geld verdienen. Also warum sollte ich mich von irgendeinem dahergelaufenen Kerl schwängern lassen?"

„Zügle deine Zunge, dein Vater ist nicht so ein Dummkopf", herrschte ihre Mutter sie an. „Kinder bekommt man bei uns in Russland so schnell wie möglich, dann hat man es hinter sich. Das raten einem auch die Frauenärzte."

„Verstehe. Du wolltest Nadeschda und mich also auch so schnell wie möglich hinter dich kriegen?"

Irinas Augen füllten sich mit Tränen.

„Aber nein, mein Kind, bitte entschuldige. Ich habe mich gerade ein wenig missverständlich ausgedrückt. Weißt du…"

„Warte, Mama, beantworte mir zuerst noch diese Frage: Warum war Babuschka so anders als du? Nie hätte sie so etwas zu dir gesagt. Sie hätte darauf geschissen, sich irgendwelchen gesellschaftlichen Konventionen anpassen zu müssen."

Jekaterina schaute Irina wütend an.

„Sei endlich still. Wie redest du eigentlich über meine Mutter? Du hast doch gar keine Ahnung, wer sie war."

„Dann sag es mir doch. Sag es mir verdammt noch mal".

Irina sprang vom Bett auf und schaute voller Wut und Verzweiflung auf ihre Mutter herab.

„Deine Oma war schon immer das schwarze Schaf in unserer Familie. So hat es mir zumindest mein Vater erzählt. Papa starb, als ich fünf Jahre alt war. Er ist eines Tages einfach umgekippt. Bei der Arbeit auf dem Feld. Vielleicht hat ihn aber auch jemand von der KPdSU ermordet. Obwohl eigentlich deine Großmutter hätte sterben sollen. Bitte versteh diese meine Aussage nicht schon wieder falsch. Nicht, dass ich es so gewollt hätte, um Himmels Willen, nein! Ich meine damit, dass das Regime es einfach nicht duldet, wenn man opponiert."

Oh Gott... die Wasserleiche, vielleicht auch ein Regimekritiker?

„Es tut mir leid, Mama. Natürlich habe ich keine Ahnung von all dem. Verzeih meinen Ausbruch. Ich würde mich sehr freuen, wenn du mir noch erklärst, auf was ich mich heute Abend bei diesem Empfang einstellen soll? Was meinst du, wird von uns Mädchen erwartet? Und vor allem: Was muss ich tun und was nicht?"

Während ihr die Fragen gestellt wurden, merkte Jekaterina, dass sie Angst hatte. Denn sie wusste, dass sich nach dem heutigen Abend Irinas Leben um 180 Grad drehen würde.

*

Zahlreiche Pinien, Eichen und Palmen durchzogen die großzügige Parkanlage des nobelsten Kurhotels in Sotschi.

Da sich Irina auf den hochhackigen Stilettos unsicher fühlte, war sie rechtzeitig von zu Hause losgelaufen. Die Sonne war bereits untergangen, und die einstelligen Temperaturen ließen sie frösteln, trotz des Nerzmantels, den ihr Jekaterina mit einem Abschiedskuss über die knochigen Schultern gelegt hatte.

„Genieße den Abend und nimm mit, was kommt", flüsterte sie ihrer Tochter zum Abschied zu.

Dann fiel noch ein Satz, der Irinas Magen zusammenzog.

„Es wird vielleicht wehtun und du wirst ein wenig bluten. Das ist normal. Mach dir jedoch keine unnötigen Gedanken."

Pünktlich betrat sie die zehn Meter hohe Eingangshalle des Prachtbaus. Ihr Balletttrainer Sergej hüpfte bereits aufgeregt über die glattpolierten Marmorfliesen.

„Irinka, Irinka, meine Gute. Wow, du siehst überraschend gut aus! Lass dich anschauen."

Er griff nach ihrer Hand und wirbelte sie mehrmals unter seinem Arm um ihre eigene Achse. Einen Augenblick später war er wieder verschwunden und ließ sie verdutzt zurück.

Sogleich gesellte sich ein Kellner in schwarzer Anzugweste, schwarzer Krawatte und weißen Handschuhen zu ihr.

„Einen Krimsekt, die Dame?", fragte er, ohne Irinas Antwort abzuwarten und überreichte ihr das Kristallglas mit dem prickelnden Inhalt. Sie nahm einen großen Schluck und schaute sich in dem Foyer um.

Ljudmila Kuszenowa stand in einem Halbkreis mit fünf Männern, die in ihren teuer wirkenden Anzügen einen wichtigen Eindruck machten. Sie strahlte bis über beide Ohren und Irina konnte sich nicht erinnern, ihre Trainerin jemals so glücklich gesehen zu haben.

Mit wackligen Schritten ging Irina zu ihren Sportkameradinnen und stellte fest, dass sich alle herausgeputzt hatten.

Was sie aber auch bemerkte, waren ihre angespannten und traurigen Gesichter, als würden sie auf eine Beerdigung gehen und nicht der Einladung der KPdSU folgen.

Eben noch nahm man die leisen Klaviertöne aus dem Hintergrund wahr, da ertönte das helle Klopfen von Metall an Glas. Augenblicklich verstummte die Musik.

Bürgermeister Michailow schaute durch die dicken Gläser seiner Hornbrille in die Runde.

„Herzlich Willkommen, meine Damen und Herren, verehrte Frau Kuszenowa, liebe Sportgymnastinnen. Ich freue mich, euch hier an dem wohl herrschaftlichsten Ort unserer Stadt begrüßen zu dürfen. Auf uns wartet ein wundervoller Abend mit interessanten Gesprächen, Musik, Tanz, einem herausragenden 5-Gänge-Menu und ganz sicher noch dem einen oder anderen weiteren Highlight. Nennen wir es ‚ein Feuerwerk der Gefühle‘. Feuchtfröhlich wird es werden. Und ich hoffe doch, vor allem feucht."

Das dreckige Gelächter, welches nach Michailows letztem Satz nicht nur aus seiner Kehle röhrte, ließ Irina angewidert erschaudern und alle anwesenden Personen zum ersten Mal bewusst wahrnehmen.

Neben ihr, den weiteren elf Gymnastinnen, dem Bürgermeister, Kuszenowa, Sergej und den Kellnern erblickte sie noch 13 Männer: Einer älter und untersetzter als der andere und allesamt mit lechzenden, gierig geöffneten Mündern.

Zwölf für uns und ein Joker?

Irina spürte die Galle in ihrem Magen rumoren. Ihre Beine zitterten, und sie klammerte sich angstvoll an die Clutch, die sie mit beiden Händen vor den Unterleib hielt.

„Auf euch Mädchen wartet nach eurer Sportkarriere ein reiches Leben. Männer werden sich um euch scharen. Euch Schmuck, Autos und Häuser kaufen", hörte sie das Echo von Kuszenowas Worten, die bereits Jahre zurücklagen.

„Genug der langen Vorrede", fuhr Michailow fort. „Denn, wie lockert man jede Stimmung am besten? Richtig, durch einen Tanz. Herrenwahl, bitteschön!"

Die männlichen Gäste ließen nicht zweimal bitten und Irina blickte beschämt gen Boden.

„Guten Abend. Mein Name ist Dimitrij Dmitrijew", sprach sie jemand an.

Langsam wanderten ihre Augen nach oben und nahmen zuerst die nach vorne zugespitzten, dunkelbraunen Lederschuhe wahr. Die Anzughose schlug Falten. Der hellbraune Ledergürtel hatte den über ihm liegenden Bauch fest im Griff, und die beiden obersten Knöpfe des grauen Hemdes waren geöffnet. Irinas Blick blieb an den herausquellenden, grauen Brusthaaren hängen, zwischen denen sich eine dicke Goldkette versteckte.

Dimitrijs Gesichtszüge waren unerwartet weich. Aber irgendetwas störte sie an seinen Augen.

„Irina", stellte sie sich leise vor.

*

Er wich den ganzen Abend nicht mehr von ihrer Seite.

Als der Gastgeber die Gesellschaft an die festlich gedeckten Tische bat, nahm Dimitrij ungefragt rechts von Irina Platz. Irgendwann zwischen Vorspeise und Hauptgang fing er an, vorsichtig mit seinen Fingerkuppen über Irinas Rücken zu fahren. Zuvor hatte sie beobachtet, dass an seinem linken Ringfinger etwas Goldenes funkelte.

Kurz vor dem Dessert fasste sie sich ein Herz und verabschiedete sich für einen kurzen Moment auf die Toilette.

In dem Waschraum voller Marmor und einem gigantischen Kronleuchter stützte sich Irina am Gehäuse des Händetrockners ab und atmete mehrmals laut durch.

Eine Toilettenspülung wurde betätigt und aus der dazugehörigen Tür kam ihre Sportkameradin Alina. Ihre Augen waren verquollen und sie wischte sich mit der Hand über ihren Mund.

Dann drückte sie eine der versilberten Armaturen nach oben, beugte sich nach vorne und ließ das Wasser durch ihren Mund laufen.

Oh Gott, was ist passiert?

„Ich möchte dir etwas geben", sagte sie mit ernster Miene, nachdem sie sich erneut mit dem Handrücken abgewischt hatte. „Es wird dich verwundern, warum ich es gerade dir gebe. Wir Beide hatten nicht sonderlich viel miteinander zu tun. Jedoch glaube ich an dich, Irinka."

Tränen flossen unaufhaltsam über ihre markanten Wangenknochen.

„Ich kann nicht mehr. Ich will auch nicht mehr. Weißt du, was das breitbeinige Arschloch, das neben mir sitzt, am Tisch zu den anderen Arschlöchern gesagt hat? ‚Wir haben eine Generation von Huren gezüchtet, die bereit sind, ihre Beine zu öffnen, sobald sie einen reichen Mann sehen oder eine Fremdsprache hören.‘ Ich hätte ihn am liebsten angespuckt! Irinka, nimm diesen Brief. Aber öffne ihn bitte erst morgen früh. Das musst du mir versprechen, hörst du?"

Zitternd nahm Irina den weißen Umschlag entgegen, auf welchen ein paar von Alinas Tränen getropft waren.

Das wird doch kein Abschiedsbrief sein? Sie hat doch nicht etwa vor, sich...

„Mach‘ keinen Scheiß, Alina. Wir sind noch jung. Wir schaffen das. Irgendwie. Aber aufgeben ist keine Option, auch nicht für uns."

„Ich gebe nicht auf, Irinka. Ich habe nur ein ungutes Gefühl. Das Gefühl, dass mir heute Abend irgendetwas passiert. Und wenn dem tatsächlich so sein sollte, dann möchte ich, dass die Nachwelt von unserem Schicksal erfährt."

Sie zog Irina hinter sich her, und diese stopfte hastig den Briefumschlag in ihre Clutch.

*

Was genau sich nach der Crème Brûlée zugetragen hatte, daran konnte sich Irina am nächsten Morgen nur noch schemenhaft erinnern.

Sie musste irgendwie auf das Hotelzimmer gekommen sein, in welchem sie plötzlich neben dem noch schlafenden Dimitrij aufwachte. Ihr Kleid sowie die Unterwäsche lagen über den Boden verstreut.

Vorsichtig rollte sie sich aus dem Bett und drehte sich zu dem schnarchenden Körper um.

Ein kleiner, hellroter Fleck zierte das Laken.

Scheiße! Was ist, wenn ich schwanger bin?

Gerade wollte sie auf die Toilette rennen, da hörte sie auf dem Gang eine schrille Stimme schreien.

„Hilfe, zu Hilfe. Warum hilft mir denn keiner?"

Irina zog hastig eine der beiden Daunendecken an sich heran, schlang diese um ihren Körper und öffnete die Zimmertür:

Sergej stand in Unterhose auf dem Flur und blickte voller Panik in Richtung eines Hotelzimmers.

„Alina, Alina… sie ist… tot", keuchte er mit weit aufgerissenen Augen.

Geistesgegenwärtig ging Irina auf Sergej zu, nach rechts durch die offenstehende Tür und erstarrte.

Alina lag blutüberströmt auf dem Rücken.

Ihre Gliedmaßen waren mit zerrissenen Laken an den Eisenstäben festgeschnürt. Der ganze Körper war mit zahlreichen Einstichen übersäht. Und an der Wand über dem Bett stand in blutroter Schrift:

HURE!!!

*

Der brutale Mord an Alina wurde nie aufgeklärt.

Er wurde vertuscht. Vom russischen Geheimdienst.

So viel war Irina klar.

Sie wusste auch, dass sie es nicht mehr länger in Sotschi aushalten würde. Sie musste so schnell wie möglich weg.

Und es gab nur eine Person, die ihr dabei helfen konnte, auch wenn sie dadurch ihre eigene Seele verkaufen musste:

Dimitrij Dmitrijew.

Erst drei Wochen später fühlte sich Irina imstande, Alinas Brief zu öffnen. Sie weinte bereits, bevor sie ihn las.

Mein Herz fühlt sich an wie das einer neunzigjährigen Frau.
Es ist gebrochen. Durch den Schmerz und die Medikamente.

Wir verletzen uns manchmal mit Absicht, um wenigstens einen Tag Pause zu
haben. Pause von den ganzen Qualen.
Regelmäßig stellen wir uns im Winter nackt und mit nassen Haaren an das
offene Fenster. Um uns zu erkälten.
Wir werden benutzt, missbraucht. Von allen Trainern und Ärzten.
Im Auftrag des sowjetischen Staates.

Diese Monster haben ihre Störungen an uns abgearbeitet.

Am schlimmsten ist für mich jedoch das Gefühl, als Kind allein gelassen
worden zu sein.

Ich weiß nicht, wann ich das letzte Mal glücklich war.

Und ich weiß nicht, ob ich je geliebt wurde.

* * *

KAPITEL 35

Januar 2017

Denn solches ist gut und angenehm vor Gott, unserm Heiland,
welcher will, dass allen Menschen geholfen werde
und sie zur Erkenntnis der Wahrheit kommen.

(1. Timotheus 2,3-4, LU)

„Ich möchte Anzeige erstatten."

Der Polizist nahm seine Schirmmütze ab, legte sie auf die
hellgraue Tischplatte und griff nach einem Kugelschreiber. Sein
ernster Blick war auf einen ausgedruckten Fragebogen gerichtet.

„Name?"

„Klaus Lechner."

„Ihren Namen, meinte ich."

„Ana. Ana Lazar."

„Gegen?"

„Wie meinen Sie?"

„Na, gegen wen Sie Anzeige erstatten wollen."

„Lechner. Klaus Lechner."

„Warum?"

„Weil er versucht hat, mich zu vergewaltigen."

„Wann?"

Ana schob den rechten Ärmel ihres Lammfellmantels nach oben und blickte auf die Armbanduhr.

„Vor circa einer Stunde."

Der Polizist hob seinen Kopf und schaute auf die an der Zimmerwand hängende Uhr.

„16:00 Uhr?"

„Ja, also… nein… also, ich weiß nicht mehr genau."

Sie blickte noch einmal auf ihre Uhr.

„Es kann auch 16:15 Uhr gewesen sein."

„Was denn nun? Ich brauche konkrete Angaben."

Anas Stimme wurde laut und überschlug sich vor Aufregung.

„Verdammt noch mal, ich wurde fast vergewaltigt! Was spielt das denn für eine Rolle, ob es um 16:00 Uhr oder 16:15 Uhr war?"

„Junge Frau, so nicht. Nicht in diesem Raum. Jetzt beruhigen Sie sich erstmal. Sonst fällt es mir wirklich schwer, Ihnen zu helfen. Versuchen wir es nochmal: Wir haben jetzt exakt 17 Uhr und 22 Minuten. Der Vorfall ereignete sich wann genau?"

„Um exakt sechseinhalb Minuten nach 16:00 Uhr", antwortete Ana spitz.

„Letzte Warnung. Entweder Sie benehmen sich oder unser Gespräch ist beendet. Haben wir uns verstanden?"

„Ja, haben wir."

Zitternd griff Ana in ihre Jackentasche und holte ein zerknülltes, durchnässtes Papiertaschentuch hervor.

Trauer, Hilflosigkeit und Wut vermischten sich mit dem Gefühl der Verzweiflung. Sie wischte sich über ihre Nase und versank schutzsuchend in ihren langen Mantel.

„Dieser Klaus Lechner ist wer?"

„Er ist mein Vorgesetzter."

„Wo arbeiten Sie?"

„Bei einem Medizintechnikunternehmen. ‚Med & Value' heißen die. Sitzen in der Nähe vom…"

„… vom Marienplatz, ich weiß. Und Sie so?"

„Was genau meinen Sie?"

„Äh, na, als was Sie dort arbeiten?"

„Ach so, bitte entschuldigen Sie. Ich bin einfach nur komplett durch den Wind. Ich bin die Assistentin des Vorstands. Die Assistentin von… von Klaus Lechner."

„Verstehe."

Nichts verstehst du, sonst würdest du mich nicht auch noch wie ein Stück Scheiße behandeln. Oh Gott, Zoe… hoffentlich geht es ihr gut. Sie darf das nie erfahren.

„Und was genau hat Herr Lechner angeblich getan?"

„Angeblich?"

„Ja, angeblich. Verstehen Sie mich bitte nicht falsch, aber ich nehme gerade nur Ihre eigene Aussage auf. Ob dem tatsächlich so war, kann und werde ich nicht beurteilen. Dafür sind dann andere zuständig."

„Nun gut, dann hat Klaus Lechner angeblich folgendes getan", fuhr Ana mit spitzem Ton fort, stand ruckartig auf und ließ ihren Mantel auf den Boden fallen:

Zum Vorschein kam der an der Schulternaht eingerissene, linke Ärmel ihrer weißen Bluse. Sie schaute dem Polizisten direkt in die Augen und fühlte sich dabei erbärmlich.

Mach, dass das hier nicht wahr ist... dass ich nur träume...

Ohne wesentliche Regung in seinen Gesichtszügen kritzelte er etwas auf das Blatt Papier.

Ana hob ihren Mantel wieder vom Boden auf. Sie brauchte aufgrund ihrer Verfassung einige Versuche, bis sie in den Ärmel geschlüpft war und sich wieder setzte.

„Wie kam es dazu?" fragte der Polizist unbeeindruckt.

„Ich war im Kopierraum. Hab' nach einer Flipchartrolle gesucht. Lechner und ich hatten noch eine Besprechung, für die ich dieses Papier brauchte. Er kam plötzlich in den Raum rein, hat mich an die Wand gedrückt und seinen Mund auf mein Ohr gepresst."

„Hat er dabei etwas gesagt?"

„Ja. Er hat gesagt ,Das ist es doch, was du willst, nicht wahr, Ana?'."

„Wie kam er dazu, Sie so etwas zu fragen?"

„Äh, weiß ich nicht. Weil er pervers ist, vielleicht?"

„Vielleicht. Vielleicht auch nicht", kommentierte der Polizist trocken. „Und dann? Was ist dann passiert?"

„Er griff mir an die Brüste und steckte seine Hand in meine Hose. Also, vorne rein. Seine Finger fummelten an meiner… sorry, aber muss ich denn weiter ins Detail gehen?"

„Naja, von einer Vergewaltigung sind wir noch ein bisschen entfernt. Noch ein paar Details, dann haben Sie es geschafft. Also, er fasste Ihnen in den Schritt, hat er dann auch versucht, Ihnen die Jeans herunterzureißen?"

„Klar hat er das. Hat aber nicht geklappt. Der Knopf ging nicht auf. Das war meine Rettung, denke ich."

„Frau Lazar, wir kommen langsam zum Ende. Eine wichtige, vielleicht sogar die entscheidende Frage: Gibt es Zeugen?"

„Nein."

„Nein? Verstehe ich das richtig, dass es niemanden gibt, der bezeugen kann, dass gegen 16:15 Uhr der CEO von ´Med & Value` versucht hat, Sie zu vergewaltigen?"

„Das ist korrekt. Leider."

„Hm. Sie sind sich also nach wie vor sicher, Frau Lazar, dass Sie Herrn Klaus Lechner anzeigen möchten?"

„Glauben Sie etwa, ich habe mir den Vorfall nur eingebildet? Den Ärmel habe ich mir natürlich mutwillig selbst abgerissen, oder? Seine DNA befindet sich hundertprozentig auf meiner Bluse. Denken Sie nicht, dass man da was finden wird?"

„Ich habe nicht die Aufgabe, zu denken. Ich vollziehe, lediglich. Daher auch das Wort ‚Vollzugsbeamter'. Im Ernst, Frau Lazar: Es muss Ihnen klar sein, dass Sie nicht nur einen Rechtsbeistand brauchen, sondern dass ein langer, beschwerlicher Weg vor Ihnen liegt. Aussage gegen Aussage. Ich rate Ihnen somit dringend, sich das Ganze noch einmal in Ruhe zu überlegen. Sprechen Sie heute Abend mit ihrem Freund darüber."

„Ich habe keinen Freund", unterbrach ihn Ana schnippisch.

„Er hat sich vor sieben Jahren das Leben genommen."

Der Polizist musterte sie mitleidsvoll, bevor er wieder zum Reden ansetzte.

„Puh, harter Tobak. Das tut mir aufrichtig leid für Sie. Ist wahrscheinlich nicht spurlos an Ihrer Psyche vorbeigegangen. Hören Sie, wenn ich zum Abschluss noch etwas sagen darf, Frau Lazar: Seien Sie bitte auch ehrlich zu sich selbst. Vielleicht finden Sie Ihren Chef besser, als Sie sich eingestehen möchten. Schließlich scheint er sich Hoffnungen gemacht zu haben. Sie müssen wohl das eine oder andere falsche Signal ausgesandt haben. Irgendwie verständlich aufgrund Ihrer persönlichen…"

„Du riesengroßes Arschloch!", schrie ihn Ana hasserfüllt an, schnappte sich ihre Handtasche und rannte heulend aus der Polizeistation.

*

„Beleidigung eines Vollzugsbeamten im Dienst. Der Polizist sieht dennoch von einer Anzeige gegen Sie ab, Frau Lazar. ‚Mildernde Umstände', meinte er heute Morgen zu mir."

Der Strafverteidiger der Gegenseite sah Ana mit düsterer Miene an, neben ihm hatte Klaus Lechner Platz genommen.

Sein Anzug war der gleiche, wie er ihn vor vier Tagen getragen hatte. Nur das Hemd war ein anderes: Es war in einem zarten Rosaton gehalten und biss sich mit seinen roten Haaren.

Warum wirkt er nur so entspannt? Er wird doch nicht etwa...

„Frau Kollegin, Sie dürfen gerne beginnen. Schließlich befinden wir uns in Ihren Räumlichkeiten", fuhr der gegnerische Anwalt fort.

Ana spürte, dass Nicolina Amol angespannt war.

„In der Sache ‚Lazar gegen Lechner' möchte meine Mandantin, Ana Lazar, Anzeige gegen Ihren hier anwesenden Mandanten, Herrn Klaus Lechner, erstatten."

„Möchte heißt so viel wie ,sie ist sich nicht sicher', richtig, Frau Kollegin?"

„Nein, das ist nicht richtig. Es gibt eindeutige Beweise, dass…"

„Dass was? Dass wir im vorliegenden Fall von einer Falschbezichtigung wegen sexuellem Missbrauch und versuchter Vergewaltigung reden?"

Nicolina Amol rückte ihre Nickelbrille zurecht und räusperte sich.

„Herr Kollege, bitte bleiben Sie sachlich."

„Immer doch. Apropos sachlich: Fakt eins ist, dass wir uns hier in den Räumlichkeiten Ihrer kleinen Strafrechtskanzlei befinden. Zugegeben, sie ist schnuckelig. Aber darauf kommt es nun mal nicht an. Denn Fakt zwei ist, dass Sie erst vor vier Jahren Ihr Referendariat am Oberlandesgericht Nürnberg absolviert haben. Fakt drei: Sie haben in den darauffolgenden zwei Jahren in einer unbedeutenden Kanzlei in Regensburg gearbeitet. Allgemeines Strafrecht war Ihr Schwerpunkt, wenn ich richtig informiert bin. Und als krönendes Faktum Nummer vier haben Sie mit Ach und Krach Ihren Fachanwaltslehrgang im Strafrecht absolviert. Erklären Sie uns bitte, werte Frau Kollegin: Reicht Ihr, mit Verlaub, schnuckeliger Erfahrungsschatz tatsächlich aus, um vor Gericht eine fundierte Anzeige gegenüber meinem Mandanten geltend zu machen?"

Der tiefe Schluck aus dem Wasserglas war für alle Anwesenden hörbar. Nicolina Amol wollte gerade ansetzen, da fuhr der Strafverteidiger entschlossen fort:

„Klaus Lechner ist ein von allen Seiten wertgeschätzter, gestandener Mann. Ich nehme an, Sie wissen um seine private Situation und die Krebserkrankung seiner Gattin. Sollten wir mit Ihrer vorschnellen Urteilsbildung weiter fortfahren, so würde das den Heilungsprozess von Madeleine Lechner maßgeblich beeinflussen. Und das wäre doch weder in Ihrem Sinne, noch im Sinne Ihrer Mandantin."

„Ich will einfach nur einen Auflösungsvertrag", erhob Ana laut und deutlich ihre Stimme.

„Des Weiteren ein mir zustehendes Zeugnis, und ich fordere sechs Monatsgehälter als Abfindung. Erst dann halte ich meinen Mund!"

* * *

KAPITEL 36

Oktober 1987

Zürnet, und sündiget nicht; lasset die Sonne nicht über eurem
Zorn untergehen. Gebet auch nicht Raum dem Lästerer.

(Epheser 4,26-27, LU)

Im Wohnzimmer von Familie Lechner saßen acht Erwachsene
und vier Kinder.

Die Zwillinge waren zuvor von einer Freundin abgeholt worden,
denn beide sollten nicht mitbekommen, was ihrem Bruder am
gestrigen Nachmittag widerfahren war.

„Was gibt es denn so Wichtiges, was uns dazu genötigt hat,
unseren Kurztrip an die Nordsee um einen Tag nach hinten zu
verschieben?"

Anja Kuhnerts Vater saß breitbeinig auf der Couch und stützte
seine Hände auf den ausladenden Oberschenkeln ab.

„Häppchen?", fragte Klaus' Mutter in die Runde und streckte eine
mit kleinen Sandwiches belegte Kristallschale in die Runde.

„Barbara, nicht jetzt!", fuhr sie ihr Mann barsch an und sprach
weiter: „Was es so Wichtiges gibt, die Herrschaften? Nun, Ihre

Töchter haben gestern gegen zwei Uhr nachmittags, im Park unweit des Tennis-Clubs, unseren Sohn schwer misshandelt."

„Was für 'ne gequirlte Scheiße", erwiderte Anja Kuhnert sofort.

„Hase, ich bitte dich", versuchte sie ihre Mutter zu beschwichtigen.

„Keine gequirlte Scheiße", insistierte Klaus vehement.

„Es fing doch schon alles damit an, dass ihr mich Feuerteufel genannt habt. Was habe ich euch eigentlich getan, dass ihr mich seit September auf dem Kieker habt?"

„Wir? Dich? Auf dem Kieker? Das bildest du dir nur ein."

Melanie Mattukat grinste verächtlich.

„Ach, ja? Dann habe ich es mir wohl auch nur eingebildet, dass ihr mich gestern in ein Gebüsch gezogen und mit einem Seil an den Fußknöcheln festgebunden habt?"

„Hallo? Wir sind erst elf und hätten gar nicht die Kraft, so etwas Furchtbares zu tun. Geschweige denn, die Lust dazu", versicherte Simone Zimmermann der Runde.

„Ja, wirklich? Ist das so?"

Klaus' Vehemenz und Deutlichkeit erstaunte seine Eltern.

„Aber anscheinend hattet ihr Bock, mir nicht nur eine eurer gebrauchten Unterhosen in den Mund zu stopfen, sondern mir auch beim…"

Klaus stockte, und von der einen auf die andere Sekunde fühlte er sich wie sonst auch.

Klein, unbedeutend, hässlich, unbeliebt und schwach.

„Unverschämtheit", brüllte Simone Zimmermanns Vater und schlug mit seiner Faust so fest auf den Couchtisch, dass die Schale mit den Häppchen klirrte.

Plötzlich fing Anja Kuhnert an zu weinen.

Dass ihr Geheule gestellt war, wusste Klaus nur zu gut. Und dass sie diese schauspielerische Gabe beherrschte, hatte er bereits einige Male im Unterricht mitbekommen.

„Mama, Papa, es ist mir zwar total peinlich, aber ihr müsst wissen, dass der da…"

Sie zeigte mit ihrem Zeigefinger auf den Angeklagten.

„… dass der Klaus da ständig an seinem, naja, ihr wisst schon, rumfummelt. Und zwar immer dann, wenn er ein Mädchen sieht."

„Oh Gott, nein. Wie furchtbar! Hase, hat dir der Kerl was angetan?", schnatterte ihre aufgeregte Mutter dazwischen.

„Nein, Mama, bitte beruhige dich. Ich kann es aber für die Zukunft nicht ausschließen."

Die Türklingel der Haustür schrillte.

„Bin gleich wieder da", sagte Maximilian Lechner und kam wenige Augenblicke später mit einem Mann zurück.

„Entschuldigen Sie bitte die Störung. Ich bin der Anwalt von Familie Lechner. Mein Name tut aktuell nichts zur Sache."

„Scheiße", zischte Melanie Mattukat leise.

„Kinder, bitte mal ganz genau zuhören", sprach der Anwalt sachlich.

„Ihr habt sicherlich schon einmal etwas von dem sogenannten Grundgesetz gehört? Da steht nämlich drin, welche Rechte und welche Pflichten jeder von uns gegenüber dem Staat – also unserer Bundesrepublik Deutschland – hat. Soweit noch alles klar, oder?"

Er schaute fragend in die Runde und sah, dass die drei Mädchen beschämt zu Boden blickten.

„Wunderbar. Das wichtigste Grundrecht ist in Artikel eins festgehalten. Wer von euch weiß, wie dieser lautet?"

„Die Würde des Menschen ist unantastbar", antwortete Klaus blitzartig.

„Sehr gut, Klaus. Dass bei dem gestrigen Vorfall deine Würde mit Füßen getreten wurde, ist unstrittig."

Anja Kuhnert setzte bereits zum Protest an, aber der Anwalt hob ermahnend seine Hand.

„Nun haben wir, trotz dieser Grundrechte, ein klitzekleines Problem, Naja, nennen wir es lieber eine Herausforderung: Bei uns in Deutschland ist die Grundlage dafür, dass man für seine Taten bestraft werden kann, die sogenannte Schuldfähigkeit. Das bedeutet, dass jemand nur dann eine Strafe bekommt, wenn man davon ausgehen kann, dass er oder sie die volle Verantwortung für die Tat übernehmen kann. So, und da ihr Mädchen gerade mal elf Jahre alt seid, seid ihr noch Kinder und könnt die Folgen eurer Taten nicht besonders gut einschätzen. Sage nicht ich, wohlgemerkt. Sagt aber das Gesetz."

„Weißt du, was mich massiv an deinen Ausführungen stört, Herr Anwalt?", ergriff zum ersten Mal Melanie Mattukats Vater das Wort.

Klaus musterte ihn, und ihm fiel auf, dass sein Erscheinungsbild nur auf den ersten Blick in das beschauliche Gerresheim passte:

Seine Haare waren nach hinten gekämmt. Er trug ein gebügeltes, graues Hemd, eine unscheinbare Brille und sein Gesicht war glattrasiert.

Bei näherem Hinsehen blitzten jedoch an beiden Handgelenken unterhalb der Ärmel zwei Tattoos hervor.

Er konnte auf die Schnelle nicht genau erkennen, um welche Motive es sich handelte, sie faszinierten ihn dennoch aus einem unerklärlichen Grund.

Und er hatte das Gefühl, Mattukat schon einmal an einem anderen Ort gesehen zu haben.

Bissige Worte voller Angriffslust rissen Klaus aus seinen Gedanken.

„Mich stört so dermaßen, dass du immer wieder durchsickern lässt, dass unsere Kinder den ganzen Rotz, den der Bengel behauptet, auch wirklich getan hätten. Ich glaube das sofort, wenn du sagst, dass der da sich bei jeder Gelegenheit an seinem Schwanz rumfummelt. Ich mein', schau ihn dir doch mal an, den kleinen Knilch mit seinen hässlichen, roten…"

„Stopp! Was zur Hölle soll das? ‚Würde des Menschen' und so? Scheiß drauf? Gilt nicht für Sie, oder was?"

Barbara Lechner war aufgesprungen.

Ihr Mann schaute sie mit großen Augen an und konnte nicht glauben, dass seine Frau, die er nun mittlerweile seit zwanzig Jahren kannte, ihre Stimme erhob.

„Ach, ja, und nicht, dass hier der falsche Eindruck entsteht, ich wäre nur zum Häppchenreichen da. Auch ich habe mich informiert. Jetzt sage ich Ihnen allen mal was", sprach sie weiter.

Sie zog den Stuhl vor ihren Körper, stützte sich auf dessen Lehne ab und schaute fest entschlossen in die Runde.

„Nach Paragraf 19 des Strafgesetzbuches sind Kinder unter Vierzehn nicht schuldfähig. Das heißt, dass gegen euch drei Gören kein Strafverfahren eingeleitet werden kann. Das bedeutet jedoch nicht, dass das, was ihr meinem Sohn auf widerwärtigste Art und Weise angetan hat, keine Folgen nach sich ziehen wird. Woran ich im Speziellen denke? Nun, mir kommen gerade so Dinge wie ‚das Jugendamt einschalten', ‚Eltern das Sorgerecht entziehen' und ‚im Heim unterbringen' in den Sinn."

„Halt endlich deine dumme Fresse."

Mattukat sprang auf und führte seine geballte Faust knapp vor Barbara Lechners Gesicht. Der Hemdsärmel rutschte nach oben und gab den Blick auf vier Buchstaben frei, die in roter Farbe in die Haut des Unterarms eingeritzt waren:

AFFA.

„Angels Forever, Forever Angels" – Gott Gütiger, ein Hells Angel!

Maximilian Lechner erschauderte.

„Meine Frau hat das nicht so gemeint", stammelte er und versuchte dadurch, die aufgestachelte Stimmung zu beruhigen.

„Halt auch du deine Fresse", brüllte Mattukat aggressiv.

„Kinder, wir gehen. Die spießige Familie Lechner wird sich in nächster Zeit warm anziehen müssen."

*

Die Herbstferien verliefen ruhig und ohne besondere Vorkommnisse, bis zum Sonntag.

Ein höllisch lautes Motorengeknatter riss Klaus um sieben Uhr aus dem Schlaf. Er stolperte zum Fenster und schaute hinunter auf die schmale Straße:

Es mussten mindestens dreißig Motorräder sein, zählte Klaus. Sie standen dicht aneinander gedrängt vor dem Grundstück.

Inzwischen hatten sich alle Familienmitglieder in Klaus Zimmer eingefunden und starrten geschockt auf die angsteinflößende Kolonne.

„Guten Morgen, Familie Lechner. Na? Schöne Träume gehabt? Zieht euch ab jetzt warm an, denn wir werden euch ficken. Wir ficken euch so lange, bis ihr endlich abhaut. Auch wenn wir höchstpersönlich dafür sorgen müssen", schrie Mattukat.

Sein schwarzer Stahlhelm erinnerte Klaus an die letzte Unterrichtsstunde in Geschichte, kurz vor den Ferien.

* * *

KAPITEL 37

Vor 50 Tagen

Und der zweite Engel goss aus seine Schale ins Meer; und es
wurde zu Blut wie von einem Toten,
und alle lebendigen Wesen im Meer starben.
(Offenbarung 16,3, LU)

„Im Namen des Vaters und des Sohnes und des Heiligen
Geistes…"

„Amen", raunte es im Chor durch den schwach beleuchteten
Hörsaal.

Lediglich die Umrisse eines in Schwarz gehüllten, schmalen
Körpers waren auf dem Stuhl zu sehen.

„Liebe Trauergäste, gedenken wir gemeinsam eines großartigen
Mannes. Eines Mannes, der leider vor zehn Tagen von uns
gegangen ist. Eines Cholerikers, der Unglaubliches geleistet hat
und der sicherlich noch viel vorhatte. Jedoch ist jeder Weg einmal
zu Ende. Vor allem dann, wenn der Einzelne keinen wertvollen
Beitrag mehr für diese Gemeinschaft leistet. Oder aber, wenn
selbst ich diese Person nicht mehr ertragen kann. Wenn sie mir
nichts mehr gibt. Wenn sie mir nichts mehr bedeutet. Wenn sie

mir egal ist. Und wenn sie für mich nicht mehr ist als widerlicher Abschaum."

Die krächzende Stimme betonte voller Häme das letzte Wort.

Im Saal wurde es unruhig. Füße scharrten über den Boden, Köpfe wurden zusammengesteckt, und ein ungläubiges Stimmengewirr durchflutete den Raum.

„Warum so aufgeschreckt, Ladies and Gentlemen? Seien wir doch ehrlich zueinander. Wenigstens einmal, auch wenn's euch allen naturgemäß schwerfällt. Wir sind ja hier schließlich unter uns."

Das Wesen lachte in die wieder eingetretene Stille.

„Es ist nicht das erste Mal, dass ich euch eindringlich vor Konsequenzen gewarnt habe. Ihr alle seid meine geliebten, schwarzen Seelen, ihr vollbringt tagtäglich ein kleines Wunder. Um genauer zu sein ein perfides Wunder, ganz im Sinne des Werteverständnisses meiner Schmiede. Die Wege des Herrn sind aber bekanntermaßen unergründlich. Will heißen: Wer seine Hausaufgaben nicht ordentlich macht, wer ausschließlich bei seinen bewährten Methoden bleibt und keinerlei Interesse zeigt, langfristig von der Gemeinschaft zu lernen, der muss leider diesen Ort verlassen. Oh, ich sehe ein Handzeichen. Der Herr rechts neben dem Stuhl, auf welchem letztes Mal Henry saß. Eddie Konieczny ist dein Name, nicht wahr?"

„Richtig. Der bin ich", antwortete dieser mit Stolz und stand auf. „Sie erwähnten gerade, dass man unter gegebenen Umständen Ihre Schmiede wieder verlassen muss. Bedeutet das automatisch, dass man dann stirbt?"

„Dass dich diese Frage beschäftigt, glaube ich dir sofort, du elender Kokser", grölte das Wesen aus einem tiefen Schlund, der schemenhaft unter der schwarzen Kapuze zu erahnen war.

„Der Tod ist nicht das Schlimmste, was einem Menschen widerfahren kann, Eddie. Es ist oft grausamer, bei lebendigem Leibe vor sich hinvegetieren zu müssen. Ausgeschlossen zu werden von der Gesellschaft, die einem zuvor treu ergeben war. Verachtet zu werden und seinen hochdotierten Posten zu verlieren. Aufzufliegen mit all seinen dunklen, perversen Geschäften. Und dann das erste Mal im Leben so etwas wie Reue zu verspüren. Bist du denn schon bereit, irgendetwas aus deinem beschissenen Leben zu bereuen?"

„Beschissenes Leben? Machst du Witze, du Clown?", prustete Eddie überheblich.

„So, so, ein Clown bin ich also für dich? Büßen sollst du, du exzentrisches Schwein. MAZ ab!", schrie das Wesen wutentbrannt.

Die wenigen Lichter, die den Anwesenden einen Hauch von Sicherheit gaben, gingen alle gleichzeitig aus.

Beklemmende Stille setzte ein und es war stockfinster, nicht ein einziger Umriss war zu sehen.

Inzwischen hatte sich Eddie wieder hingesetzt und wischte sich die nassen Handinnenflächen an den Hosenbeinen ab.

Das augenblickliche Verlagen nach Kokain durchflutete seinen Körper. Er stützte sich mit seiner linken Hand auf der Sitzfläche ab, und seine Finger berührten ein Bein.

Henry? Aber er ist doch…

Panik kroch ihm eiskalt den Rücken hoch und ließ seine Atmung kurzzeitig aussetzen. Er wusste, dass er nicht nach links schauen durfte.

Vielleicht halluziniere ich nur…

Wie fremdgesteuert drehte er seinen Kopf zur Seite und blickte in zwei schwach leuchtende, knochige Augenhöhlen.

Die Leinwand flackerte grell auf, das Lautsprechersymbol war durchgestrichen. In schneller Schnittfrequenz erschien Eddie in zahlreichen Situationen auf dem Bildschirm: An unterschiedlichen Orten koksend, warf er nach dem Durchziehen des weißen Pulvers seinen Kopf nach hinten und wischte sich über die Nase.

Aus dem Nichts dröhnte der von Gitarre und Schlagzeug begleitete, kreischende Gesang einer männlichen Stimme durch den Raum.

Eddie wusste sofort, dass es sich um Marilyn Manson handelte. Das dazugehörige Musikvideo hatte in ihm bereits vor 25 Jahren Angst und Ekel ausgelöst. Somit konnte er erahnen, dass die nächsten Minuten unvorstellbar grausam für ihn werden würden.

Währenddessen lief der verfilmte Flashback seiner Vergangenheit weiter. Gnadenlos offenbarte er dem Publikum, wie die Droge immer groteskere Auswirkungen auf Eddies Verhalten hatte:

Mal sah mal ihn übertrieben euphorisch. Mal erkannte man in seinen Gesichtszügen, dass ihn Halluzinationen und paranoide Wahnvorstellungen heimgesucht hatten.

Die Musik verstummte und die Aufzeichnung wurde kurzzeitig in den Standby-Modus versetzt.

Im nächsten Augenblick fand sich der Zuschauer in einem Büro mit großem Flachbildschirm wieder. Die Standkamera war auf einen Mann gerichtet, dem ein Mikrofon entgegengestreckt wurde.

Eddies Gedanken überschlugen sich, denn die Person war kein Geringer als Marcus Blohmberg, der Geschäftsführer von „FashionFactorias", mit dem er seit Jahren keinen Kontakt mehr pflegte.

Der Ton zum Film sprang an.

„Jeder weiß, dass Lügen zum Krankheitsbild der Kokainsucht gehören. Eddie Konieczny ist der größte Lügner aller Zeiten, und das musste ich schmerzhaft am eigenen Leib erfahren."

Was macht der eigentlich in meinem Büro? Wann war das?

„Eddie leidet schon seit Jahren unter einem massiven Wirklichkeitsverlust. Doch dieses Schauspiel hat jetzt Gott sei Dank ein Ende. Er hat sich aus freien Stücken entschieden, Hilfe in Anspruch zu nehmen. Zurzeit befindet er sich in einer Einrichtung irgendwo in Bayern. Selbstverständlich habe ich mich sofort bereiterklärt, einen Teil seiner Geschäfte zu übernehmen. Um zu ihrer Frage zurückzukommen: Ja, die Gefahr eines Rückfalls nach der Therapie besteht zweifelsohne. Schließlich wird Eddie in gewohnte Strukturen zurückkehren, die ihn süchtig gemacht haben. Nun, wenn dem tatsächlich so sein sollte, sehe ich persönlich nur noch eine letzte Möglichkeit."

Auf einen Schlag wurde die Leinwand schwarz, und erneut fegte der dröhnende Sound von Marilyn Manson über alle Anwesenden hinweg.

Die monoton klingende Rhythmusgitarre hämmerte aggressiv auf Eddies Kopf ein. Am liebsten hätte er sofort einen unerbittlichen Rachefeldzug gegen Blohmberg gestartet.

Ihm wurde schlagartig bewusst, dass Blohmberg schuld daran war, dass in der Nacht vor sechzehn Jahren die Polizei vor seiner Haustür stand. Er hatte bereits geschlafen. Zeit zum Umziehen war keine geblieben, man nahm ihn im Pyjama mit, wie einen Schwerverbrecher.

„Gefährdung der Allgemeinheit" lautete der Vorwurf.

Eddie wehrte sich nicht, denn er wusste schon damals, dass ein stationärer Entzug die letzte Abbiegung für ihn bedeutete.

Das Einzige, was ihn bis heute wunderte, war, dass im Zusammenhang mit der Einweisung sein Drogenhandel nicht aufgeflogen war.

Als er jedoch nach drei Monaten erfolgreich abgeschlossener Therapie wieder sein Büro betrat, waren weder Blohmberg noch die Vorräte im umgebauten Aktenshredder auffindbar.

Begleitet von einem leichten Knacksen gingen ein paar der Deckenleuchten im Hörsaal an und erleichtertes Durchatmen erfüllte den Raum.

Der Platz auf dem Podium war leer.

„Was für eine monströse Mucke, nicht wahr, Ladies and Gentlemen?", raunte das Wesen mit dunkler Stimme aus dem Off.

„Für mich ist dieser Marilyn ein Prachtexemplar von einem Biest. Einerseits verabscheue ich ihn. Ich hasse ihn sogar, denn er ist kein Mensch, er ist ein blutrünstiges Tier. Ha, und genau deshalb liebe ich ihn auch. Hört sich pervers, abstrus und irritierend zugleich an, nicht wahr?"

„Was soll deine unnötige Inszenierung mit der Musik?", beschwerte sich Eddie lautstark und sprang von seinem Sitz auf.

„Sachte, mein Lieber, sachte. Deine Frage ist schnell beantwortet. Wisst ihr, Musik gehört nicht nur zu eurem Leben, sondern auch zu meinem Dasein. Sie bereichert, erinnert und ermahnt. Sie kann auch seelisch schmerzen und euch Menschen vor Augen führen, wie ungeliebt ihr seid. Ladies and Gentlemen, it´s Showtime!"

Ein schwerer Jutesack wurde von hinten über Eddies Kopf gestülpt. Er konnte aus zwei kleinen Augenöffnungen hindurchsehen und erkannte sechs Hände in weißen Latexhandschuhen, die ihn die Treppenstufen hinunter in Richtung Podium stießen.

Als er auf einem knarzenden Stuhl landete, wurde der Sack ruckartig nach hinten gezogen und vor ihm offenbarte sich das Publikum des Hörsaals:

Enganliegende, beigefarbene Leinentücher umhüllten die Köpfe aller Anwesenden. Durch ihre Atemzüge bewegte sich der Stoff an den Mund- und Nasenöffnungen auf und ab.

Mumien stehen im Traum für das Vergangene, kam es Eddie in den Sinn.

Er ließ den Blick zu seinen Füßen schweifen und Ekel überkam ihn. Frische Erde war um den Stuhl herum aufgeschüttet. Unzählige Regenwürmer wühlten sich durch den Boden, und modriger Friedhofsgeruch stieg ihm in die Nase.

„Ich habe mir heute extra viel Mühe gegeben und eine Bühne vorbereitet, die deiner gebührt, mein Lieber."

Eddie drehte seinen Kopf in die Richtung, aus der er die Stimme vermutete und erblickte lediglich das Rednerpult.

Mit einem kräftigen Ruck wurde ihm der Mund durch zwei fremde Hände aufgerissen. Ein Wangenspreizer aus Metall schob sich in seinen Kiefer und riss diesen schmerzhaft auseinander. Das Instrument wurde so tief in den Rachen geschoben, dass Eddie zu würgen anfing.

Zahlreiche Personen sprangen auf, rissen sich die Tücher von ihren Köpfen und rannten aus dem Hörsaal.

„Da wacht wohl manch' einer gerade schweißgebadet aus einem Albtraum auf und kann sich an nichts mehr erinnern. Gut so, denn sie werden alle hier an diesen Ort zurückkehren. Weil sie Blut und Todesgeruch geleckt haben. Sag, Eddie: Was meinst du, warum ich gerade diesen Song von Manson für dich ausgewählt habe?"

Eddie konnte durch die Spreizung seines Mundes nicht antworten. Lediglich ein qualvolles Grunzen war zu vernehmen.

Das letzte Mal, dass er sich so klein und machtlos gefühlt hatte, lag mittlerweile vier Jahrzehnte zurück. Sein Vater hatte ihn aufgrund der Nichtversetzung aus dem Haus geworfen.

Das Furchtbarste jedoch erlebte er, als er einen Tag später in das elterliche Zuhause zurückkehrte, um die letzten Sachen zu holen. Der Anblick von Oma Elisabeth erschütterte unwiderruflich seinen Glauben an das Gute: Er fand sie leblos neben ihrem Klavier. An ihrer Schulter lagen eine leere Flasche Rum sowie eine aufgerissene Packung Schlaftabletten. Der einzige Mensch, der Eddie bedingungslos geliebt hatte, war von ihm gegangen.

„Ich vergaß. Du kannst gar nicht antworten", unterbrach das teuflische Wesen die Gedanken an seine Kindheit. „Macht nichts, dann übernehme ich das für dich. Weißt du Eddie, du hast in deinem Leben stets den obsessiven Drang verspürt, äußerlich perfekt zu wirken. Innerlich bist du aber immer mehr zerbrochen. Die Würmer zogen bei dir ein und haben dich und deine Seele Stück für Stück aufgefressen. Widerlich, nicht wahr? Aber keine Sorge, denn es gibt Hoffnung. Es geht ja in dem Song darum, dass die Schwachen auf der Welt sind, um die Untaten der Starken zu rechtfertigen. Und genau das ist deine einmalige Chance, Eddie. Macht und Unterdrückung, darauf kommt es im Leben an. Auch wenn dich dieses Szenario hier anwidert und schockiert: Es entspricht genau dem Gemütszustand deines Umfeldes, welches seit Jahrzehnten unter deinen Verhaltensweisen leidet. Krasser Scheiß, nicht wahr? Wo wir wieder bei der Macht wären. Und die wollen wir doch wahrhaftig nicht mehr abgeben, oder?"

Eddie war nur imstande, seinen Kopf zu schütteln. Der Kiefer schmerzte, und er bekam kaum Luft, nicht nur aufgrund des festsitzenden Wangenspreizers.

Der Monolog des Wesens irritierte ihn und die Botschaft war ihm nicht klar. Warum sollte er etwas fortführen, was ihn selbst anwiderte?

Vielleicht, um einfach nur von dem Ekel meiner Selbst abzulenken?

„Aha, in deinem Kopf arbeitet es. Du scheinst verstanden zu haben, wie ich sehe. Sag mal: Du siehst mich ja gerade nicht. Willst du denn wissen, wo ich bin?"

Eddie nickte fast unmerklich und schloss seine Augen.

Er hatte Angst. Angst vor der absoluten Offenbarung.

„Schaut genau hin. Ihr alle hier in meiner Schmiede. Öffnet eure Augen und weckt euren Verstand. Das erbärmliche Herz könnt ihr abschalten. Ihr verreckt trotzdem nicht, zumindest nicht sofort. Versprochen!"

Die Deckenfluter erloschen.

„Oh Gott, oh Gott. Gütiger Gott, was passiert jetzt mit mir?", hörte Eddie eine aufgeregte, weibliche Stimme direkt vor ihm.

Ein greller LED-Spot leuchtete links von ihm auf. Neugierig drehte er sich zu dem Licht und erstarrte bei dem, was er erblickte: Aus einem lehmigen, quadratischen Kasten schaute eine weiße Maske heraus. Nur um die Augen gab es schmale Öffnungen. Auf dem rechten Glaskörper waberte eine stark verblichene, blaue Iris. Das linke Auge war pechschwarz.

„Wie unfassbar grässlich und schockierend ich doch aussehe, nicht wahr, Ladies and Gentlemen? Wer von euch weiß, warum meine Augen so sind, wie sie sind?"

Eine Hand mit künstlichen Fingernägeln schnellte nach oben.

„Das kann nur eine sein: Doktor Doris Beck. Du darfst dich uns allen gerne zu erkennen geben, Liebste."

Doris entfernte das Leinentuch von ihrem Gesicht. Das Makeup war durch die Hitze verlaufen und ließ ihre Haut fettig und uneben wirken.

„Also, ich persönlich finde Sie ganz und gar nicht hässlich, denn…"

„Verfickte Scheiße, Doris. Spar' dir das hinterfotzige Geschleime für deine nächsten Opfer auf", schrie das Wesen erbost. „Bereite dich schon mal gut auf unsere nächste Zusammenkunft vor. Überlege dir bis dahin, ob das Durchziehen von ein bisschen Kokain deinen narzisstischen Wahnsinn nicht noch mehr auf die Spitze treiben würde. Kannst dich ja mal mit Eddie austauschen. Ihr beide seid euch da ziemlich ähnlich."

„Verstanden", antwortete Doris monoton.

„Dann muss ich euch wohl die Sache mit den Augen erklären. Ganz einfach: Eure linke Gehirnhälfte ist für die Ratio zuständig. Verbunden ist diese mit dem rechten Auge. Da ihr verdammte, schwarze Seelen seid, bleibt euch nichts anderes übrig, als immer schön brav wegzuschauen. Nie eure Schandtaten zu hinterfragen, im wahrsten Sinne des Wortes ‚blind' zu werden. So wie mein rechtes Auge. Denn ansonsten dreht ihr vollkommen durch und ändert euch noch zum Guten. Da bleiben nur noch die unnötigen Emotionen, die sich bei euch Menschen in der rechten Gehirnhälfte abspielen und mit dem linken Auge verbunden sind. Machen wir uns nichts vor: Eure geschundenen Seelen sind einfach nur verloren. Ihr tragt keinerlei Gefühle für eure Mitmenschen in euch. Und genau deswegen wird auch euer linkes Auge schwarz wie die Nacht werden. Nichts für ungut, denn zumindest könnt ihr euch, bevor ihr ins Gras beißt, sagen, dass ihr mir stets treu gedient habt."

Totenstille erfüllte den Hörsaal.

„Jetzt tut doch nicht wieder so überrascht. Der eine oder andere von euch hat sich sicherlich gefragt, wie dieses groteske Wesen unter der weißen Maske aussieht? Das wüsstet ihr wohl gerne. Tja, noch ist die Zeit nicht gekommen. Aber bald werde ich mich euch in meiner vollen Pracht zeigen. Und eins verspreche ich euch: Ihr werdet vor lauter unsäglichem Seelenschmerz schreien, eure Eingeweide rauskotzen und versuchen, wegzulaufen. Aber es gibt ab heute für keinen von euch ein Entkommen!"

* * *

KAPITEL 38

April 1979

So tötet nun eure Glieder, die auf Erden sind, Hurerei,
Unreinigkeit, schändliche Brunst, böse Lust und den Geiz,
welcher ist Abgötterei, um welcher willen kommt der Zorn Gottes
über die Kinder des Unglaubens.

(Kolosser 3,5-6, LU)

Als Henry die Küche betrat, machte ihn der Anblick stutzig.

Seine Mutter räumte nach jeder noch so spät endenden Feier bis
auf den letzten Krümel auf. Doch nun standen leere Gläser und
Sektflaschen auf dem Tisch. Pizzareste schauten zwischen den
gestapelten Tellern heraus und es roch nach kaltem
Zigarettenrauch.

Irgendwann ist auch ihr alles zu viel, vermutete er und zog eine Rolle
mit schwarzen Müllsäcken aus der Schublade.

„Na, du Volljähriger?"

Rob stand plötzlich hinter ihm.

„War die Party nach deinem Geschmack?"

„Klar doch", antwortete Henry kurz angebunden und stopfte den Stapel gebrauchter Servietten mitsamt dem übergequollenen Einwegaschenbecher in die Tüte.

„Schläft Mama noch?"

„Das nehme ich doch mal stark an. Wieso fragst du?"

Henry zögerte mit seiner Antwort.

„Ach so. Du meinst, wegen dem Chaos hier? Ist vielleicht ein Zeichen ihrerseits. Naja, wir beide sind jetzt keine Kinder mehr und können ruhig auch mal mit anpacken. Schließlich hat sie lange genug alles…"

„Hast du sie gestern Abend beobachtet?", unterbrach ihn Henry.

„Sie war mit ihren Gedanken woanders, nicht wirklich bei uns. Ganz apathisch hat sie vor sich hingestarrt. Tränen hatte sie auch in den Augen."

„Das hat sie oft, weißt du doch, Henry. Ist leider so."

„Ich weiß, aber irgendetwas war gestern anders. Das habe ich gespürt, als sie mir gratuliert hat. Mama hat mich so fest umarmt, als wolle sie mich nicht mehr loslassen."

„Die typischen Gefühle einer Frau und Mutter halt", erklärte Rob und klang dabei nur halbherzig überzeugt.

„Ist Papa schon auf dem Bau?", fragte Henry vorsichtig.

„Pünktlich wie die Maurer", bestätigte sein Bruder und lachte.

„Meinst du, ich kann mal nach der Mama schauen?"

Henry blickte seinen Bruder mit großen Augen an und wunderte sich.

Warum scheint für Rob alles so normal zu sein? Oder ist das wie immer nur sein Pokerface?

„Tu, was du nicht lassen kannst, aber sei leise, okay?"

„Ist gut", versprach Henry und machte sich auf den Weg.

Mit wackeligen Beinen lief er leise zum elterlichen Schlafzimmer. Vorsichtig horchte er an der Tür und hoffte, seine Mutter schnarchen zu hören.

Alles war ruhig.

Langsam drückte er die Klinke nach unten und schaute durch den Spalt, der den Blick auf das Bett freigab.

Es war leer.

Henry riss die Tür auf und starrte entsetzt auf die glattgezogene Bettdecke, auf der ein Briefumschlag lag.

„Rob, Rob, bitte komm mal", schrie er verzweifelt.

„Was ist das?", fragte ihn sein Bruder, als er neben ihm stand.

„Ein Brief."

„Das sehe ich auch, aber…"

Bitte, lieber Gott, tu uns das nicht an.

Henrys Augen füllten sich mit Tränen. Er ahnte, dass das, wovor er schon seit vielen Jahren Angst hatte, sich in den nächsten Minuten bewahrheiten würde.

Er würde es verstehen. Einerseits. Andererseits auch nicht.

Ihm wurde flau im Magen, und er setzte sich neben den Umschlag. Rob tat es ihm gleich.

Minuten vergingen. Keiner der Beiden bewegte sich. Nur ihre Atmung war zu hören.

„Bitte öffne du ihn, ich kann nicht."

Henrys Stimme zitterte und er sah unter Tränen, wie die Hand seines Bruders das Kuvert nahm.

„Warte noch kurz, Rob. Was auch immer da drin steht, wir halten zusammen, oder?"

„Was für eine Frage, Henry. Natürlich tun wir das! Weißt du was? Ich habe vor zwei Tagen den Mietvertrag für meine eigene Wohnung unterschrieben. Papa weiß davon nichts, das soll auch so bleiben. Sie hat zwar nur zwei kleine Zimmer, aber hey, genug Platz für uns. Ich wollte schon immer weg. Weit weg von diesem Monster. Er hat uns unserer Kindheit beraubt. Ohne mit der Wimper zu zucken. Henry, ich halte es hier keinen Tag länger aus. Und du kommst mit. Versprichst du mir das?"

Dankbar schlang Henry die Arme um Robs Hals, und er spürte durch die innige Umarmung das Herz seines Bruders gegen den eigenen Brustkorb hämmern.

Mit dem Handrücken wischte Rob sich seine Tränen aus dem Gesicht, öffnete den Umschlag und zog ein beidseitig beschriebenes Blatt Papier heraus.

„Bereit?", fragte er Henry.

„Bereit", antwortete dieser und hielt sich verkrampft an der Bettdecke fest.

Meine lieben Söhne, lieber Rob, lieber Henry,

vielleicht werdet ihr mich für immer hassen. Ihr werdet mich vielleicht auch nicht verstehen. Denn, wenn eine Mutter ihre Kinder verlässt, dann ist das unverzeihlich. Das ist mir bewusst. Es ist das Schlimmste, was man ihren reinen Seelen antun kann.

Aber manchmal gibt es keinen anderen Ausweg.

Seit Du, geliebter Rob, vier Jahre alt bist, habe ich weggesehen. Ich habe weggesehen bei den unfassbarsten Dingen, die ein Vater seinem Sohn antun kann. Und als es auch bei dir, mein kleiner Henry, losging, konnte ich nichts anderes tun, als es über euch und mich ergehen zu lassen.

Auch ich habe Nächte erlebt, die ihr Gott sei Dank nicht mitbekommen habt. Nächte, in denen mir mehr widerfahren ist als eine gebrochene Nase. Er hat nicht nur unseren Körpern Schmerzen zugefügt, er hat unsere Herzen und Seelen gebrochen. Und ich eure Seelen obendrein, denn ich war nicht die Mutter und Beschützerin, die ihr so dringend gebraucht hättet. Diese Schuld nehme ich mit ins Grab!

Ihr müsst wissen, dass es eine einzige Situation gab, in der ich mit euch hätte fliehen können. Damals, in Terrasini. Ich werde dieses Datum nie vergessen:

Es war der 18. Mai 1965. Euer Vater war nicht zu Hause. Ihr habt gerade Fernsehen geschaut und nicht mitbekommen, dass es an der Tür klopfte: Maria, unsere Nachbarin, ihr erinnert euch sicherlich an sie, stand mit ihrem Wagen vor unserer Haustür. Sie war vor ihrem gewalttätigen Mann geflüchtet und auf dem Weg nach Österreich. Sie wollte uns Drei mitnehmen. Sofort.

Und ich? Ich tat… nichts, ließ sie weiterfahren. Allein durch die Nacht. Ihr zerfetzter Körper lag am nächsten Morgen unter einer Brücke. Selbstmord hieß es damals.

Mich hat der Gedanke bis zum heutigen Tag nicht losgelassen, was wohl passiert wäre, wenn ich euch gepackt hätte und wir mit ihr mitgefahren wären. Vielleicht hätten wir in Österreich ein neues Leben angefangen. Vielleicht wären wir aber auch gestorben. Wie oft dachte ich mir, dass der Tod eine Erlösung wäre. Aber ihr wart noch so klein und ich wollte euch nicht alleine lassen.

Alleine bei einem Mann, den ich zutiefst verachte und verfluche!

Liebste Kinder, es ist Zeit, nach vorne zu blicken, und eine Sache ist mir noch ganz besonders wichtig:

Euer Vater hat immer davon geredet, dass nur der Schmerz die Familie zusammenhalte. Dem ist selbstverständlich nicht so. Denn eine intakte Familie lebt von der Liebe. Von Ehrlichkeit, Aufrichtigkeit und Werten, die jedes Mitglied Mensch sein lassen. Die jedem Einzelnen das Gefühl geben, bedingungslos geliebt zu werden.

Lieber Rob, lieber Henry:

Ich wäre geblieben, wenn euer Vater nicht mehr wäre. Was habe ich die ganzen Jahre über gebetet, dass ihm etwas passiert. Denn dann hätten wir die Chance für einen Neuanfang gehabt.

Geliebter Rob, ich weiß, dass Du eine Wohnung gefunden hast. Eine Mutter ist nicht blind. Bitte nimm Henry mit. Ihr müsst gemeinsam weg. Weg von dieser Mafia, die alles andere als eine Familie für euch ist. Würde ich bleiben, sie würden mich töten und das wäre schlimmer als jetzt aus freien Stücken zu gehen.

Bitte sucht nicht nach mir.
Ich werde an einem Ort sein, an dem es mir gut gehen wird.
Von welchem aus ich euch beobachten und beschützen werde.

Ihr seid das Beste, was mir in meinem Leben passieren konnte!
In ewiger Liebe,
Eure Mama

*

Martin van der Walt fand man einen Tag später mit ausgestochenen Augen am Straßenrand von Terrasini.

* * *

KAPITEL 39

Mai 1998

Und stellet euch nicht dieser Welt gleich, sondern verändert euch
durch die Erneuerung eures Sinnes, auf dass ihr prüfen möget,
welches da sei der gute, wohlgefällige
und vollkommene Gotteswille.
(Römer 12,2, LU)

„Was darf ich euch zu trinken bringen?"

„Einen doppelten Wodka auf Eis. Und einen großen Rotwein
bitte", antwortete Volker bestimmt.

„Für mich bitte einen Weißwein. Auch groß", fügte Victor hinzu.

„Okay, Jungs. Na, dann kann der Abend ja beginnen",
kommentierte die Bedienung schmunzelnd und ging zurück in
Richtung der schwach illuminierten Bar.

„Wie geht es dir? Und vor allem, wie geht es deiner Tochter?",
fragte Victor.

„Besser. Gott sei Dank. Sie macht Fortschritte, meinen zumindest
die Ärzte. Ich habe das Gefühl, dass sie in der Klinik in guten
Händen ist. Meine Frau und ich besuchen sie jedes Wochenende.

Bitte entschuldige, aber ich hatte in den letzten Monaten einfach keine Kraft, in deiner Gruppe vorbeizuschauen. Ich hoffe, du verstehst das?"

Victor griff augenblicklich nach Volkers Hand und zog diese an sich heran.

„Äh, machst du Witze? Ich hätte es dir auch nicht übelgenommen, wenn du dich komplett zurückgezogen hättest."

Er stellte fest, dass Volkers Wangen eingefallen waren. Hinter den getönten Brillengläsern waren seine Augen leicht geöffnet. Das Rechte schaute starr geradeaus, aus dem Linken schimmerte der schwarze Glaskörper durch.

„So, die Herren: Der doppelte Wodka, der große Rote, der große Weiße und ein paar Pipi-Nüsse zum Knabbern für euch", kicherte die Frau und bemerkte, dass ihr Scherz bei den beiden Gästen keinerlei Reaktion hervorrief.

„Zum Wohl", fügte sie noch leise hinzu und entfernte sich schnellen Schrittes.

„Stoßen wir auf die Liebe und das Leben an, Victor."

„Ähm, wenn das okay für dich ist? Ich meine, wo sich doch deine Tochter beinahe das…"

„Klar ist es das, sonst hätte ich es nicht gesagt. Ein Mann, ein Wort und vor allem eins: Niemals aufgeben! Ich hoffe, das ist auch dein Motto?"

„Auf jeden Fall. Aufgeben? Never ever!", bestätigte Victor, und ihre beiden Gläser klirrten aneinander.

„Darf ich dich eine Sache fragen, Volker?"

„Gerne auch mehrere. Schieß' los. Dafür haben wir uns doch getroffen. Und ich werde so lange Rotwein bestellen, bis alle deine Fragen beantwortet sind."

Er lachte laut und herzlich. Seine Gesichtszüge waren entspannt, und der Anblick gab Victor ein beruhigendes Gefühl.

„Weißt du, mich haben mehrere deiner Aussagen bei unserem ersten Aufeinandertreffen berührt. Aber eine hat mich nicht losgelassen. Du hast erwähnt, dass dein Schicksal die Rache des Teufels sei. Dass er über dich gerichtet hätte. Wieso denkst du das, Volker, und vor allem, was hast du in seinen Augen so Schlimmes verbrochen?

„Eine lange Geschichte, mein Lieber. Der Abend ist Gott sei Dank noch jung. Fangen wir mit meinen Schandtaten an. Ach, und unterbrich mich bitte immer dann, wenn ich zu verworren reden sollte. Monologe sind meine Leidenschaft, wie du bereits gemerkt haben solltest", kicherte Volker und leerte das noch halb volle Schnapsglas in einem Zug.

„Nun, ich hatte bereits in der Gruppe erwähnt, dass ich im beruflichen Kontext ein richtiges Arschloch war."

„Sagst das du über dich oder war dies die Meinung deines Umfelds?"

„Naja, irgendwie ist das das Gleiche, oder nicht?"

„Schon, aber hast du bewusst gemerkt, wenn du dich scheiße gegenüber deinen Mitmenschen verhalten hast?"

„Ich war zwar ein Eisklotz… nein, wenn ich ganz ehrlich bin, war ich ein emotionales Wrack. Jedoch in keinster Art und Weise dumm oder auf den Kopf gefallen. Deshalb habe ich es selbstverständlich gemerkt. Aber weißt du was? Mir ist es so richtig am Arsch vorbeigegangen. Denn es ging immer nur um mich, mich, mich. Um meine Karriere, meine Erfolge, meine Zufriedenheit und meine Zukunft. Die Leute in meinem Umfeld habe ich nie als Menschen gesehen. Nicht als Menschen, die es wert sind, dass man sie mit Respekt behandelt. Sie waren so etwas wie meine Marionetten, meine Untergebenen, meine Vasallen, Gehilfen, Leibeigene. Mich musste man aber selbstverständlich mit Hochachtung behandeln. Rückblickend betrachtet einfach nur beschämend und zum Kotzen. Um zu deiner Frage zurückzukommen, ob ich es selbst gemerkt hätte: Ja, ja und nochmals ja, und weißt du, woran ich das festgestellt habe?"

„Woran?"

„An ihren Gesichtsausdrücken. Den weit aufgerissenen, feuchten Augen, den zitternden Händen, der augenblicklich einsetzenden Ruhe, wenn ich in das Großraumbüro kam, das Getuschel hinter meinem Rücken, die zahlreichen Kündigungen und, und, und."

„Hat dich das alles nicht gestört? Beziehungsweise, hast du keinen Zusammenhang mit deiner Person gesehen?"

„Bist du wahnsinnig? Wenn ich das getan hätte, wäre das einem doppeltem Schuldeingeständnis gleichgekommen. Nein, Victor. Meine Mitarbeiter mussten bluten, damit…"

Volker hielt inne und wischte sich hinter der Brille über sein rechtes, tränendes Auge.

„… damit ich meinen eigenen Seelenschmerz nicht spüren musste."

„Deinen Seelenschmerz?"

„Schau, ich habe in meiner Kindheit keinerlei Liebe erfahren dürfen. Meinen Eltern war ich gleichgültig, irgendwie. Denn alles dreht sich nur um die kleine Schwester. Sie machte immer alles richtig. Sie durfte machen, was sie wollte. Man war stets stolz auf sie und ich fühlte mich wie das fünfte Rad am Wagen. Einerseits hat mich das abgehärtet. Es hat mich jedoch auch kalt werden lassen. Das Ergebnis puren Überlebenswillens. Mit dem Ende vom Lied, dass ich diesen Schmerz irgendwann nicht mehr in meinem Herzen spüren wollte. Und wer ist besser geeignet, um an ihm seine eigene Vergangenheit abzuarbeiten? Richtig: Diejenigen, die von einem abhängig sind."

Der große Schluck Rotwein rann Volkers Kehle hinunter und beruhigte ihn. Er gab der Bedienung ein Zeichen, ihm ein weiteres Glas zu bringen.

„Der Alkohol, mein Freund und Helfer, sei's drum."

„Du erwähntest im Januar auch deine Assistentin."

Victor erinnerte sich noch dunkel daran, dass Volker einen Namen hatte fallen lassen.

„Carola. So hieß sie. Heißt sie hoffentlich immer noch. Was für eine perverse Vorstellung, dass selbst das mir damals egal gewesen wäre."

„Was?"

„Wenn sie sich umgebracht hätte."

„Bitte was?" Victor reagierte sichtlich schockiert mit weit aufgerissenen Augen.

„Ist das wirklich wahr?"

„Ja. Leider. Mein Tunnelblick hatte alles um mich herum ausgeblendet."

„Aber sie ist doch in eine Klinik gekommen?"

„Korrekt. Und das war der Moment, der mich so richtig wachgerüttelt hat. In dem es mir wie Schuppen von den Augen fiel, dass ich etwas in meinem beschissenen Leben ändern muss. So, und dann hatte ich einen Traum."

Victors Magen zog sich zusammen.

Das wird doch nicht der gleiche wie bei mir gewesen sein?

„Ich befand mich in einem Regieraum voller Bildschirme. Einer neben und über dem anderen. Tausende von Knöpfen auf der tischähnlichen Fläche mit einer Länge von, sag, Victor: Wie viele Meter misst ungefähr der Tresen hier?"

„Hm, ich schätze so zirka sechs."

„Ja, das dürften die Maße gewesen sein. Alles voller Techniknickschnack. Ich habe so etwas zuvor noch nie gesehen. Im Wachzustand, meine ich."

„Saß Jemand an diesem Tisch?"

„Ja."

„Wer?"

„Er. Du weißt, wen ich meine, Victor."

„Ja!", und er gab mit seiner Hand der Bedienung das Zeichen für Nachschub.

„Ich beobachtete ihn minutenlang bei seinen widerlichen Manipulationen. Wie er die Anwesenden vorführte, anstachelte, sie gegeneinander ausspielte und sich über alle lustig machte. Überall zwischenmenschliche Abgründe. Überall diese Fratzen. Bei einigen Szenen hatte ich sogar das Gefühl, selbige bereits zuvor in einem anderen Traum live miterlebt und auf diese Art von den Verhaltensweisen der Anderen gelernt zu haben. Es war alles so grotesk. Ich wusste zwar in diesem Moment, dass ich träumte. Aber mir wurde auch klar, dass ich lange genug sein Diener gewesen war. Dass ich schnell aussteigen musste. Aussteigen aus diesem miesen Spiel, seinem Spiel. Dann, Victor, dann passierte etwas Furchtbares."

„So, der Weißwein. Für den Herrn noch einen Roten?"

„Nicht jetzt, verflucht noch mal", schrie Volker barsch, und die Frau wich erschrocken zurück.

Verdammt nochmal, was tust du da gerade?, fragte er sich selbst.

„Oh Gott, bitte entschuldigen Sie. Das tut mir so aufrichtig leid. Können Sie mir noch einmal verzeihen?"

„Schon okay. Wir sind doch nur Menschen. Vielleicht ein Wasser, mal so zwischendurch?", schlug die Kellnerin leise vor.

„Gerne", bestätigte Volker kleinlaut.

Unangenehmes Schweigen breitete sich aus.

Nachdem die Bedienung das alkoholfreie Getränk gebracht hatte, versuchte Victor die Situation aufzulockern.

„Mach dir keinen Kopf, Volker. Passiert. Wir können alle nicht aus unserer Haut. Möchtest du, dass wir unser Gespräch ein anderes Mal fortsetzen?"

„Auf gar keinen Fall!", verneinte dieser und schüttelte entschieden seinen Kopf.
„Ich muss dir unbedingt den Traum zu Ende erzählen."

„Geht in Ordnung. Eine Frage hätte ich danach noch", fügte Victor hinzu.

„Selbstredend. Wo war ich stehen geblieben? Richtig. Was dann Furchtbares geschah. Also, dieses Wesen drehte sich plötzlich zu mir um, und eine weiße Maske mit schmalen Augenschlitzen schaute in meine Richtung. Was ich dann sah, ließ mein Blut in den Adern gefrieren."

In der kurzen Redepause atmete Volker einmal tief ein und wieder aus.

„Victor, das eine Auge bestand aus einem matten Glaskörper. Die Iris war kaum noch zu sehen. Das andere Auge war pechschwarz. So wie mein linkes. Unter seiner Maske hörte ich ihn zischen, und ich vergesse seine Worte nie: ´Aussteigen willst du? Ein besserer Mensch werden? Dafür ist es zu spät. Tu, was du nicht lassen kannst. Du glaubst aber nicht, dass ich dich einfach so gehen lasse? Dass du nicht für deine Taten büßen musst? Nein. Bluten sollst du für alles, erst recht für deinen unehrenhaften Abgang aus meiner Schmiede. Ein Hochverrat! Deshalb werde dich in dem Punkt verletzen, der dein Allerheiligster ist: Deine Tochter. Und du kannst gar nichts dagegen tun.´“

Volkers Brille lag mittlerweile auf dem Tisch und Victor sah, wie seinem Gegenüber unaufhörlich Tränen aus den geschlossenen Augen strömten.

„Hab‘ kein Mitleid mit mir. Ich hatte eine Wahl, mich meinen Mitmenschen gegenüber anders zu verhalten. Das, was meiner Kleinen widerfahren ist, dafür trage allein ich die Schuld.“

„Hm, ich weiß nicht. Und der Täter? Was ist mit ihm?“, hakte Victor ungläubig nach.

„Nun, wir sprechen hier von einer weiteren, schwarzen Seele. Mit einer eigenen Vergangenheit und einem anderen Schicksal, das auch sie irgendwann ereilen wird. Aber sag, Victor, du wolltest mich vorhin noch etwas fragen, mein Freund?"

Dass ihn Volker gerade als Freund bezeichnet hatte, kam für Victor unerwartet und sein Herz füllte sich mit einem Gefühl, welches er lange nicht mehr wahrgenommen hatte:

Liebe.

„Ich kenne den Ort, von dem du erzählt hast. Was mir jedoch noch mehr Angst bereitet, ist ein schlimmer Albtraum. Ich hatte ihn vor kurzem… meine Eltern… sie kamen bei einem Unfall… weil irgendetwas plötzlich vor ihrem Auto auftauchte. Meinst du, das war er?"

„Ja. Und wenn er dich wirklich in der Schmiede gesehen haben sollte, dann weiß er, dass du sein Geheimnis kennst. Das, was du geträumt hast, muss nicht morgen passieren, vielleicht geschieht es nie. Aber es war eine eindeutige Warnung. Versprich mir eins, Victor: Kehre nie wieder bewusst an diesen Ort zurück, denn seine Rache kennt kein Erbarmen!"

* * *

KAPITEL 40

Dienstag, 25. April 2000

Der Frühling ist da, genau die richtige Zeit, um Vergangenes abzuschließen und nach vorne zu blicken.

Eines Tages wird jemand dieses Tagebuch in seinen Händen halten. Ich bin mir sicher, es ist eine Frau.

Somit widme ab heute dieses Buch DIR.

Dir, die Du gerade diese Zeilen liest. Du musst ein Zauberwesen sein, denn sonst wärst Du nicht an das Heiligste gekommen:

Mein Innerstes. Meine Seele!

Ich habe Dich bis hierhin – Seite für Seite – mitgenommen. Mitgenommen auf eine Reise durch dunkle Gedanken. Du hast von meiner Erkrankung erfahren, die ich hoffentlich überwunden habe.

Hoffentlich deswegen, da ich stets auf der Hut bin. Jederzeit. Mein Psychiater sagte einst, dass Depressionen wie der Teufel seien. Plötzlich würden sie sich wieder Zutritt in Dein Haus verschaffen.

Auf dieser Reise hast Du auch mitbekommen, wie lebenswichtig es ist, die Angehörigen zu unterstützen. In diesen zwei wertvollen Jahren, in welchen ich meine Selbsthilfegruppe begleiten durfte, habe ich so viele traurige Geschichten, aber auch viel Dankbarkeit erfahren.

Bitte trage auch Du diesen Erfahrungsschatz in die Welt da draußen, denn er kann einsame und verlorene Seelen retten.

Ich habe dich mitgenommen in eine andere Welt. Manche würden sie als „Parallelwelt" bezeichnen, die sich niemand ausschließlich mit seiner Ratio vorstellen kann. Sie klingt zu abstrus, um wahr zu sein.

Wer weiß, vielleicht ist sie auch nur meine eigene Wahrheit und reine Illusion. Vielleicht auch nicht…

Seit Jahrzehnten fragen sich unzählige Menschen in ihrem beruflichen Kontext, warum es so viele Vorgesetzte gibt, die ein degradierendes, entwürdigendes, demotivierendes und respektloses Verhalten an den Tag legen. Warum sie ihre Mitarbeiter so behandeln, wie sie selbst ganz sicher nicht behandelt werden möchten.

Warum wird ihr Verhalten von Mal zu Mal schlimmer? Warum können sie nicht aufhören? Warum sind sie ohne einen Funken von Empathie? Was ist ihnen in der Kindheit widerfahren, dass sie zum dem wurden, was sie sind?

Ich bin der festen Überzeugung, dass ich nicht nur in meinem letzten Traum eine Antwort auf alle diese quälenden Fragen erhalten habe, auch dank Volker, einer Seele von Mensch. Leider wirst Du ihn nicht mehr kennenlernen, der heimtückische Krebs hat ihn plötzlich aus dem Leben gerissen und mir als Weggefährten genommen!

Viele Antworten habe ich auch dank Frau Andresen erhalten. Heute Nachmittag war übrigens meine letzte Sitzung bei ihr. Ich wollte es so. Denn ich möchte wieder allein schwimmen. Ich fühle mich gefestigt, gesund und voller Tatendrang. Ich sehe vieles klarer. Mich, mein bisheriges Leben und wie es einmal sein soll.

Nun zu meinem letzten Traum:

Wie Du bereits auf einigen Seiten gelesen hast, war ich des Öfteren dort, in der „Schmiede der schwarzen Seelen“. Ich habe mitbekommen, wie er sie selbst so bezeichnet. Wie stolz er darauf ist, Nacht für Nacht diese Seelen in einem Hörsaal zu versammeln und sich gegenseitig zu weiteren, perversen Schandtaten aufstacheln zu lassen.

Der für das Publikum unsichtbare Regieraum ist das Herzstück des teuflischen Wesens. Hier schneidet er tatsächlich Filme zusammen. Es sind Reportagen, eine Mischung aus Interviews mit Betroffenen und den jeweiligen Taten ihrer grausamen Vorgesetzten.

Er hat noch etwas ganz Entscheidendes auf zahlreichen Bändern. Das jedoch schneidet er wissentlich raus, bevor er das fertige Ergebnis auf dieser Großbildleinwand präsentiert. Und glaube mir, als ich das gesehen habe, ist es mir wie Schuppen von den Augen gefallen:

Es handelt sich um schonungslose, intime Einblicke in die häusliche Umgebung dieser Täter. Mal sieht man sie mit ihrem Partner. Mal sind auch Kinder vor Ort. Meist jedoch sind einsam und allein.

Erbärmlich, ja fast sogar schon Mitleid erregend und oft tränenüberströmt sitzen sie an ihrem Küchentisch oder auf der Couch. Viele spülen ihren Frust mit Alkohol runter. Sie führen Selbstgespräche und die mitzubekommen, ist einfach nur erschreckend. Eine Frau habe ich gehört, sie hat zuerst gesagt:

„Ich komme aus der Scheiße nicht mehr raus. Bitte, lieber Gott, erbarme dich meiner. Ich will doch gemocht und bewundert werden. Ich sehne mich nach Lob und Anerkennung. Lass mich meine Vergangenheit bewältigen."

In der nächsten Sekunde schwenkte genau die gleiche Frau um, so als würde sie sich selbst züchtigen wollen. Sie faselte etwas in der Art wie:

„Was rede ich denn da? Ich muss sie alle weiter kontrollieren. Ober sticht Unter. Ich traue niemandem über den Weg. Ich wurde auch nie gelobt. Warum sollte ich es tun?"

Einen Mann konnte ich des Weiteren beobachten. Zuerst hat er geflennt. Hat seinen Vater verflucht und von seinem seelischen Schmerz gesprochen. Und dann der Schwenk, wie bei der Frau, und er sagte:

„Nein, ich muss meine Entscheidungen vor diesem Fußvolk nicht begründen. Ich bin gut. Ich bin der Beste. Ich lege keinerlei Fehlverhalten an den Tag. Ich werde weiterhin den Druck aufbauen, Drohungen aussprechen und Angst als Mittel der Motivation einsetzen."

Er redete sich in einen unfassbaren Rausch. Wie ein Mantra. Immer und immer wieder die gleichen Sätze.

All diese Sequenzen haben mich vollkommen geflasht. Selbst im Traum habe ich gemerkt, wie mein ganzer Körper zitterte.

Und dann hat dieses Wesen genau diese Selbstgespräche an seinem Mischpult rausgeschnitten und gelöscht. Denn auch wenn er alle Täter vor versammelter Mannschaft regelrecht fertigmacht und erniedrigt, wenn sich diese SO sehen würden, sie würden aus dem Spiel aussteigen. Sie würden sich abgrundtief schämen. Das erste Mal in ihrem Leben. Da bin ich mir so sicher. Denn es würde sie wieder zu Kindern werden lassen... so sensibel, so verletzt und eigentlich nur auf der Suche nach bedingungsloser Liebe.

Aber was wäre die Schmiede ohne ihre schwarzen Seelen? Nicht mehr existent, das Gute im Menschen hätte gewonnen!

Der Frühling ist da. Genau die richtige Zeit, um Vergangenes abzuschließen und nach der letzten Zeile auf dieser Seite das Tagebuch vorerst wegzulegen. Guten Gewissens!

Ich schreibe erst dann wieder weiter, wenn sich etwas Neues, Wundervolles in meinem Leben ereignen wird... nämlich wenn ich DIR begegnen werde.

In Liebe,
Dein Victor.

* * *

KAPITEL 41

Vor 40 Tagen

Siehe, ich komme bald. Selig ist, der da hält die Worte der
Weissagung in diesem Buch.
(Offenbarung 22,7, LU)

Das grelle Licht eines Scheinwerfers leuchtete erbarmungslos auf
ihre geschlossenen Lider. Als Doris ihre Hände schützend vor das
Gesicht halten wollte, stellte sie fest, dass diese gefesselt waren.

Erschrocken riss sie die Augen auf, und sofort brannte die
Helligkeit schmerzhaft auf ihrer Netzhaut.

Wo bin ich? Mama, bitte hilf mir. Nur dieses eine Mal.

Langsam drehte sie den Kopf nach rechts und blickte an ihrem
Körper entlang: In einen hellblauen Schlafanzug gekleidet, lag sie
auf der Matratze eines Krankenhausbettes. Von ihrem Hals führte
ein Schrittgurt direkt zwischen die Beine.

Voller Panik riss Doris an den Gurten, warf ihren Kopf auf die
andere Seite und starrte in den vollbesetzten Hörsaal.

Es war, als würde sie sich selbst in hundertfacher Ausführung
betrachten. Denn alle Anwesenden trugen den gleichen

Pagenkopf wie sie, und die Haare hingen strähnig in die starr nach vorne blickenden Gesichter.

Zarte Violinenklänge setzten ein.

Auch wenn sie sich anfangs dagegen wehrte, blieb Doris nichts anderes übrig, als ihren Gefühlen freien Lauf zu lassen.

Zitternd und schmerzerfüllt weinte sie die ganze Anspannung aus dem Körper, welche sich in den letzten Jahrzehnten aufgestaut hatte. Sie schluchzte laut und versuchte immer wieder, bei den Anwesenden einen Hauch von Mitleid wahrzunehmen. Aber außer Teilnahmslosigkeit war keine andere Regung erkennbar.

Das Intermezzo verstummte, und im gleichen Augenblick schrie Doris in die Stille:

„Warum hast du mir nie geholfen, Mama? Warum hast du mich nie geliebt? Wer hier im Saal kann mir helfen, mich zu befreien? Kommt schon, bitte. Das hat doch kein Mensch verdient!"

Ein Kichern ging durch die Reihen. Es klang belustigt und erniedrigend – Doris erkannte sich selbst darin.

„Da schau mal einer die Frau Doktor Beck an. Wie recht sie doch wieder mal hat. Nö, verdient hat das keiner. Außer dir vielleicht", grölte die unheimliche Stimme .

„Tief, ganz tief in deinem verdorbenen Inneren bist du nichts als ein Häufchen Elend. Du könntest einem glatt leidtun. Man beachte den Konjunktiv."

Das Wesen lachte lautstark und alle Anwesenden stimmten höhnisch mit ein.

„Ober sticht Unter. Ober sticht Unter. Ober sticht Unter", riefen sie und Hunderte von Fäusten bewegten sich im Rhythmus des Sprechgesangs.

„Kommt dir der Spruch bekannt vor, Verehrteste?"

„Ich weiß nicht… ja, ich glaube schon."

„Glaube kann Berge versetzen. Und Miststücke wie du versetzen durch solche Sprüche ihre Mitarbeiter in Angst und Schrecken. Schlimm, wenn niemand einen Funken Empathie für einen empfindet, nicht wahr? Jetzt weißt du, wie es den armen Schweinen unter dir geht. Ich hatte dir doch beim letzten Mal eine kleine Hausaufgabe mit auf den Weg gegeben. Erinnerst du dich?"

„Nicht wirklich."

„Nicht wirklich? Wie typisch, immer schön alles von dir weisen, du elende Narzisstin!"

Die Stimme überschlug sich beim Reden in markerschütternder Lautstärke.

„Frau Doktor, Frau Doktor. Ich habe dich gewarnt. Verhalte dich mir gegenüber normal und nicht so, wie deinen Mitarbeitern gegenüber. Haben wir uns endlich verstanden?"

„Verstanden."

„Wunderbar, meine Teuerste. Dann kann ich mich wieder beruhigen. Also? Über den Extrakick Kokain nachgedacht?"

„Ein wenig."

„Wie süß. ‚Ein wenig', sagt sie. Kokain macht aber impotent. Wusstet du das etwa nicht? Nicht schlimm für dich, denn privat geht ja schon seit Jahren nichts mehr. Kein Wunder, schau dich an! Gelernt hast du jedoch ganz gut, so zu tun, als ob. Ich spreche von deiner perfekt gespielten Geilheit gegenüber den Typen in diesem illustren Konzernumfeld. Es ist amüsant, dass du allen Ernstes dachtest, als Bettmatratze unaufhörlich die nächsthöhere Position erklimmen zu können."

Das Publikum lachte auf.

„Zeit für deinen letzten Akt. Heute extra groß und direkt vor deiner Nase. Dreh dich mal nach rechts, Doris. MAZ ab, bitte."

Zuerst ging das Licht über ihrem Kopf aus, dann wurde es im gesamten Hörsaal dunkel. Die aufleuchtende Bildfläche war nur wenige Meter von ihrem Bett entfernt und das Lautsprechersymbol am unteren Bildrand durchgestrichen.

„Gruselig, wie kurz vor einer Hinrichtung", hörte sie eine Stimme aus der vordersten Reihe flüstern.

Aus unterschiedlichen Zeitsequenzen bestehend, flackerte ein Film über den Schirm. Die Kamera zoomte bei zahlreichen Videokonferenzen nicht nur Doris ausladendes Dekolleté heran. Auch ihre theatralisch zum Einsatz kommenden Hände mit den künstlichen Fingernägeln standen im Fokus des Objektivs.

Plötzlich sprang der Ton an.

„Warum bist du nicht im Homeoffice?", sprach Doris mit spitzem Unterton zu einer Frau, deren Smartphone-Kamera wackelte.

„Weil ich gerade meine Tochter von der Schule abhole", hörte man die Frau undeutlich und abgehackt antworten.

„Lasse ich noch einmal durchgehen. Bei der nächsten Sitzung achtest du darauf, dass du nicht im Auto bist. Schließlich musst du bei unseren Besprechungen ab und an auch mal deinen Bildschirm mit mir teilen."

„Ähm, nichts für ungut, Doris, das Meeting war ursprünglich für elf Uhr und nicht spontan für halb vier angesetzt. Ich habe ein Kind, das war von Anfang an klar. Ich tue wirklich mein Bestes.

Und es wäre schön, wenn du darauf ein wenig Rücksicht nehmen könntest."

Der letzte Satz wurde ohne das Motorengeräusch im Hintergrund übertragen.

„Aha, du scheinst rechts rangefahren zu sein. Kopfhörer sehe ich nun auch in deinen Ohren. Ana, meine Liebe. Was und vor allem wie du das alles eben gesagt hast, hört sich wirklich nicht gut an. Das sage ich jetzt ganz ehrlich und unter Freunden. Ist ja schließlich die Basis für eine vertrauensvolle Zusammenarbeit, nicht wahr? Ach, by the way: Deine Probezeit dauert noch einen ganzen Monat…"

Ein leises Raunen ging durch den Saal.

„… deswegen sollten wir ganz bald alles noch einmal im Detail durchgehen und sehr gut überdenken. Ana, du bist die Abteilungsleiterin. Ich habe sehr hart dafür gekämpft, dass du dorthin kommst, wo du jetzt bist. Also enttäusche mich nicht. Sonst würde es mir wirklich äußerst schwerfallen, dir weiterhin vor allen anderen den Rücken freizuhalten. Ich schicke dir gleich die Einladung für eine neue Sitzung."

Doris verabschiedete sich überschwänglich gestikulierend, dann war sie vom Bildschirm der Videokonferenz verschwunden, dafür war Anas Gesicht auf der gesamten Leinwand zu sehen.

„Was für eine verlogene Scheiße", brüllte sie, und ihre Faust donnerte auf das Lenkrad.

Die Aufnahme lief lautlos weiter, die Szene wechselte zu einem großen Sitzungssaal. Ana stattete gerade die sich in U-Form aufgestellten Tische mit Schreibblöcken und Stiften aus, da schwenkte die Kamera zur Tür und Doris betrat den Raum.

Erneut bedrohlich gestikulierend, redete sie auf Ana ein. Ihr Mund war in die Länge gezogen und ähnelte einer Fratze. Die zusammengekniffenen Augen glichen denen eines Raubtiers kurz vor dem Erlegen seiner Beute. Und man verstand auch ohne Ton, dass sie mit irgendetwas nicht zufrieden war.

Plötzlich packte sie Ana am Oberarm und zog sie ganz nah an sich heran. Ana wehrte sich reflexartig, schüttelte Doris Hand ab. Dann zoomte die Kamera an ihre Lippen heran:

„Fass mich nicht an!", schrie sie ihre Vorgesetzte an.

Das Bild blieb im den Standby-Modus stehen, der Deckenstrahler ging an und zielte auf Doris Kopf. Sie drehte diesen von der Leinwand weg und versuchte voller Aggression und Kampfeslust, ihre Gliedmaßen aus den sie fixierenden Riemen zu befreien.

„Lassen Sie mich SOFORT gehen. Ich muss dieser hinterlistigen und undankbaren Fotze die Leviten lesen!"

„Sachte, sachte, meine Gute. Dir scheint wohl noch nicht klar zu sein, dass dein Spiel bei ConduCorp seit gestern Nachmittag zu Ende ist?"

„Wie meinen Sie, zu Ende?"

„Sag bloß, du erinnerst dich nicht mehr, was passiert ist? Dann will ich dir gerne auf die Sprünge helfen: Die Frequenzen der letzten Minuten ereigneten sich vor vier Tagen. Also am Freitag. Gestern war Montag. Richtig?"

Doris nickte. „Richtig."

„Und was hast du gestern getrieben, liebste Doris? Warte, lass mich selbst antworten: Du hast um exakt neun Uhr mit irgendeinem fetten Kerl aus der Personalabteilung dieser Ana Lazar die Kündigung ausgesprochen. Aber du hattest nicht mit der sofortigen, gnadenlosen Rache deines Vorstands gerechnet.

„Für was soll der sich denn gerächt haben?", fragte Doris verwirrt.

„Ist dein Gehirn vernebelt, Frau Doktor? Na, weil niemand Geringeres als du der Lazar vor Monaten eine Position verschafft hat, die nicht ohne vorherige Rücksprache mit Betriebsratsgremium und Vorstand einfach so gekündigt werden konnte. Müsstest du doch nach zwanzig Jahren in dem Saftladen auf dem Schirm gehabt haben. Sechs Stunden nach dem Rausschmiss von ihr folgte was? Bingo! Dein eigener. Mit sofortiger Wirkung. Drei graue Absperrklebebänder wurden vom Werkschutz an deine Bürotür geklebt und heute Morgen von deinen Mitarbeitern entdeckt. Ausgelacht haben sie dich, Fotos davon gemacht und gleich Tausendfach intern geteilt. Großes Kino, wie ich es liebe!"

„Schönes Märchen. Glaube ich Ihnen aber nicht, denn mich kann nichts und niemand unterkriegen", intervenierte Doris.

„Deine kranke Art werde ich irgendwie vermissen. Was sonst noch passiert ist? Abgeführt hat man dich, wie einen Schwerverbrecher. Compliance-Abteilung und Staatsanwaltschaft recherchieren gegen dich wegen Untreue und Urkundenfälschung. Game over, meine schwarze Seele!"

*

„Ober sticht Unter. Ober sticht unter. Ober sticht unter."

„Frau Beck, bitte beruhigen Sie sich. Sie sind seit gestern Abend hier in der Psychiatrie und nicht mehr im Büro."

Weggetreten und auf einem Bett fixiert, betrachtete Doris das linke Auge des behandelnden Arztes.

* * *

KAPITEL 42

November 2002

Es wird aber des HERRN Tag kommen wie ein Dieb in der
Nacht, an welchem die Himmel zergehen werden mit großem
Krachen; die Elemente aber werden vor Hitze schmelzen, und die
Erde und die Werke, die darauf sind, werden verbrennen.

(2. Petrus 3,10, LU)

„Doris Beck?"

„Monika Vogl vom Christophorus Hospiz."

„Ich weiß."

„Können Sie gerade reden?"

„Ja."

„Es ist leider so weit."

„Wann?"

„In ein oder zwei Tagen. Vielleicht auch heute."

„Woran machen Sie das fest?"

„Wie ich Ihnen schon beschrieben habe, erleben unsere
Bewohner in den letzten Tagen eine Art ‚Aufblühen'. Bei Ihrer
Mutter ist dies gerade auch der Fall. Sie spricht und isst wieder ein
bisschen. Zumindest war das gestern noch so. Frau Beck, ich
kenne Ihre unfassbar traurige Geschichte. Es wäre jedoch gut, die
verbleibenden Stunden gemeinsam zu nutzen. Auch für Sie."

„Verstanden. Haben Sie ein paar Minuten Zeit für mich, bevor ich
sie besuche? Persönlich, meine ich."

„Selbstverständlich. Wann können Sie kommen?"

„In einer Stunde."

„In Ordnung. Sie finden mich im Foyer."

*

Als Doris durch die Eingangstür ging, streckte ihr Frau Vogl
bereits eine Hand zur Begrüßung entgegen. Sie folgte der
Hospizhelferin in einen Raum mit gelben Vorhängen und
gedimmtem Licht. Leise Panflötenmusik untermalte die
bedrückende Atmosphäre.

„Wie geht es Ihnen, Frau Beck?"

„Ich weiß nicht so genau. Gemischt, würde ich sagen."

„Versuchen Sie bitte, ihre Gefühle genauer zu beschreiben."

„Nun, wie Sie bereits am Telefon richtig gesagt haben: Sie kennen meine Geschichte. Zum größten Teil. Sie wissen, was ich seit meiner Kindheit durchgemacht habe. Sie wissen auch, wie viel Kraft mich die Betreuung meiner Mutter in den letzten fünf Jahren gekostet hat. Ich meine, als sie wieder nach dem Klinikaufenthalt nach Hause kam, um im Anschluss von einer ambulanten Therapie in die nächste zu schlittern. Verstehen Sie mich nicht falsch, Frau Vogl, aber ich war gerade mal neunzehn. Mitten in den Vorbereitungen auf mein Abi. Nicht, dass ich jetzt alt wäre, aber das alles hat mich geprägt. Um genauer zu sein, es hat mich abgehärtet. Was blieb mir auch für eine andere Wahl?"

„Das verstehe ich sehr gut, Frau Beck. Dass Sie Ihr Studium vor kurzem mit Bravour absolviert haben und jetzt sogar noch promovieren, ringt mir allergrößten Respekt ab."

„Ich bräuchte keinen Respekt, Frau Vogl."

„Wie meinen Sie das?"

„Naja, ich würde diesen Respekt nicht brauchen, wenn ich doch nur ein klitzekleines bisschen Lie…"

Doris' Stimme geriet ins Stocken. Mit einem Blick voller Mitgefühl schob Monika Vogl die auf dem Tisch stehende Kleenex-Box in ihre Richtung.

„Ich wüsste gerne…", stotterte Doris weiter und presste ein Taschentuch auf ihren Mund.

„Fragen Sie mich alles, was Ihnen auf dem Herzen liegt."

Mitfühlend legte Monika Vogl ihre Hand auf die von Doris.

„Wie haben Sie meine Mutter in den vier Wochen erlebt?"

„Wissen Sie, Frau Beck, ich bin einfach nur für sie da. Ihre Mutter hat, wie viele Sterbende, Angst. Angst, dass sie die letzten Meter allein gehen muss. Diese Angst versuche ich ihr zu nehmen. Sie weiß, dass ich bei ihr bleibe und sie sich keine Sorgen machen muss."

„Bitte seien Sie ehrlich zu mir, Frau Vogl. Als meine Mutter zu Ihnen ins Hospiz kam, wie genau verhielt sie sich?"

„Nun, anfänglich so, wie Sie sie wahrscheinlich auch kennen: An ihrem Lungenkrebs sowie dem Leben an sich sind natürlich die anderen Schuld. Als sie bei uns eingeliefert wurde, hat sie alle tyrannisiert. Das hat selbst mich als erfahrene Helferin an meine Grenzen gebracht. Ich war kurz davor, sie nicht mehr begleiten zu wollen. Schließlich mache ich das Ganze nicht nur ehrenamtlich, sondern stets nach bestem Wissen und Gewissen. Im Sinne einer würdevollen Unterstützung, wie sie jeder Mensch verdient hat. Egal, was dieser…"

„Warum sind Sie doch bei ihr geblieben?"

„Ich bin in mich gegangen und habe mich gefragt, wer ich denn eigentlich sei, in dieser Phase zwischen Gut und Böse unterscheiden zu dürfen. Letzten Endes habe ich mich dazu entschieden, für Ihre Mutter da zu sein. Bis zum Schluss."

„Haben Sie Mitleid mit ihr?"

„Sagen wir es so: Sie hatte einfach kein echtes, kein lebenswertes Leben mehr. Wissen Sie, was ich meine?"

„Ich glaube schon, ja! Aber welches Kind hat das schon, wenn es mit einer Alkoholikerin und ohne Vater aufwächst."

„Ohne Vater?"

„Das ist der Teil meiner Geschichte, den Sie nicht kennen. Und das ist auch gut so. Sagen Sie, Frau Vogl, hat meine Mutter je nach mir gefragt?"

„Des Öfteren, ja."

„Wirklich? Was genau hat sie gesagt?"

„Nach mittlerweile dreißig Jahren Hospizarbeit habe ich festgestellt, dass bei jedem Bewohner der Moment kommt, in dem es um seine Vergangenheit geht. In diesem Zusammenhang fällt oft der Satz ‚Wenn ich mein Leben noch einmal von vorne beginnen könnte, ich würde vieles anders machen.' Auch Ihre Mutter war anfangs bemüht, ihre Fassade aufrecht zu erhalten. Aber kurz vor dem Tod kann sich niemand mehr verstellen. Der wahre Kern kommt an die Oberfläche, die Wahrheit und nichts als die Wahrheit."

„Und was genau ist bei meiner Mutter diese Wahrheit?"

„Dass sie Sie liebt, Frau Beck. Es ihnen aber nie zeigen konnte. Weil sie gefangen war in ihrer eigenen, unerfüllten und lieblosen Kindheit."

„Hat sie das wirklich gesagt?"

„Ja."

„Können Sie bitte ganz genau sagen, was meine Mutter…"

Monika Vogl hielt kurz inne und schaute Doris tief in die Augen.

„Sie sagte ‚Ich liebe meine Tochter. Ich habe sie immer geliebt.'"

Augenblicklich spürte Doris, wie ihr Verstand den Körper verließ. Neben sich stehend beobachtete sie ihren eigenen Weinkrampf sowie Monika Vogl, die blitzschnell den Hörer eines Telefons auf dem Beistelltisch in die Hand nahm.

Kurze Zeit später betraten zwei Männer mit einer fahrbaren Liege den Raum und hoben Doris vorsichtig auf diese. Einer der beiden legte einen Kühlbeutel auf Doris' Stirn und schlang eine warme Decke um ihren Körper.

Minuten vergingen. Minuten, in denen die Hospizhelferin nicht von ihrer Seite wich und ihre Hand hielt.

„Frau Beck, können Sie mich hören?"

„Ja, es geht schon wieder."

„Sie brauchen Hilfe. Und zwar ganz dringend."

Behutsam streichelte sie über Doris' Stirn.

„Ich gebe Ihnen nachher ein paar Adressen, an die Sie sich wenden können. Versprechen Sie mir, dass Sie jegliche Form von Unterstützung annehmen? Sonst wird es Ihnen über kurz oder lang…"

„Ich verspreche es", erwiderte diese wie in Trance, wohlwissend, dass es eine Lüge war.

Sie richtete sich auf und schlug die Decke zur Seite.

„Lassen Sie uns noch über die letzten Wünsche meiner Mutter sprechen. Gibt es da so etwas wie eine Patientenverfügung oder ähnliches?"

„Bezüglich der Beisetzung und den finanziellen Rahmenbedingungen?"

„Das meine ich nicht, Frau Vogl. Hat meine Mutter Ihnen gegenüber einen Wunsch geäußert, was ich…"

„Ja, das hat sie."

„Was genau?"

„In ihrem Zimmer läuft seit heute Morgen ein Lied in Endlosschleife von einem CD-Player. Sie möchte es gemeinsam mit Ihnen anhören."

„Ein Intermezzo?"

„Nein, es ist von Herbert Grönemeyer. ‚Halt mich' heißt es. Leise Musik kann während der Sterbephase beruhigend wirken. Wenn Sie möchten, werde ich anfangs dabei sein. Ich werde mich jedoch zurückziehen, wenn ich das Gefühl habe, dass Sie beide allein sein sollten. Ist das okay für Sie, Frau Beck?"

„Ja, ich denke schon. Eine Frage noch: Wann merke ich, dass meine Mutter kurz davor ist, zu gehen und was soll ich ihr dann sagen?

„Zum ersten Teil Ihrer Frage: Meist ist es so, dass die Extremitäten stark auskühlen. Achten Sie bitte immer darauf, dass Füße und Hände ihrer Mutter mit einer Decke gewärmt werden. Sie wird mit der Zeit unruhiger werden. Auch das Schlafbedürfnis wird ansteigen. Und irgendwann, wird die sogenannte

Rasselatmung einsetzen. Bitte erschrecken Sie dann nicht. Wenn man dieses Geräusch das erste Mal hört, ist es beängstigend, aber ein deutliches Zeichen für den nahenden Tod. Ihre Mutter bekommt davon nichts mehr mit. Ach, und eins sollten Sie noch wissen: Das Gehör eines Sterbenden geht zuletzt."

„Es geht zuletzt? Was bedeutet das?"

„Ihre Mutter kann alles hören, auch wenn sie nicht mehr fähig ist, zu antworten. Somit können Sie ihr noch Dinge sagen, die Sie schon immer sagen wollten. Sie können davon ausgehen, dass Ihre Worte ankommen."

„Mal schauen. Und was sagt man so zum Abschied?"

„Schlafe ein, wenn du möchtest, ich gehe nicht weg. Das könnten Sie Ihrer Mutter zum Abschied sagen."

„Verstanden".

So abgeklärt, wie sich Doris aus Sicht von Monika Vogl anhörte, so zerbrechlich fühlte sie sich in dieser Sekunde.

„Bereit, Frau Beck?"

„Bereit."

*

Als Doris in den frühen Morgenstunden den mit zahlreichen Bäumen und Sträuchern gesäumten Innenhof des Hospizes betrat, zwitscherten schon die ersten Vögel. Sie sog die kühle Novemberluft tief ein und ging langsam einen gepflasterten Weg entlang.

An einer Vogelfutterstelle erblickte sie eine Blaumeise. Das zierliche Tier stand inmitten von Sonnenblumenkernen und ließ sich durch den nahenden Menschen nicht beirren.

Dieser schmale, schwarze Augenstreif ist mir noch nie aufgefallen, dachte Doris, und zeitgleich flackerten die verstörenden Bilder der vergangenen Nacht durch ihren Kopf:

Der Anblick ihrer Mutter auf dem Sterbebett.

Die leise Musik, die sie anfänglich nur im Hintergrund wahrgenommen hatte. Zerbrechlich wirkende, knochige Hände und Füße, welche Doris immer wieder zudecken musste. Der offenstehende Mund, dessen Lippen schmal und trocken waren, und welche sie immer wieder mit einem angefeuchteten Wattestäbchen benetzte.

Monika Vogl ging bereits nach wenigen Minuten leise aus dem Zimmer, und Doris fühlte sich wie ein hilfloses Kind. Als Herbert Grönemeyer zum wiederholten Male das Lied anstimmte, blickte Gabriele Beck ihrer Tochter tief in die Augen. Ein Röcheln kam aus ihrem Mund und sie schien etwas sagen zu wollen.

Doris' Hand wanderte unter die Bettdecke und suchte nach der ihrer Mutter. Als ihrer beider Fingerspitzen sich berührten, schien die Zeit für einen Moment stillzustehen.

„Warum durfte ich nie bei dir Trost finden, Mama?"

Tränen liefen über Doris' Gesicht und tropften auf die Wolldecke. Sie bemerkte, dass die Atmung ihrer Mutter schneller ging.

Die Saxophonklänge, welche in das Ende des Liedes einstimmten, ließen in Doris alle Dämme brechen. Sie stürzte fluchtartig aus dem Zimmer, rannte in den gegenüberliegenden Toilettenraum, und ihr Körper fiel zu Boden.

Wie viel Zeit sie dort verbracht hatte, wusste sie nicht mehr. Nur, dass es irgendwann zaghaft an der Tür klopfte.

„Frau Beck? Ist Ihnen etwas zugestoßen?"

„Alles in Ordnung, Frau Vogl. Mir war nur schwindelig."

„Ich möchte Ihnen noch etwas geben. Von Ihrer Mutter."

Als Doris langsam die Tür aufmachte, reichte ihr die Sterbebegleiterin einen verschlossenen Briefumschlag.

„Was ist das?"

„Sie hat mich gebeten, Ihnen diesen zu geben. Sie sollen ihn unbedingt öffnen, bevor..."

„Bevor sie stirbt?"

„Hat sie mir so gesagt. Das war vor ungefähr drei Wochen. Ich weiß nicht was drinsteht, aber ich kann mir vorstellen, dass es etwas Wunderschönes ist. Gehen Sie wieder rein, Frau Beck, und setzten Sie sich an ihr Bett."

Als Doris erneut das Zimmer betrat, bemerkte sie, dass das Gesicht ihrer Mutter spitzer geworden war. Die Wangen waren eingesunken, ihre Augen offen und Doris wusste, dass der Moment gekommen war.

Oh, Gott, was ist das? Warum ist der linke Glaskörper schwarz?

Angespannt setzte sie sich neben das Sterbebett, berührte sanft die kalten Hände ihrer Mutter und flüsterte:

„Du hast mir geschrieben, Mama."

Mit zitternden Fingern öffnete sie den Umschlag und zog einen kleinen Zettel heraus:

Ich habe deinen Vater getötet. Es tut mir leid!

Gabriele Beck atmete ein letztes Mal tief ein.

* * *

KAPITEL 43

Mai 2009

Über alles aber zieht an die Liebe,
die da ist das Band der Vollkommenheit.
(Kolosser 3,14, LU)

Die blaue Linie erschien bereits nach wenigen Sekunden im Kontrollfenster des Sticks.

Ana blickte von der Waschtischkonsole nach oben. Minutenlang betrachtete sie sich im Spiegel, begleitet von Gedanken, die ihr Herz immer schneller schlagen ließen.

Victor, wie sage ich es ihm? Ob er sich überhaupt freut? Werden wir ein glückliches Paar bleiben? Was wird aus meiner Arbeit? Bin ich mit 26 nicht zu jung? Werde ich eine gute Mutter? Wird es ein Mädchen?

Ein unangenehmer Druckschmerz machte sich an ihren Schläfen bemerkbar. Sie ging ins Wohnzimmer, setzte sich auf die Couch und griff nach dem schnurlosen Telefon.

„Hallo, hier ist Ana Lazar. Ich glaube, ich bin schwanger."

„Oh, wie schön!", flötete die Arzthelferin in den Hörer. „Dann machen wir zwei gleich mal einen Termin aus. Ganz spontan morgen Nachmittag um 16:30 Uhr?"

*

„Kommen Sie rein, Herr Barbosa. Wir warten schon auf Sie!", begrüßte ihn Ana am Abend mit einem Schmunzeln auf den Lippen.

„Was heißt hier wir?", entgegnete Victor stutzig und trat hinter sie. Er schlang seine Arme um ihren Bauch, so wie er es immer tat. Dieses Mal zuckte sie reflexartig zusammen.

„Na, das Essen und ich", antwortete Ana.

„Im Ernst? Du wirkst gerade ein bisschen unsicher. Alles klar bei dir, mein Engel?".

„Immer doch. Wenn du magst, kannst du dich schon einmal setzen und dir einen Wein einschenken. Einen Redoma. Extra für dich."

„Wow, das erinnert mich an unser erstes Abendessen, welche ich vor genau…"

„… vier Jahren gekocht habe. Richtig. Mit nur zwei kleinen Unterschieden."

„So, so. Jetzt bin ich aber mal gespannt. Der Erste?"

„Heute kocht deine Frau", sagte Ana mit einem Lächeln auf ihren Lippen.

„Und der Zweite?", fragte Victor neugierig.

„Magst du dich nicht erst einmal setzen?", antwortete sie und schob ihn in Richtung des Stuhles.

„Äh, okay. Was ist das hier?"

Mit verdutztem Gesicht deutete er auf ein gelbes Heft, welches auf dem Tisch lag.

„Hm, weiß nicht."

Anas Grinsen wurde breiter.

„Ne, oder?"

„Doch."

„Wirklich?"

„Ja."

„Du bist schwanger?"

„Jaaa!"

„So richtig?"

„Nein, nur halb, du Scherzkeks."

„Seit wann weißt du es?", fragte Victor sie mit weit aufgerissenen Augen und offenstehendem Mund.

„Seit gestern. Und heute war ich bei der Frauenärztin. Dieses Heftchen heißt übrigens Mutterpass."

Sprachlos nahm Victor zuerst einen großen Schluck aus dem Rotweinglas. Dann stand er auf und drückte Ana fest an seinen muskulösen Oberkörper, um in der nächsten Sekunde wieder zurückzuweichen.

„Oh, Gott, sorry, mein Schatz. Ich zerquetsche dich ja. Und ihn. Äh, oder sie."

„Ich bitte dich, wir müssen nicht übertreiben", merkte Ana mit leichtem Augenrollen an. „Schließlich ist sie bestens in mir geschützt."

„Sie? Heißt das etwa…?"

„Wissen tue ich es noch nicht. Beim nächsten Termin in vier Wochen vielleicht. Jedoch habe ich da so ein Gefühl."

„Und das hat dich noch nie getäuscht."

„Ich bitte dich, das stimmt nun wirklich nicht, zumindest beruflich betrachtet. Tut jetzt aber nichts zur Sache. Also, freust du dich?"

„Sag mal, machst du Witze, oder was? Hast du je daran gezweifelt? Selbstverständlich freue ich mich. Krass, ich werde Papa!"

Liebevoll drückte ihn Ana wieder auf den Stuhl. Sie setzte sich ebenso und nahm einen großen Schluck aus dem vollen Wasserglas.

„Wann ist es so weit?"

„Ich bin aktuell in der neunten SSW. Schwangerschaftswoche heißt das. Auch wenn man es eigentlich nicht auf den Tag genau voraussagen kann, meine Ärztin meinte aber, dass es am zehnten Dezember soweit sei. Voraussichtlicher Geburtstermin, so nennt man das. Frag mich jetzt nicht, wie sie den errechnet hat. Hauptsache, es wird bis dahin alles gut laufen."

„Das wird es, mein Engel. Mach dir bitte keine Sorgen."

*

Starker Regen trommelte gegen das Dachfenster. Ana zündete die im Raum verteilten Teelichter an und kuschelte sich zu Victor auf das Sofa. Das leise Knistern der aufflammenden Dochte erzeugte mit den Regentropfen ein beruhigendes Geräusch.

„Ich unterbreche nur ungerne all' die schönen Gedanken rund um unser Baby, aber ich mache mir auch ein paar Sorgen."

Ana seufzte, zog die Beine an ihren Körper heran und umklammerte die Knie.

„Du machst dir Sorgen wegen deiner Arbeit, und wie es nach der Elternzeit weitergeht?"

„Hm, auch."

„Dann raus damit."

„Eigentlich habe ich mich die letzten vier Jahre in meinem Job wohl gefühlt."

„Und uneigentlich?"

„Du weißt ja noch, wie ich an den gekommen bin."

„Logisch, wie könnte ich dieses Spektakel vergessen, vom durchgeknallten Konieczny ganz zu schweigen."

Victor lachte, fasste sich ungläubig an die Stirn und fuhr fort:

„Die Timoschenko hatte dir gegenüber ein schlechtes Gewissen, sogar noch ein Jahr nach deinem Praktikumsende in ihrem

dubiosen Laden. Cool fand ich, dass sie sich wegen
Steuerhinterziehung selbst angezeigt hat. Aber noch cooler war,
dass sie davor ihr Netzwerk für dich mobilisiert hat. Und
schwups, warst du direkt nach Studienende in der
Personalabteilung der Fachhochschule. So what, Ana? Passiert an
jeder Ecke. Na, gut, an fast jeder."

Er zwinkerte und zog sie näher an sich heran.

„Zumindest an den Ecken, an denen du dich aufhältst.
Menschenskinder, jetzt schau' mich doch nicht so empört an. Das
war ein kleiner Scherz am Rande. Komm schon, du hast es
schließlich auch verdient. Nach dem ganzen…"

„Da bin ich mir nicht so sicher. Irina hat mir damals wirklich
leidgetan. Ich glaube, dass sie eine der wenigen ist, die… wie soll
ich es sagen… die aus irgendeinem perfiden Spiel ausgestiegen ist.
Einem Spiel, mit welchem ich überhaupt nichts zu tun haben
wollte und auch nichts zu tun haben will."

Augenblicklich durchfuhr Victors Körper ein Schauer aus Kälte,
Angst und böser Vorahnung. Er konnte sich nicht mehr genau
daran erinnern, wann er das letzte Mal über das teuflische Wesen
und seine eigenen Träume nachgedacht hatte.

„Wie meinst du das?", hakte er vorsichtig nach.

„Du erinnerst dich sicherlich, dass wir uns bei besagtem ersten Abendessen vor vier Jahren nicht nur über die Liebe und den Rotwein unterhalten haben."

„Aber so was von erinnere ich mich."

Victor grinste sie schelmisch an und es lenkte ihn für einen kurzen Moment von seinen negativen Emotionen ab.

„Du hast mich damals gefragt, ob ich an Dinge glaube, die wir mit unserem menschlichen Auge nicht sehen können."

„Und ich weiß auch noch genau, was du geantwortet hast."

„Ach ja?"

Ana lies die Knie los, setze sich in einen Schneidersitz und blickte Victor erwartungsvoll an.

„Klar, nämlich, dass du an eine höhere Macht glaubst, und dass alles im Leben einen Sinn hat."

„Sehr gut, Herr Barbosa. Note eins. Setzen. Ach, warten Sie bitte: Die Eins bekommt noch ein Sternchen obendrauf, wenn Sie sich daran erinnern können, was ich des Weiteren gesagt habe."

„Du warst der Überzeugung, dass es IHN gibt. Ihn, der die Menschen zu ihren dunklen Taten antreibt. Mehr wolltest du jedoch nicht wissen."

„Jetzt möchte ich aber mehr erfahren, Victor.

„Von mir?"

„Von wem denn sonst?"

„Aber ich…"

Er nahm einen großen Schluck aus seinem Rotweinglas, in der Hoffnung, Ana würde nicht mehr weiterbohren.

„Doch, Victor, du musst etwas wissen! Außerdem hast du mir noch nicht alles über deine Erkrankung erzählt. Schatz, bitte rede mit mir. Wir werden in wenigen Monaten Eltern. Das Schlimmste was ich mir in diesem Zusammenhang vorstellen könnte, wäre…"

Victor sah, dass Anas Augen voller Tränen waren.

„Ich verstehe nur Bahnhof."

Er versuchte, das Gespräch in eine andere Richtung zu lenken, vergeblich.

„Das Schlimmste für mich wäre, dich zu verlieren, verdammt noch mal."

Aus dem Ärmel ihres Pullovers zog sie ein zerknülltes Taschentuch heraus und wischte sich über die Nase.

„Mich zu verlieren? Oh Gott Ana, wie kommst du denn darauf?"

„Du hast die letzten Nächte im Schlaf geredet. Hast dich hin und her gewälzt und warst zwischenzeitlich schweißnass gebadet. Sag' mir jetzt nicht, dass du das am nächsten Morgen nicht gemerkt hättest."

„Doch", antwortete Victor leise, schaute angespannt in die Flamme eines Teelichtes und fuhr fort: „Was habe ich denn so von mir gegeben?"

„Furchterregende Sachen. Am Anfang waren sie für mich zusammenhangslos. Aber ich bin mittlerweile der Überzeugung, dass sie einen Sinn ergeben. Es fing damit an, dass du über deine Depressionen genuschelt hast. Wie traurig und leer du warst. Wie viel du geweint hattest. Und, dass du Angst hast, sie würden wiederkommen. Dann fiel ein Frauenname… ich glaube es war ‚Andresen'. Du hast gesagt ‚Versetzen Sie mich wieder in Trance… ich muss zurück in die Schmiede… ich muss ihn aufhalten.'"

Ana war aufgestanden und hatte sich eine weitere Decke geholt. Es fröstelte sie. Mit ein bisschen Abstand setzte sie sich wieder zu Victor auf die Couch und sah ihn besorgt an.

„Was hat es damit auf sich? Bitte, Schatz. Jetzt oder nie!"

Dann lieber nie, ging es ihm durch den Kopf.

„Nun gut. Bei der Frau handelt es sich um Mathilda Andresen. Es ist schon lange her. Mehr als zehn Jahre, dass ich bei ihr war. Während meiner Erkrankung. Sie hat mir nicht nur geholfen, wieder auf die Beine zu kommen. Durch sie und ihre Hypnotherapie konnte ich mich immer wieder an einen gewissen Ort versetzen lassen."

„Was für ein Ort."

„Die Schmiede."

„Was für eine Schmiede, Victor?"

„Die Schmiede der schwarzen Seelen."

„Du meinst, der Ort, an dem das Böse im Menschen entsteht? Das Böse, über das wir uns vor vier Jahren unterhalten haben?"

„Ja, genau."

„Hast du das damals schon alles gewusst?"

„Ja."

„Du hast mir aber nichts gesagt, weil ich dir signalisiert habe, nicht jedes Geheimnis wissen zu müssen?"

„Richtig."

„Ich verstehe. Naja, zumindest versuche ich es, denn es fällt mir, ehrlich gesagt, schwer, das Ganze rational zu greifen."

„Nicht alles im Leben ist mir der Ratio zu erfassen."

„Sehe ich prinzipiell genauso… nur… es ist so irreal und irgendwie auch…"

„… schauderhaft, ich weiß, mein Engel. Aber vielleicht liegt genau darin die Chance. Die Chance für den Menschen, mit den ganzen bösen Machenschaften um einen herum besser umzugehen. Sich nicht vereinnahmen zu lassen. Sich nicht aussaugen zu lassen. Und somit Schritt für Schritt, von Generation zu Generation, einen Großteil der Gräueltaten auszumerzen."

„Glaubst du wirklich, dass das jemals geschehen wird?"

Ungläubig schaute sie ihn an, und eine leichte Falte bildete sich zwischen ihren Augenbrauen.

„Die Hoffnung stirbt zuletzt, Ana. Ich bin der festen Überzeugung, dass zwischenmenschliches Leid deswegen weiter existiert, weil sich die Täter über einen entscheidenden Faktor keine Gedanken machen: Sie denken nicht über die Hintergründe nach, warum sie sich anderen gegenüber so mies verhalten. Mit Tätern meine ich so Arschlöcher wie eben Konieczny. Und mit Hintergründen das, was sich in seiner und all den anderen Kindheiten ereignet hat. Ganz allgemein und für die Gesellschaft gesprochen: Würden man sich viel mehr mit seinem inneren Kind beschäftigen, die Welt wäre um einiges schöner, bunter, menschlicher!"

Verträumt schaute er ihr in die Augen und fuhr fort:

„Vielleicht schafft es einmal unser Kind, gemeinsam mit den anderen Kindern seiner Generation, die Welt zu einem besseren Ort zu machen. Und dann wird langsam aber sicher dieses Wesen mitsamt seiner Gefolgschaft aussterben."

Vorsichtig rutschte Ana wieder ein Stück näher an Victor heran, auch wenn sich in ihrem Kopf die Gedanken überschlugen.

„Ich versuche, es mir vorzustellen, Victor, es fällt mir jedoch nicht leicht. Aber angenommen, dem ist wirklich so, dann hättest du mit dieser Schmiede vielleicht das entscheidende Geheimnis der Menschheit aufgedeckt. Einerseits spannend, wenn ich andererseits nicht unmittelbar davon betroffen wäre. Weißt du, was mich wirklich beunruhigt? Immer dann, wenn ein Entdecker auf dieser Welt dunkle Geheimnisse gelüftet hat, wurde ihm das früher oder später zum Verhängnis."

„Und was, denkst du, könnte mir zum Verhängnis werden?"

Victors Augenbrauen senkten sich nachdenklich nach unten.

„Du hast im Schlaf gesagt: ‚Ich weiß, dass er mich gesehen hat. Ich sollte nicht mehr hingehen, aber ich kann nicht anders.‘ Bitte sag mir die Wahrheit, Victor, wann warst du das letzte Mal dort?“

„Ich kann mich nicht mehr erinnern. Ehrlich. Denn seit ich dich kennengelernt habe, hat sich mein Leben um 180 Grad gedreht. Davor war ich oft dort.“

„Aber warum nur, Schatz? Wir können doch nicht alle Menschen da draußen ändern. Wir können uns ändern und versuchen, in unserem kleinen Kosmos das Beste aus allem zu machen.“

„Ja und nein, Ana. Es ist richtig, dass ich mich nicht so oft dort hätte aufhalten sollen. Deshalb wird mich vielleicht eines Tages seine Rache ereilen. Aber ich wollte verstehen. Verstehen, warum die Welt so ist, wie sie ist. Und erst wenn wir verstehen, können wir anfangen, Dinge bewusster zu lenken, sie mitzugestalten und zu…“

„Okay, okay, ich drücke hiermit den Pauseknopf, denn mein Kopf schwirrt. Sei mir nicht böse, aber ich möchte wirklich nicht noch mehr von diesem morbiden Ort erfahren. Aber eins muss ich unbedingt noch wissen.“

„Was ist es, mein Engel?“

„Hast du je daran gedacht, dich umzubringen?“

Eine unangenehme Stille erfüllte den Raum.

Scheiße, ich muss es ihr jetzt sagen... sie hat ein Recht darauf...

„Bitte sag es mir. Ich muss das wissen!"

Victor schwieg weiter und schaute nach unten.

Wie soll ich nur beginnen?

„Ich flehe dich an", sprach Ana mit zitternder Stimme, nahm seinen Kopf in ihre beiden Hände und hob ihn vorsichtig, aber bestimmt nach oben. So konnte er nicht anders, als ihr direkt in die Augen zu schauen.

„Ja, das habe ich", flüsterte er schließlich leise.

„Wie?"

„U-Bahn."

„Wie noch."

„Strick."

„Dich erhängen?"

„Ja."

„Oh mein Gott, Victor", stotterte Ana – und Tränen schossen in ihre Augen.

„Das war einmal und ist schon lange her. Das wird ganz sicher nicht wieder passieren. Nicht nur, weil ich dich habe, sondern weil wir bald eine kleine Familie sind. Du hast mir schon immer Kraft gegeben. Jetzt noch viel mehr. Ich lasse doch dich und das Kind nicht alleine, wo denkst du hin?"

„Warum hast du dann im Traum gesagt: ‚Bitte tu meinen Eltern nichts an, sonst bringe ich mich um.' Zu wem hast du das gesagt, Victor?"

„Ich weiß es nicht."

„Doch, VERDAMMT. Natürlich weißt du das!", schrie sie ihn verzweifelt an und sprang von der Couch auf.

„Zu ihm."

„Zu IHM? Dem Teufel?"

„Ja, dem Teufel."

Entsetzt fasste sich Ana mit beiden Händen an ihre Stirn.

„Wie sollte er das denn tun? Schatz, du machst mir langsam wirklich Angst. Ich bin offen für vieles, aber deine Fantasien gehen mir entschieden zu weit."

„Ich hätte sie dir auch nie ungefragt erzählt."

„Wenn ich aber nicht nachgebohrt hätte, dann… dann hätte es mich eines Tages eiskalt erwischt."

„Noch einmal, Ana: Ich schwöre bei Gott, dass ich mir niemals etwas antun werde. Für euch werde ich immer da sein!"

„Ich versuche, dir zu glauben. Können wir jetzt bitte damit aufhören?"

Flehend faltete sie ihre Hände vor der Brust zusammen.

„Okay, nur noch eine einzige Bitte, mein Engel."

„Und die wäre?"

„Sollte mir dennoch eines Tages etwas zustoßen, dann hinterfrage die vermeintlichen Fakten."

„Ich verstehe nicht ganz?"

„Lass Nachforschungen anstellten. Eine Augenbinde, die Hände hinter dem Rücken zusammengebunden sowie ein vor meinen Füßen umgestoßene Schemel, wären ein Indiz für… "

„Hör endlich auf damit, das ist doch total krank!", schrie Ana und rannte heulend aus dem Zimmer.

* * *

KAPITEL 44

Liebe Ana, mein Herz,

mir ist gerade bewusst geworden, dass es auf den letzten vierzehn Seiten dieses Tagebuchs nur um das eine geht:

Die Liebe.

Es gibt nun mal nichts Wichtigeres für uns Menschen! Und auch, wenn ich mich zum hundertsten Mal wiederhole:

Ich bin dir unendlich dankbar, dass sich seit drei Jahren mein Leben so leicht anfühlt, denn DU bist das Beste, was mir passieren konnte.

Daran ändert auch die Tatsache nichts, dass gestern ein paar dunkle Wolken am Himmel aufgezogen sind…

Über deine Eltern hast Du mir bereits einiges erzählt. Getroffen haben wir uns mit ihnen noch nicht allzu oft. Aber nach diesem gestrigen Nachmittag kann ich mir nur schwer vorstellen, wann und warum wir sie wiedersehen sollten.

Ich möchte ehrlich zu dir sein: Seltsam fand ich deinen Vater von Anfang an. Was sich jedoch zugetragen hat, lässt mich irritiert und traurig zurück.

Vor allem für dich hat mir die ganze Situation unendlich leidgetan. Wenn ich mir vorstelle, dass Du seine Art seit deiner Kindheit ertragen musstest... puh, schwere Kost, auch für mich als Außenstehender.

Auf jeden Fall verstehe ich jetzt endlich einige deiner bisherigen Aussagen besser. Ich verstehe, dass Du Angst hast, nicht den Job zu finden, der wirklich zu dir passt. Dass Du durch das Studium, welches nicht deinen Interessen entsprach, vom Weg abweichen musstest.

Und dass Du das Gefühl hast, von Arbeitgebern nicht ernstgenommen zu werden. Du sagst immer, sie würden nur die Kunsthistorikerin in dir sehen und nicht das, was wirklich in dir steckt.

Ich denke, die Wenigsten möchten sich die Mühe machen, den „ganzen" Menschen hinter einem Bewerber oder einem Mitarbeiter zu sehen.

Vielleicht sind sie auch einfach nur unfähig...

Weißt Du, Ana, bei meinem Job als einfacher Schreiner bekommt man mehr mit als der Kunde denkt. Ich baue nicht nur eine Tür oder ein Fenster ein oder stelle die angefertigten Möbelstücke irgendwo ab und verschwinde wieder, gerade bei einem größeren Auftrag spüre ich regelrecht die Atmosphäre in den Räumlichkeiten des Unternehmens.

Ich brauche kein einziges Wort mitzubekommen, denn die Gesichter sowie die Körperhaltungen der Menschen sprechen Bände!

Eines hatte unser gestriges Treffen für sich und ich hoffe, Du siehst das genauso. Ich spreche von einer Einsicht, die dir gleichzeitig eine Aussicht bietet.

Was ich damit meine?

Nun, all die Jahre hast Du nur das gemacht, was dein Vater von dir erwartet hat. Du hast gehorcht und warst nicht aufmüpfig... okay, vielleicht ein bisschen, aber das hat er dir sicher ganz schnell ausgetrieben. Und so musste das vermeintlich „anpassungsfähige Einzelkind" seine eigene Überlebensstrategie entwickeln.

Hättest Du das nicht getan, Du wärest an dem ganzen Druck zerbrochen.

Hier kann ich noch einiges von dir lernen, denn Du bist so resilient wie kein Zweiter, jedoch hast Du einen hohen Preis dafür gezahlt.

Ich lag fast die ganze Nacht wach und habe mich immer und immer wieder gefragt, wie die Situation mit deinen Eltern derart eskalieren konnte. Du hattest lediglich um ein wenig finanzielle Unterstützung gebeten... für deine Selbstständigkeit, die Du planst. Ich spüre immer noch die furchterregende Vibration, die der Faustschlag deines Vaters auf dem Esstisch verursacht hat.

Wie kann er nur behaupten, dass Du bisher im Leben nichts hingekriegt hättest? Wer ist er eigentlich, sich darüber zu echauffieren, dein Job an der Hochschule wäre nicht das, was nach einem Studium der Kunstgeschichte vorgesehen wäre?

Ja, das mag zwar einerseits richtig sein, inhaltlich betrachtet. Welcher „brotlosen Kunst" hättest Du jedoch, seiner Meinung nach, hinterherrennen sollen?

Dass er nicht die Details zu deinem Deal mit Irina Timoschenko wissen muss, ist selbstredend. Aber hey: Dir wurde eine Chance eröffnet, die in die Richtung deiner Leidenschaft geht, nämlich mit und für Menschen zu arbeiten.

Was sich daraus ergibt, wird man sehen. Ich finde jedoch, dass es ein gelungener Auftakt ist, und das Zitat des Schriftstellers Paulo Coelho passt an dieser Stelle wunderbar:

„Manchmal zeigt sich der Weg erst, wenn man anfängt, ihn zu gehen."

Bitte verzeih, wenn ich im Rahmen der folgenden Zeilen etwas ausfallend werde, aber ich merke gerade, wie mir beim Schreiben die Galle hochkommt!

Ich hätte am liebsten deinen Vater nach seinem Ausbruch angeschrien, durchgeschüttelt und ihn gefragt, ob er nicht im Entferntesten die Schuld bei sich sähe? Ist ihm denn nicht bewusst, dass er dich zu etwas gezwungen hat, um sich im Nachhinein darüber zu beschweren, dass Du ausscherst?

Selbstverständlich nicht, er hat natürlich alles richtig gemacht… ein Taugenichts seist Du… wie kann man zu seiner eigenen Tochter nur so herablassend sein? Nicht den entferntesten Funken von Selbstreflexion trägt er in sich!

Deine Mutter… tatenlos hat sie die ganze Zeit zugeschaut. Ich weiß nicht, ob sie mir einfach nur leidtut oder ob ich auch auf sie unfassbar wütend bin.

Und als wäre nicht alles so erdrückend und erniedrigend genug gewesen, als Krönung des Ganzen kam ich ins Spiel. Der kleine, dumme Schreiner Victor.

Die Worte deines Vaters werden noch lange in meinen Ohren nachhallen:

„Warum unterstützt DU denn nicht die Ana? Verdienst anscheinend nicht gut genug, was? Kein Wunder, als einfacher Arbeiter. Einen Akademiker haben wir uns für unsere Tochter gewünscht und keine halbe Portion, die nur an meiner Immobilie und an meinem Vermögen interessiert ist."

Himmel, welcher Teufel hatte ihn da nur geritten???

Diese Frage kann ich mir leider selbst beantworten, denn ich kenne ihn… ich merke gerade, dass mich vergangene Gedanken und Gefühle überrollen. Gott steh' mir bei.

Ich muss nun aufhören, zu schreiben. Bitte verzeih, Ana!
In Liebe,
Dein Victor.

* * *

KAPITEL 45

Vor 30 Tagen

Und ich hörte eine Stimme vom Himmel abermals mit mir reden
und sagen: Gehe hin, nimm das offene Büchlein von der Hand
des Engels, der auf dem Meer und der Erde steht!
Und ich ging hin zu dem Engel und sprach zu ihm: Gib mir das
Büchlein! Und er sprach zu mir: Nimm hin und verschling es!
und es wird dich im Bauch grimmen;
aber in deinem Munde wird's süß sein wie Honig.
(Offenbarung 10,8-10, LU)

„What the fuck!"

Verwundert drehte sich Dan Snyder einmal um die eigene Achse
und betrachtete seinen Körper im vollverspiegelten Fahrstuhl. Die
Tür ging zu und im nächsten Augenblick brachte der dröhnende
Sound von Rage Against The Machine die Wände zum Wackeln.

Der Aufzug raste in die Tiefe, die Leuchtstoffröhren flackerten
und Dan, der auf den Boden gestürzt war, versuchte vergeblich,
mit seinen Händen auf dem glatten Boden Halt zu finden.

„Hell!", schrie er laut.

Es gab einen dumpfen Knall und die Musik ging mit den Leuchtröhren aus. Ein schwach leuchtender, roter Knopf an der Sprechanlage war die einzige Lichtquelle.

„Hell, sagtest du? Yes, you´re right, Danny Boy. Willkommen in meinem Reich!"

Eine verzerrte Stimme hallte durch den kleinen Fahrstuhl. Verwirrt versuchte Dan in der Dunkelheit etwas zu erkennen, jedoch vergeblich.

„Deinem Reich? Fuck, wer bist du?", fragte er mit zitternder Stimme in Richtung der Sprechanlage.

„Ich bin ER. Was immer das auch heißen mag. Und wer bist du, Motherfucker?"

„Dan Snyder."

„Alter?"

„Hä? Warum?"

„Ich stelle hier die Fragen, verstanden? Also, dein Alter?"

„Ähm, 72."

„Verheiratet?"

„Sure."

„Die arme Sau."

„Wer?"

„Na, deine Frau."

„Whaaat?"

„Tu nicht so scheinheilig, du weißt ganz genau, was ich meine. Sag', Dan: erinnert dich die Mucke von eben an irgendwas und irgendwen?"

Natürlich tut sie das... aber woher soll der denn das wissen?

„I don´t know", antwortete er in dem Versuch, so selbstsicher wie möglich zu klingen.

„So, so... you don´t know... ich helfe dir nachher im Hörsaal gerne auf die Sprünge."

What the hell? Was passiert gleich mit mir?

„Scheiße, was für ein Hörsaal? Und was willst du von mir? Kannst du hier wenigstens das Licht anmachen und mir dann von Mann zu Mann in die Augen schauen?"

Mit einem leisen Knacken gingen die Röhren wieder an. Dan erhob sich vom Boden und tastete hastig die verspiegelten Wände nach einer Möglichkeit ab, zu entkommen.

„Zwecklos. Entspann dich", flüsterte die Stimme. „Wie du siehst, bin ich dem ersten Teil deiner Bitte nachgekommen. Letzterem jedoch… nun, Danny, warum denkst du eigentlich, dass ich ein Mann sei?

„Was soll der Bullshit? Ich gehe sogar noch einen Schritt weiter und behaupte, du bist der Teufel! Richtig gehört, the Devil himself. Und wenn ich im Deutschkurs vor dreißig Jahren richtig aufgepasst habe, dann deutet der Artikel vor dem Teufel auf einen Mann hin. So, no more words needed. Aber warum unterhalte ich mich mit dir? Mach endlich die verdammte Tür auf!"

Dan unterstrich seinen Appell, indem er nacheinander mit seinen Fäusten an alle vier Spiegelfronten hämmerte.

„Also ich finde es hier mit dir gerade so richtig gemütlich, Danny Boy. Ich lasse dich gleich laufen… hin zum Hörsaal und hin zu den anderen Seelchen. Doch zuvor interessiert mich noch eins."

„Und das wäre?"

„Ich sage nur Sharon, deine Frau."

„Was ist mit ihr?"

„Weiß sie, dass du ein Arschloch bist?"

„Bitte, was?"

„Hör' verdammt nochmal mit deinen Spielchen auf. Das versuchen sie alle. Doch irgendwann kommen sie aus ihrer eigenen Scheiße nicht mehr raus. Ich wiederhole gerne noch einmal die Frage: Weiß sie davon?"

„Nein."

„Lauter!"

„Nein, natürlich nicht", schrie Dan in die Sprechanlage des Fahrstuhls und schlug nach ihr.

„Warum?"

„Es würde sie verletzten."

„So, wie du als Kind verletzt wurdest?"

„Maybe."

„Und deswegen bleibt dir armer Sau nichts anderes übrig, als von deinem eigenen Seelenleid abzulenken und dein Umfeld zu ficken. Im wahrsten Sinne des Wortes. Wow, Danny – I like it. Zeit für dich, die Schmiede von innen zu sehen."

„Die Schmiede?"

„Ja, die Schmiede der schwarzen Seelen. Ready?"

„Ich weiß zwar nicht, für was ich bereit sein soll, aber wenn es einer schafft, dann ich."

„Herrlich, genau das liebe ich. Weißt du auch, warum? Überall, so weit das Auge reicht, vollkommen verstrahlte Kreaturen im Hinblick auf ihr eigenes, beschissenes Selbst. Na, dann, Partytime!"

Eine Spiegelwand schob sich zur Seite und gab den Blick auf den langen, beleuchteten Gang frei.

Schlagartig ergriff Dan die Flucht und rannte zu der offenstehenden Tür, welche er von Weitem erkennen konnte. An dieser angekommen, atmete er noch einmal tief ein und betrat den Hörsaal.

Der Boden quietschte unter den Schuhsohlen, und zahlreiche Köpfe drehten sich in seine Richtung. Es waren ausschließlich Frauen. Hunderte von Frauen, alle saßen nackt auf den heruntergeklappten Sitzflächen.

„Danny, welcome to the Club", ertönte die gleiche Stimme durch den Raum.

Als der darauffolgende Jubel des Publikums abgeklungen war, ergriff Dan mit zittriger Stimme das Wort.

„What kind of Club?"

„Ich sagte dir bereits, dass du nicht die Berechtigung hast, Fragen zu stellen. Ausziehen!"

„Bitte, was?"

„Ausziehen, habe ich gesagt", schrie das Wesen.

Noch bevor er selbst zur Tat schreiten konnte, sah Dan, wie sechs Hände in weißen Gummihandschuhen die Arbeit für ihn erledigten, alles ging so schnell, dass er sich nicht wehren konnte. Bereits nach wenigen Augenblicken stand er vollkommen nackt auf der obersten Treppe, die hinunter zum Podium führte.

„Hoppala, in die Jahre gekommen bist du, my Toyboy. No sports, nicht wahr? Sei´s drum. Apropos Toyboy: Kannst du dir ansatzweise vorstellen, warum hier heute Nacht ausschließlich Ladies sitzen?"

„Ich weiß nicht."

„DANNY!", schrie das Wesen wutentbrannt. „Letzte Warnung. Allerletzte Warnung, mein Freund. Don´t play games with me!"

„Sorry… ja, ich weiß es", gab Dan leise nuschelnd zu.

„Schieß´ los."

„Ich habe mein Leben lang Frauen als reine Objekte gesehen. Habe meine Macht missbraucht. Sie genötigt. Hey, ich habe sie aber nie vergewaltigt, okay? Alles passierte in gegenseitigem Einvernehmen. Ohne Gewalt. Zumindest ohne physische Gewalt."

Motherfucker... was rede ich da? ,Sie nie vergewaltigt'?

„Na, endlich. Wir sind einen klitzekleinen Schritt weiter. Bevor du zu mir auf die Showbühne darfst, noch eine Verständnisfrage: Du sagtest eben, du hättest all die Frauen nur psychisch missbraucht. Interpretiere ich das richtig: Somit ein Kavaliersdelikt für dich?"

„Soll ich mich jetzt rechtfertigen, oder was?"

„Ja, du Drecksau", ertönte eine weibliche Stimme aus der Mitte des Hörsaals.

„Eine WHAT?", erhob Dan empört seine Stimme und fuhr fort, während seine Augen nach der Frau Ausschau hielten.

„Ich gehe mal davon aus, dass für dich dieses Wort mit einer gewissen Sehnsucht verbunden ist. Da will wohl jemand beherrscht und richtig hart rangenommen werden. Hey du, wo auch immer du gerade sitzt: Liebst du es, beherrscht zu werden? Du liebst es doch, oder?"

„Ja. Ich kann nicht anders", sprach noch einmal die gleiche weibliche Stimme.

Fucking Bitch… wusste ich es doch, ging es Dan durch den Kopf, und kurzzeitig machte sich ein Gefühl der Überlegenheit in ihm breit.

„Wundervoll. Es wird sie auf immer und ewig geben, die Opfer, die nicht aus ihrer Haut können. Und genau die hast du dir rausgepickt, Dan. Das war schon mal saubere Arbeit", kommentierte das Wesen schadenfroh.

„Genug der Vorrede. Jetzt komm doch endlich mal runter zu mir. Bis zu dem Stuhl auf dem Podium. Auf den setzt du dich schön gemütlich hin. Ladies, Showtime!"

Das Publikum klatschte erneut frenetisch in die Hände. Vereinzelt waren anfeuernde Pfiffe aus den Reihen zu hören.

Die Hände aus Scham vor seinem Glied platziert, lief Dan langsam die Treppenstufen hinunter.

Sharon, I beg your pardon, war sein letzter Gedanke, bevor er sich mit Blick zum Auditorium auf den Holzstuhl setzte, welcher wie ein Thron in der Mitte der Bühne platziert war.

Dadurch, dass der Raum abgedunkelt war, konnte er lediglich vereinzelt Gesichter erkennen. Deren Mimik war versteinert und die Gesichtsfarbe aschfahl.

Hinter ihm fing es an zu poltern. Langsam drehte er seinen Kopf in Richtung des Geräusches.

„Halt! Habe ich dir etwa erlaubt, dich zu bewegen?“

Erschrocken wandte Dan seinen Blick wieder zurück. Er spürte, wie es hinter ihm warm wurde und er hörte ein Knistern, das ihn an den Kamin in seiner Villa erinnerte.

„Eine gute Inszenierung braucht Ideen. Und vor allem Zeit. Das weißt du doch am besten, Danny Boy. Bevor du dir das extra für dich vorbereitete Spektakel reinziehst, möchte ich mich noch kurz mit dir austauschen. Somit zurück zu der Mucke im Aufzug und zu ein paar Namen.“

„Was für Namen?“

„Na, die Namen der Marionetten. Entschuldige bitte, der Damen, wollte ich natürlich sagen. Die Namen derjenigen Damen, welche sich gemeinsam mit dir diesen und ähnliche Sounds wie den von Manson reinziehen mussten. Die Betonung liegt auf ‚mussten‘. Sag, Dan, das war noch mal wo?“

„Im Bondage-Keller.“

„Richtig. Der dunkle Keller voller lustigem Inventar. Kriegst du sie noch alle zusammen? Die Namen, meine ich?“

„Ähm, also, ich erinnere mich an Kathi… an Susan, Margareta… und an… an Patty.“

„Und so weiter, und so heiter. Reicht schon, reicht schon. Aber eine ganz besondere Dame vermisse ich noch bei deiner Aufzählung."

„Welche denn? Gib mir einen Hinweis, please."

„Na, wenn du mich so nett bittest: Es war vor 18 Jahren. Lange her, ich weiß. Da warst du noch der Inhaber deiner berühmt berüchtigten ‚T.S.G. Capital', die du zwischenzeitlich auflösen musstest. Wegen einer bestimmten Drecksau."

„Ach du Scheiße. Du meinst Irina."

„Bingo, but: Was ist damals schiefgelaufen?"

„Einiges. Zuerst hat sie sich selbst angezeigt, und dann hat die Steuerfahndung meinen ganzen Laden hochgenommen. Das war ein fucking shit, sag ich dir."

„Mir brauchst du das nicht sagen. Weiß ich schon. Interessiert mich aber nicht. Ich meinte, was ist, verflucht nochmal, schiefgelaufen, dass diese Irina aus meiner Schmiede ausgestiegen ist?"

„Ausgestiegen? Inwiefern?"

„Naja, plötzlich hat sie sich entschieden, ein Gutmensch zu werden. Wie aus dem Nichts. Wo sie doch vorher reihenweise ihre Mitarbeiter fertig gemacht hat. Nicht nur aufgrund ihrer lächerlichen Essstörung. Wie hätte dieses Desaster vermieden werden können?"

„Ich weiß nicht. Vielleicht hätte ich nicht so übertreiben sollen."

„Hm, die Antwort gefällt mir nicht. Wir sind ja schließlich nicht hier, um unsere Eier zu schaukeln."

Aus dem Publikum war Gekicher zu hören.

„Witzig ist das überhaupt nicht, Ladies. Ich verliere nämlich nicht gerne. Also, reißt euch zusammen und gebt nach dem folgenden Film einen wirklich sinnstiftenden Kommentar ab. Verstanden?"

„Verstanden!", raunte der Saal ehrfürchtig.

„Wunderbar. Dann wären ja die Fakten geklärt. Du darfst dich jetzt mit deinem Thron umdrehen, Danny Boy."

Dans Hände wanderten zu der Sitzfläche und umklammerten diese. Er senkte seinen Kopf, lehnte den Oberkörper nach vorne und drehte sich um 180 Grad. Als er sich wieder aufrichtete, blickte er mit weit aufgerissenen Augen auf ein schwarzes, hölzernes Andreas-Kreuz.

Vier verstellbare Riemen aus Metall waren an den jeweiligen Enden angebracht. Die Flamme der in einem gusseisernen Ständer platzierten Fackel ließ das Kreuz noch furchterregender erscheinen.

„Werde ich jetzt hingerichtet?" fragte Dan, während er nach rechts blickte, wo er glaubte, einen vorbeihuschenden Schatten gesehen zu haben.

„Maybe. Lassen wir uns überraschen. MAZ ab, bitte."

Das Licht der aufflackernden Leinwand war grell und im nächsten Moment erschien ein Standbild: Ein Bauernhof mit Haupthaus und zahlreichen Stallungen inmitten einer weitläufigen Landschaft aus Weizenfeldern und Obstbäumen.

Das kann nicht in Deutschland sein... die Felder... ihre gelbe Farbe... die Sonne, ging es Dan durch den Kopf.

Der Film sprang an und die Kamera zoomte langsam an das Haus. Aus dem Off war das Geblöke von Schafen zu hören. Die Eingangstür wurde von innen geöffnet und gewährte dem Zuschauer Einlass. Ein Schwenk nach links, ein paar Schritte den engen Gang entlang, und man befand sich in der Küche.

An einem Tisch, dessen weiße Lackierung in die Jahre gekommen war, saß eine Frau:

Irina Timoschenko.

Die eingefallenen Wangen und das ungepflegte, in ihr Gesicht fallende Haar irritierten Dan.

Oh my God... was ist nur mit ihr passiert?

Mehr Zeit zum Nachdenken blieb ihm nicht. Ein Mikrofon tauchte am unteren Bildrand auf.

„Snyder? Ja, den kenne ich, leider", hauchte sie leise in das Eingabegerät, und ihre Augen füllten sich mit Tränen.

„In welcher Beziehung standen Sie zu ihm?", fragte eine dunkle, männliche Stimme.

Eine kurze Pause entstand, in der Irina hörbar durch die Nase ein- und geräuschvoll durch den leicht geöffneten Mund wieder ausatmete.

„Ich war… ich war seine…"

„Lassen Sie sich Zeit."

„Entschuldigen Sie, bitte. Es ist schon lange her, aber nach wie vor belastend für mich."

Irina wischte sich mit einem Papiertaschentuch über die Augen und schnäuzte sich.

„Das verstehe ich sehr gut. War Snyder Ihr Vorgesetzter?"

„Nein… doch… irgendwie schon. Ich war Partnerin in seiner Unternehmensberatung."

„In welcher Beziehung standen Sie noch zu Snyder?"

Mit ernstem Blick schaute Irina zu der sie befragenden Person. Ihre Augenpartie war gerötet, die Tränensäcke geschwollen.

„Beziehung? Wenn man das als Beziehung bezeichnen kann. Ich war seine… seine Geliebte."

„Wussten Sie, dass er verheiratet war?"

„Ja."

„Hat Sie das nicht gestört?"

„Nein. Anfangs nicht. Es ging schließlich um mich, um meine Karriere und um mein Wohlbefinden. Ich hatte keinerlei Skrupel. Niemandem gegenüber. Aber mit der Zeit…"

„Mit der Zeit verliebten Sie sich in ihn?"

„Ja, leider", beantwortete Irina mit leiser Stimme die Frage und senkte ihren Blick.

„Wieso schon wieder leider? Liebe ist doch wunderbar."

„Schon, aber nur, wenn sie auch erwidert wird."

„Und Snyder hatte diese Gefühle nicht für Sie?"

„Ich habe es gehofft. Jedoch war ich für ihn nicht mehr als seine…"

„Nutte?“

Empört schaute Irina auf und kniff ihre Augen zusammen

„Nutte? Das bin ich keinesfalls!“

„Hm, gefällt Ihnen Edelprostituierte besser?“

„Können wir es nicht bei Geliebte belassen?“

„Wie Sie meinen. Frau Timoschenko, wie kam es zu dem Bruch zwischen Ihnen beiden?“

Bevor sie antwortete, nahm Irina eine Tasse in beide Hände, trank einen großen Schluck und fuhr mit einem leichten Zittern in der Stimme fort.

„Ich war im Rahmen meiner Tätigkeit auch für unsere Kinderstiftung zuständig. Hört sich im ersten Moment wohltätig an. Aber wenn wir schon bei der Wahrheit sind: Das war der größte Betrug aller Zeiten.“

„Inwiefern?“

„Wir haben die Gelder veruntreut. Haben den Bedürftigen nicht das ausgeschüttet, was ihnen versprochen wurde. Ein Kollege hat dafür gesorgt, dass die Finanzen dennoch stimmten. Und dann kam dieser eine Nachmittag…“

„Der Nachmittag, der nicht nur das Leben dieses Kollegen, sondern auch Ihres veränderte. Sagen Sie noch kurz, Frau Timoschenko: War das nur Ihr Kollege?"

„Nein."

„Sondern?"

„Ich hatte auch mit ihm eine Affäre."

„Also doch Nutte, oh Verzeihung, Geliebte, natürlich. Von mehreren Männern. Scheint sich bei Ihnen wie ein roter Faden durchzuziehen, nicht wahr?"

Du Dreckskerl... was erlaubst du dir... am liebsten würde ich dich... aber er hat Recht... ich war tatsächlich eine...

Irinas Miene versteifte sich erneut, und ihre Augen blitzten aggressiv zu der männlichen Stimme hinter dem Mikrofon.

„Wenn Sie auf meine Jugend hinauswollen: Ja, so wurde ich hier in Russland erzogen. Nicht nur ich, wir alle! Denn am Ende des Tages ging es um das eigene Überleben, und da müssen Opfer gebracht werden. Hat man mir zumindest jahrelang eingetrichtert. Mittlerweile sehe ich das alles anders. Leider zu spät."

„Es ist nie zu spät, Frau Timoschenko. Gibt es eine Lektion, die Sie für sich aus dieser Geschichte gezogen haben?

„Definitiv. Wie bereits angedeutet, wurde ich in meiner Kindheit zu einem folgsamen Wesen erzogen. Ich habe getan, was von mir verlangt wurde. Ohne aufzubegehren, ohne Dinge zu hinterfragen. Ebenso wie jedem Menschen gegenüber dankbar zu sein. Auch wenn mich das gebrochen und unweigerlich auf meine Psyche ausgewirkt hat. Somit wurde ich im Laufe der Jahre zu einem emotionalen Wrack. Da ich keinen anderen Kanal fand, habe ich mein ganzes Leid auf meine Mitarbeiter abgewälzt. Um abzulenken. Von mir. Meiner Trauer und meinem unbändigen Frust. Nach diesem besagten Nachmittag hat es jedoch bei mir ‚Klick‘ gemacht.

„Inwiefern?“

„Ich bin aus dem Spiel, bestehend aus Macht und Intrigen, ausgestiegen. Nach meiner Selbstanzeige musste ich juristisch sowie finanziell büßen. Aber als alles ausgestanden war, habe ich meine Zelte in München abgebrochen und bin hierhergekommen. Zurück in die Heimat. Zurück zu meiner Mama. Mein Vater ist Gott sei Dank schon lange tot.“

Abrupt hielt der Film an und alle Lichter im Saal gingen aus. Nur das Feuer der Fackel warf ein Licht auf den Bereich zwischen Dan und der ausgeschalteten Leinwand.

„Fuck!“, fluchte Dan leise.

Im nächsten Moment spürte er einen Schlag auf den Hinterkopf. Mehrere Hände rissen ihn vom Stuhl hoch. Er wusste, dass sie ihn in Richtung des Andreas-Kreuzes zogen. Da ihm schwindelig war, konnte er nicht erkennen, wer ihn gerade festhielt.

Dan hatte keine Kraft, sich zu wehren. Seine Gliedmaßen wurden brutal auseinandergespreizt und am Folterinstrument festgeschnallt. In seinem Kopf drehte sich alles. Jedoch bemerkte er, wie sich ihm von links eine Hand in einem weißem Latexhandschuh näherte, sie trug die lodernde Fackel.

„Was für ein erbärmliches Gequatsche von dieser Irina. ‚Das hat sich unweigerlich auf meine Psyche ausgewirkt.' Ich könnte kotzen! Eine Runde Mitleid für die Verräterin. Aber du, Dan, du sollst jetzt büßen und brennen. Wie konntest du nur so selbstverliebt und gehirnamputiert agieren? Die Peitsche als einziges Instrument, sein Umfeld an sich zu binden? Das ist nun wahrlich keine dauerhafte Lösung. ‚Zuckerbrot und Peitsche' heißt die Zauberkombination, falls du überhaupt weißt, was ich damit meine. Ich habe keinen Bock mehr auf dich. Du Nichtsnutz, du verblendetes Arschloch. Gut performt, doch am Ende des Tages den Schwanz eingezogen und mein Werk nicht vollendet. Burn, Motherfucker!", brüllte die Stimme durch die unsichtbaren Lautsprecher.

*

Das schrille Geräusch des Brandmelders weckte Dan aus dem tiefen Schlaf.

„Gnade, oh, Herr. Mach' mich bitte los von diesem Kreuz", nuschelte er vor sich hin.

Er schlug die Augen auf und merkte, dass er nicht mehr träumte, sondern schweißüberströmt in seinem Ehebett lag. Beißender Geruch von Verbranntem stieg ihm in die Nase.

„Oh Gott, nein", schrie er und stürmte aus dem Schlafzimmer.

Im Wohnzimmer angekommen bot sich ihm ein grauenhafter Anblick: Ein noch halb voller Benzinkanister stand neben der Couch, vor welcher sich ein brennender Körper hin und her wälzte.

„Sharon, was machst du da?"

Panikartig verließ er wieder den Raum und begann, nach einem Feuerlöscher zu suchen. Er wusste nicht, wo er sich befand, und Dan merkte in diesem Moment, dass er seine eigene Villa nicht kannte. Weil er nie mit dem Herzen da gewesen war. Weil er nie für Sharon nach Hause gekommen war, für Sharon, die ihm bedingungslos zur Seite gestanden hatte. Die von jeder seiner Affären wusste. Die fremden Parfümdüfte und Lippenstiftflecken auf seinen Hemden verrieten ihn. Jahr für Jahr. Sie hatte jedoch nie etwas gesagt. Nicht ein einziges, böses Wort. Nur, um ihrer gemeinsamen Tochter ein vermeintlich harmonisches Familienleben zu bieten. Und weil sie ihn wirklich geliebt hatte.

Dan stürmte zurück ins Wohnzimmer, schnappte sich den schweren Plaid, der zusammengerollt hinter der Couch lag, und fing verzweifelt an, auf den brennenden Körper einzuschlagen.

„Sharon, warum hast du das getan?", schrie er unter Tränen.

Er erwartete keine Antwort, als er sah, wie bereits die Flammen ihr Gesicht entstellt hatten.

Weil ich dir zeigen wollte, wie sehr du mich all die Jahre verletzt hast. Du hast mich am lebendigen Leib verbrannt.

*

Sharon Snyder erlag am nächsten Morgen in einem Krankenhaus ihren Verbrennungen.

* * *

KAPITEL 46

März 1994

Nun es aber tot ist, was soll ich fasten? Kann ich es auch
wiederum holen? Ich werde wohl zu ihm fahren;
es kommt aber nicht zu mir.

(2. Samuel 12,23, LU)

„Und Sie sind sich wirklich sicher, Fräulein Timoschenko?"

Der Mann in dem weißen Kittel schaute Irina durch seine dicken
Brillengläser streng an.

„Ja, ich bin mir sicher."

„Ihnen ist auch bewusst, dass manche Frauen nach einem
derartigen Eingriff nicht mehr schwanger werden können?"

„Ja, ist mir bewusst."

„Warum wollen Sie abtreiben?"

Er zückte einen Kugelschreiber aus seinem Arztkittel und führte
diesen zu einem Blatt Papier.

„Das hat mehrere Gründe."

„Ich brauche mindestens zwei. Vorgabe von oben."

„Ähm, ich bin zu jung… stehe kurz vor meinem Examen. Danach gehe ich zum Arbeiten nach Deutschland."

„Und zum anderen?"

Schutzsuchend umklammerte Irina den sich auf ihrem Schoß befindenden Rucksack.

„Reicht das denn nicht?"

„Ich sagte bereits, dass ich zwei Gründe brauche."

Irina ließ sich einen Moment Zeit. Sie dachte an Dimitrij, denn der vor ihr sitzende Oberarzt der staatlichen Klinik war einer seiner engsten Freunde. Sie musste vorsichtig sein, auch wenn ihr danach war, die ganze Wahrheit offen auszusprechen.

'Mein Weg soll ein anderer sein, Mama. Ich möchte studieren und in Deutschland arbeiten. Ich möchte mein eigenes Geld verdienen. Also, warum sollte ich mich von irgendeinem dahergelaufenen Kerl schwängern lassen?`, hörte sich Irina selbst sagen, ihre eigenen Worte von vor fünf Jahren.

„Der zweite Grund bitte, Frau Timoschenko."

„Nuuun…", setzte Irina langsam an, der Arzt kam ihr jedoch zuvor:

„Liegt es vielleicht daran, dass Sie gar nicht wissen, von wem Sie schwanger sind?"

„Bitte, was?", erhob Irina empört ihr Stimme und rutschte auf dem Stuhl nach vorne.

„Wäre nicht das erste Mal… Sie waren Sportgymnastin."

„Woher…?", unterbrach ihn Irina verwundert.

„Na, woher wohl… das russische Informantennetz ist feinmaschig. Wir sind nach wie vor bei Ihrem zweiten Grund für den Abort, Frau Timoschenko… also?"

Es stimmte zwar, dass sie nicht nur in den letzten Wochen, sondern auch den vergangenen Jahren neben Dimitrij mit anderen Männern geschlafen hatte – Professoren, reiche Geschäftsleute, ausländische Kommilitonen. Der wahre Grund jedoch war, dass sie von niemandem ein Kind bekommen wollte, den sie abgrundtief verabscheute und es nur hatte über sich ergehen lassen, um endlich aus der Heimat fliehen zu können.

Hastig ergriff sie die Möglichkeit, von der eigentlichen Wahrheit abzulenken.

„Sie haben Recht. Ich weiß nicht, von wem das Kind ist."

„Na, also. Hat doch gar nicht wehgetan", sprach der Arzt mit verächtlichem Unterton und kritzelte etwas auf das Blatt Papier.

„Apropos: Schmerzen lassen sich leider nach dem Eingriff nicht vermeiden. Ich muss Sie noch kurz über mögliche Komplikationen…"

„Nein, das brauchen Sie nicht, Herr Doktor. Bitte, können wir es endlich hinter uns bringen?", unterbrach ihn Irina.

„Wie Sie wollen, Fräulein Timoschenko. Dann begleiten Sie mich in den Nebenraum."

*

Der Taxifahrer ließ Irina an der Rückseite des Universitätsgebäudes aussteigen. Langsam lief sie den gepflasterten Weg entlang. Der Schmerz in ihrem Becken war unerträglich und ließ sie humpeln.

„Hey, hallo, du. Entschuldige, es geht mich ja nichts an…"

Eine Deutsche?, dachte Irina, drehte sich zu der Stimme um und bemerkte, dass ihr durch die Bewegung flau im Magen wurde.

„Du hast da etwas…", sprach die fremde Studentin mit dem deutschen Akzent auf Russisch weiter.

„Einen roten Fleck… hinten an der Hose. Oh, Gott, dir ist ja ganz schwindelig… komm, lass uns schnell setzen."

Stützend griff sie Irina unter deren Arm und begleitete sie ein paar Schritte zu einer nahegelegenen Bank.

„Alles okay?"

„Danke dir, geht schon wieder", antwortete diese und schnaufte durch.

„Ich bin Christina. Aber alle sagen Chrissy zu mir."

Die junge Frau lächelte sie vertrauenserweckend an.

„Irina. Freut mich."

„Darf ich fragen, was du gerade…"

„Ich komme von einem Eingriff."

Chrissy verstand sofort.

„Oh Shit! Warum bist du nicht nach Hause gefahren?"

„Ich habe heute noch eine wichtige Vorlesung. Die Letzte in einem meiner Prüfungsfächer. Da muss ich unbedingt…"

„Oh, verstehe. Naja, irgendwie auch nicht, denn die Gesundheit geht doch vor, oder? Bitte entschuldige nochmals meine Neugierde, aber hast du es mit dem Examen eilig?"

„Ja, ich muss hier endlich weg."

„Weg aus Moskau?"

„Überhaupt weg. Ganz weit weg. Das Ausland ruft."

„Welches Ausland?"

„Deutschland?"

„Ach, und wo genau?"

„Ich weiß noch nicht. Vielleicht Berlin. Wieso?"

„Naja, weil ich nämlich aus München komme."

Chrissy zwinkerte ihr zu.

„Echt? Und was machst du dann hier?"

„Auslandssemester. Mein Dad meinte, es wäre mal an der Zeit, das wahre Leben kennenzulernen."

„Das wahre Leben… ist es denn das wirklich hier?"

„Nun, diese Eliteuniversität war nicht nur die Kaderschmiede der ehemaligen Sowjetunion. Sie ist es immer noch."

„Was ist schon die Elite? Dolce & Gabbana tragen, von einem Fahrer mit der Limousine vorgefahren werden und neben Spionen in einem Hörsaal zu sitzen?"

„Ich weiß, was du meinst. Aber es gibt doch auch einen Grund, warum du hier bist."

Irina senkte den Blick und spürte erneut das schmerzhafte Ziehen im Unterleib.

„Klar, jeder hat so seine Gründe."

„Deine Eltern?"

„Himmel, nein. Ich komme aus Sotschi und bin in armen Verhältnissen aufgewachsen. Ich war eine erfolgreiche Leistungssportlerin. Meine Mutter hat immer zu mir gesagt, dass ich die Möglichkeit hätte, aus meinem Körper Kapital zu schlagen. Das war mein Glück, oder auch mein Pech, je nachdem."

„Heißt das, dass du nur durch die finanzielle Unterstützung eines Mannes…"

„Genau das heißt es."

„Puh, für mich schwer vorstellbar. Und das… das Ungeborene, das war von ihm?"

„Ich weiß es nicht."

„Ach, du Scheiße. Weiß er von dem Abort?"

„Ja, klar. Denn auch wenn so ein Eingriff von der staatlichen Krankenversicherung bezahlt wird, gibt es hier zu viele Pfuscher.

Einer seiner Freunde ist Oberarzt, außerdem war er mir das nach den vier Jahren schuldig."

„Ist er verheiratet."

„Natürlich ist er das."

„Was für ein riesiges Arschloch! Über so viele Jahre seine Frau zu betrügen. Wenn mein Vater so etwas meiner Mutter und mir antun würde… hat der Typ Kinder?"

„Zwei."

„Blöde Frage, war ja klar. Mal im Ernst: Mein Papa ist in München ein hohes Tier. Wenn du magst, kann ich ihn mal fragen, ob er eine ambitionierte und sicherlich auch intelligente Absolventin an seiner Seite braucht. Wann beendest du dein Studium?"

„Im Mai. Aber das mit deinem Vater… ich weiß nicht so recht. Ich hatte mir geschworen, mich nie mehr von einem Mann abhängig zu machen."

„Das verstehe ich gut. Wir reden hier aber von meinem Vater. Einer der integersten Menschen, die ich kenne. Er kommt mich übrigens nächste Woche für ein paar Tage besuchen. Da könnte ich ein Treffen mit dir organisieren. Magst du?"

Irina nickte zaghaft und versuchte es mit einer Erklärung:

„Weißt du, Chrissy, zu verlieren habe ich nichts, nur zu gewinnen. Ich bin der absoluten Überzeugung, dass alles im Leben seinen Sinn hat. Und dass es die wahre Liebe wirklich gibt. Nicht unbedingt mit Prinz, weißem Ross und so, aber mit ganz viel Ehrlichkeit und tiefen Gefühlen. Denkst du nicht auch?"

„Ich bin ihr, also dieser wahren Liebe, zwar noch nicht begegnet, aber ich wäre bereit für sie", antwortete Chrissy und zwinkerte Irina freundschaftlich zu.

*

Als sie das Delikatessenrestaurant unweit des Roten Platzes betrat, fiel ihr Blick sofort auf Chrissy und den Mann an ihrer Seite: Seine braunen Haare hatte er feinsäuberlich nach hinten gekämmt. Die beiden obersten Knöpfe des weißen Hemdes standen offen und sein Blick war genauso vertrauenserweckend wie der seiner Tochter. Er erhob sich von seinem Stuhl, rückte sein Sakko zurecht und streckte Irina die Hand entgegen.

„Dan Snyder. Freut mich sehr, Sie kennenzulernen, Frau Timoschenko."

* * *

KAPITEL 47

Juli 2020

Ich sage: Nein; sondern so ihr euch nicht bessert,
werdet ihr alle auch also umkommen.

(Lukas 13,3, LU)

Das Tablett mit den beiden Kaffeetassen zitterte in ihren Händen, dessen Klappern war das einzige Geräusch auf dem schwach beleuchteten Flur.

Die junge Frau ging auf hochhackigen Pumps an den verglasten Büros vorbei. Sie waren verwaist.

Es verwunderte sie nicht, denn die abendliche Bennoglocke der nahegelegenen Münchner Frauenkirche läutete in diesem Moment acht Mal. Umso größer war ihre innere Anspannung, denn sie wusste, was sie gleich erwarten würde.

Während sie in der linken Hand die Heißgetränke balancierte, klopfte sie mit der Rechten zaghaft an seine Tür.

„Herein", hörte sie Lechner von drinnen murmeln.

Sie drückte die Klinke herunter und trat ein. Mit hinter dem Kopf verschränkten Armen saß er in seinem schwarzen Ledersessel und starrte angespannt in den Bildschirm. Als er sie sah, entspannten sich seine Gesichtszüge.

„Oha, mein Lichtblick des Tages. Komm rein, Adelina, und mach' die Tür zu. Sehr sexy schaust du heute aus. Was machen die Auswertungen?"

Bitte, tu mir heute nichts an… das packe ich nicht mehr…

Ihr Magen krampfte sich zusammen, und sie stellte hektisch das Tablett auf dem Besprechungstisch ab.

„Ähm, gut."

„Gut? War das die Antwort auf meine Frage, du Hübsche?"

„Nein, natürlich nicht, Herr Lechner. Alles so weit in Ordnung."

„In Ordnung, nennst du das? Zahlreiche Fehler habe ich gefunden. Sag mal, welche Note hattest du eigentlich in Mathe?"

„Oh, die Schule ist schon eine Weile her. Eine Zwei, glaube ich, Herr Lechner."

„So, so, glaubst du? Na, da muss dein Lehrer wohl Notstand gehabt haben".

Er lachte er so künstlich, dass Adelina eine Mischung aus Ekel und Grauen den Rücken hinunterlief. Lechner war bei ihr am Tisch angekommen. Er trat hinter sie und strich ihr langsam mit dem Zeigefinger von der Schulter den Rücken entlang. Am Steißbein angekommen, zuckte sie zusammen.

„Na, na, na. So geil schon auf mich, dass du es kaum erwarten kannst? Hast du eigentlich gerade einen Freund?"

„Nein, Herr Lechner, das haben Sie mich bereits vor zwei Wochen gefragt. Seitdem hat sich nichts bei mir getan."

„Was für eine Schande. Kaum zu glauben bei dem Outfit. Einem Outfit wie dem einer Nutte."

"Bitte was?"

Ich muss weg… ich habe Angst… wie komme ich hier raus?

"Das war doch nur ein Scherz."

"Der war nicht gut, Herr Lechner", flüsterte sie leise und mit gesenktem Blick.

"Geh' doch petzen, Adelina. Glaubt dir eh keiner. Einer Ausländerin gleich dreimal nicht."

„Ich bin keine Ausländerin. Ich bin hier geboren und habe die deutsche…"

„Du bist und bleibst eine billige Albanerin", unterbrach er sie abschätzig und zog grob ihren Rock nach oben. „Auch wenn du angeblich keinen festen Freund hast: Mit wem schläfst du gerade?"

„Mit niemandem, Herr Lechner", antwortete sie mit zittriger Stimme.

„Bist du dir da ganz sicher?"

„Ich wollte sagen: Mit Ihnen schla…"

„Halt dein verficktes Maul, du billiges Flittchen".

Ruckartig zog er seinen Gürtel aus den Laschen, ließ ihn auf den Boden fallen und knöpfte die Hose auf.

Ich werde es ihm erzählen müssen… er muss es endlich erfahren… heute Abend… wenn ich dann noch lebe…

„Bitte, Herr Lechner… könnten wir das heute nicht…"

„Fresse! Ich habe hier das Sagen. Oder hast du immer noch nicht kapiert, dass derjenige die Regeln bestimmt, wer die Macht hat?"

Mit Gewalt drückte er Adelinas Kopf nach unten.

*

Nachdem er sich einen Rotwein eingeschenkt hatte, ging Lechner zu der ausladenden, weißen Ledercouch und schaltete den

Fernseher ein. Er zappte durch mehrere Kanäle und blieb bei den Tagesthemen hängen.

Vor draußen hörte er, wie ein Auto in die Einfahrt fuhr.

Madeleine?, dachte er irritiert.

Sie konnte es jedoch nicht sein, denn seine Frau war vor zwei Tagen mit den beiden Söhnen zu ihren Eltern gefahren.

Das eindringliche Klingeln an der Haustür ließ seinen Puls hochschnellen.

Ach du Scheiße... das wird doch wohl nicht...

Er stellte das Glas ab und ging zu dem im Flur angebrachten Bildschirm des Videoüberwachungssystems. Die Außenkamera zeigte zwei ihm unbekannte Männer. Beide blickten direkt in das Objektiv und er sah, dass sie eine Uniform trugen.

„Ja, bitte?", sprach er in die Gegensprechanlage.

„Guten Abend, Herr Lechner. Polizei. Lassen Sie uns rein?"

Die Worte des Mannes klangen weniger wie eine Frage, sondern eher wie eine konkrete Aufforderung mit barschem Unterton.

Sind das echte Bullen? Scheiße, ja, was mache ich jetzt?

Lechner wurde schwindelig. Er ging zu der Eingangstür und öffnete sie vorsichtig einen Spalt.

„Sie sind alleine, nicht wahr, Herr Lechner?"

„Das bin ich. Warum fragen Sie? Und darf ich erstmal Ihren Dienstausweis sehen, bitte?"

Zwei Polizeimarken wurden in die Überwachungskamera gehalten, so schnell, als hätte man mit Lechners Aufforderung bereits im Vorfeld gerechnet.

„Zufrieden? Und jetzt: Aufmachen!"

Während der eine Polizist sprach, drückte der andere die Tür auf. Er schloss diese wieder hinter sich und stand breitbeinig vor dem möglichen Fluchtweg.

„Um was geht es?"

„Sagen Sie es uns, Herr Lechner."

„Was? Was soll ich Ihnen sagen?"

„Alles."

„Ich… ich weiß wirklich nicht, was Sie meinen."

Ein kräftiger Faustschlag traf ihn so hart ins Gesicht, dass er in die große Vase hinter ihm stürzte. Benommen spürte er, wie ihm das Blut aus der Nase in seinen Mund rann.

„Du weißt also wirklich nicht, was wir meinen?", schrie ihn der Polizist an und beugte sich über Lechner. Er packte ihn an den Schultern und zog sein Gesicht dicht an seins heran. Dann ließ er ihn mit einem dumpfen Knall wieder auf den Boden knallen.

„Wer… wer seid ihr? Was… was wollt ihr von mir? Ihr seid also doch nicht von der Polizei, oder?"

Zeit schinden… Zeit schinden… auch, wenn die echt sind…

„Schau' ihn dir an, den Wichser", sagte der eine uniformierte Mann zum Zweiten. „Der glaubt wohl tatsächlich, dass nur blonde oder rothaarige Männer wie er hier in Deutschland Polizisten sein können."

„Nein, ehrlich, das denke ich wirklich nicht. Aber ihr kommt doch aus…"

Halt die Fresse, Klaus!

„Aus Albanien? Richtig. Aber weißt du was? Wir sind hier geboren… sind sogar ganz legale, deutsche Staatsbürger. Da staunst du, was? Schon mal was mit Albanern zu tun gehabt?"

„Nein, ich denke nicht."

„Du denkst nicht? Sollen wir dir bei deinem Denkprozess auf die Sprünge helfen?"

Er erhob erneut die Faust auf die Höhe von Lechners Gesicht.

„Nein, bitte nicht. Nicht schlagen. Ich weiß nur leider immer noch nicht, was ihr von mir wollt."

Klaus, verdammt noch mal, du machst es nur noch schlimmer…

„Wir wollen uns ein bisschen mit dir unterhalten, du Wichser. So wie du dich vorhin mit meiner Schwester unterhalten hast."

Ich wusste es… ich wusste es…

Lechners dunkle Vorahnung bewahrheitete sich.

„Adelina?"

„Wow, der Herr läuft endlich zu Höchstform auf. Es wird noch besser werden, versprochen. Ich gehe mal davon aus, dass dein Badezimmer im ersten Stock ist, oder?"

„Ist es, ja. Warum?"

„Wirst du gleich sehen. Los, aufstehen", befahl Adelinas Bruder schroff.

Wie ein alter Mann richtete sich Lechner langsam auf, fasste sich zwischen seine Haare und zog eine Glasscherbe aus der blutenden

Kopfhaut. Er wandte sich der Treppe zu und ging unter Schmerzen die Stufen nach oben.

Die beiden Polizisten folgten ihm.

Auf dem Absatz blieb Lechner stehen, seinen Blick angsterfüllt auf die offene Badezimmertür gerichtet.

„Ihr dürft das nicht… ihr… ihr verliert euren Dienstgrad."

„Sag du uns nicht, was wir dürfen und was nicht. Wie du meiner Schwester, so wir dir, altes albanisches Sprichwort. Oder glaubst du allen Ernstes, dass wir Angst vor Konsequenzen haben? Du solltest gerade so richtig deine Schisserhosen voll haben. Weiter geht's!", schrie ihn der Kollege von Adelinas Bruder an und stieß ihn unsanft nach vorne.

Im Badezimmer angekommen jubelte er.

„Geil, ich wusste es, dass unser Freund so einen schönen, großen Badheizkörper mit Handtuchwärmer in seinem Protzbunker hat. Und das auch noch direkt neben der Badewanne. Kollege, warum freue ich mich wohl gerade so?"

„Weil man gleich diesen Hurensohn mit seinen perversen Händen anketten kann."

Mit Gewalt wurde Lechner auf die Fliesen gedrückt und in Sekundenschnelle fixierten ihn die Beiden mit Handschellen an das weiß lackierte Eisen.

„Wasser haben wir ja hier en masse. Mitgebracht haben wir ein wunderschönes, hauchdünnes Utensil", erklärte er und zog ein Mulltuch aus der Seitentasche seiner Jacke hervor.

„Schau mal, Kollege, unser Freund hat sich doch tatsächlich ins Höschen gemacht!"

Er zeigte lachend auf Lechners nassen Schritt.

„Weißt du, was jetzt kommt, du Pisser?"

„Ich weiß nicht…"

Doch ich weiß… warum habe ich nur…

„Woher denn auch. Ein Gutmensch wie du hat ja noch nie etwas Schlimmes verbrochen. Das war übrigens ironisch gemeint, du Drecksack. Sagt dir ‚Waterboarding‘ was, Klaus?"

Adelinas Bruder wartete die Antwort nicht mehr ab. Er drückte das hautfarbene Tuch auf Lechners Gesicht, der andere Polizist machte währenddessen die Brause der Badewanne an. Er zog den Schlauch wenige Zentimeter aus der Vorkehrung heraus und zielte mit dem eiskalten Wasserstrahl direkt auf den umhüllten Kopf.

Augenblicklich hatte Lechner das Gefühl, ertrinken zu müssen. Der Würgereflex trat ein, und er strampelte wild mit seinen Beinen. Adelinas Bruder trat so kraftvoll gegen seine rechte Kniescheibe, dass ein lautes Knacksen zu hören war.

*

Die Folter dauerte eine qualvolle Viertelstunde, der gesamte Badezimmerboden war überschwemmt. Lechner stand neben sich. Unter Schock spürte er, wie die Handschellen aufgingen und von seinen Gelenken gelöst wurden.

„So, wir sind fertig mit dir, Klaus. Keine Sorge, das ganze Spektakel wird bei dir keine körperlichen Spuren hinterlassen. Wir können jedoch nicht garantieren, dass die bleibenden, psychischen Störungen dein beschissenes Leben nachträglich beeinflussen werden. Weitere Anweisungen entnimmst du dem Brief auf dem Toilettendeckel. Dass das Ganze unter uns bleibt, ist selbstredend. Wie du ihr, so wir dir, vergiss das nie mehr, du Fickschwein!"

* * *

KAPITEL 48

November 1988

Denn wer leben will und gute Tage sehen, der schweige seine
Zunge, dass sie nichts Böses rede, und seine Lippen, dass sie nicht
trügen. Er wende sich vom Bösen und tue Gutes;
er suche Frieden und jage ihm nach.

(1. Petrus 3,10-11, LU)

„Klasse, was für ein Ass! So, Schluss für heute. Hast du vielleicht
noch ein paar Minuten Zeit? Ich könnte im Vereinsheim auf dich
warten."

„Natürlich, Coach. Ich geh' mich nur schnell umziehen."

Seit er vor einem halben Jahr mit seiner Familie in einen
Münchener Vorort gezogen war, besuchte er drei Mal die Woche
den Tennisclub.

Was Josip wohl von mir will?, dachte Klaus kurz und bog vor den
Kabinen in die Toilettenräume ab.

Er ging an eines der beiden Waschbecken, drehte den Wasserhahn
auf und benetzte die Lippen mit dem kühlen Nass. Als er sich
wieder aufrichtete, sah er im Spiegel einen Jungen, der in den
letzten Monaten sichtlich gealtert war:

Der Vorfall mit den Mädchen, die Bedrohung durch die Rockerbande, die Verachtung von Seiten der feinen Gesellschaft, der Umzug; all das hatte dazu geführt, dass erste Falten an seinen Augen sichtbar geworden waren.

Sein Trainer hatte bereits am letzten Tisch Platz genommen und wartete mit zwei Karamalzflaschen auf ihn.

„Hey Klaus, alles klar bei dir?"

„Immer doch, Coach. Ich hoffe, du bist zufrieden mit mir?"

Josip nahm einen großen Schluck von seinem Getränk und holte noch einmal tief Luft.

„Bin ich, natürlich. Du hast Talent, ohne Zweifel. Aber… wie soll ich es sagen… es geht um… Sarah."

Scheiße, was hat sie ihm gesagt?

„Was meinst du, Josip?"

„Naja, vielleicht handelt es sich ja um ein Missverständnis. Sie meinte nur, dass du letzte Woche in der Mädchenumkleide auf sie gewartet hättest."

„Und?"

„Und dass du sie angemacht hättest… es war ihr sehr unangenehm."

„Oh, echt? Das Gefühl hat sie mir aber nicht vermittelt."

„Weil?"

„Na, weil sie mir schon vor längerer Zeit einen Liebesbrief geschrieben hat."

„Echt?"

„Ja, echt. Ist mein erster. Ich habe bis jetzt noch keine Erfahrungen mit."

Was für 'ne gequirlte Scheiße ich gerade von mit gebe…

„Du, Klaus, das geht mich auch gar nichts an. Bitte versteh' mich nicht falsch. Ich möchte nur auf keinen Fall, dass sich bei uns im Verein ein Mädchen unwohl fühlt."

„Natürlich nicht."

„Sag mal, magst du mir vielleicht erzählen, warum ihr hierhergezogen seid?"

„Ähm, lange Geschichte."

„Ich habe Zeit."

„Nun gut. Wir mussten aus Gerresheim, das ist ein Vorort von Düsseldorf, wegziehen. Wir… wir wurden bedroht."

„Bedroht?"

„Ja, von einigen Leuten."

„Was für Leute?"

„Die Eltern von drei meiner Mitschülerinnen."

„Warum?"

„Weil… weil mich die drei… also, sie haben mich oft gehänselt. Es war so furchtbar… das wünsche ich niemandem."

Fertiggemacht haben die mich… sie haben mich gebrochen…

„Ich verstehe. Du brauchst nicht weiter ins Detail zu gehen, wenn du nicht magst."

„Doch, ich mag. Ich habe das noch nie getan. Es gibt niemanden, außer meine Eltern, mit denen ich mich bis heute austauschen konnte. Tut gut, merke ich gerade."

„Das ist auch gut so, Klaus. Du kannst mir vertrauen!"

Klaus merkte, dass ihm eine Träne die Wange herunterlief. Es wischte sie mit dem Ärmel seiner Trainingsjacke ab und fuhr fort.

„Diese drei Mädchen haben seit dem ersten Schultag ständig die übelsten Dinge zu mir gesagt. Ich habe mich gefühlt wie ein Stück Scheiße. Sorry, Coach, war halt so. Dann, an einem Nachmittag vor einem Jahr, haben sie mir im Park erniedrigende Dinge angetan. Körperlich, meine ich. Meine Eltern haben sofort reagiert, und am nächsten Tag waren die Drei mit deren Eltern bei uns zu Hause. Die Situation ist aus dem Ruder gelaufen. Einer der Väter ist bei den Hells Angels. Ich wusste bis zu dem Zeitpunkt gar nicht, was das ist. Richtig Druck gemacht haben die uns danach. Sodass wir weder zur Polizei gegangen sind noch rechtliche Schritte gegen sie eingeleitet haben. Für meine jüngeren Zwillingsschwestern, meine Eltern und mich wurde es im Ort richtig ungemütlich. Alle dachten, ich sei krank im Kopf. ‚Perverses Schwein‘ schallte es manchmal von der anderen Straßenseite zu mir rüber. Also haben wir uns nach nicht allzu langen Überlegungen entschieden, wegzuziehen."

„Ach, du Scheiße, Klaus… das tut mir so unendlich leid!"

Josips Augen waren voller Tränen und sein Gesicht war kreidebleich. Er konnte nicht glauben, was er eben gehört hatte, jedoch wollte er die ganze Geschichte wissen und hakte nach.

„Wie ging es denn nach diesem Treffen für dich weiter? Wenn ich richtig rechne, bist du noch ein paar Monate in die gleiche Schule gegangen, oder?"

Es war so schlimm… scheiße mir kommen gerade die Tränen…

„Das stimmt, die furchtbarste Zeit meines Lebens. Die Drei haben es irgendwie geschafft, dass mich fast die ganze Klasse stillschweigend verachtet hat. Alle haben mich links liegen lassen, mich aus der Gemeinschaft ausgeschlossen. Ich hatte jeden Morgen Angst, das Klassenzimmer zu betreten. Sofort verstummten alle Gespräche... ich spürte ihre verachtenden Blicke. Und dann noch dieses boshafte Getuschel. Weißt du, es hat mich zwar keiner mehr körperlich attackiert, aber man hat mich geschnitten und das war irgendwie noch demütigender und verletzender."

Klaus schluchzte laut und vergrub das Gesicht in seinen Händen.

Ich hätte nicht anfangen sollen... Hölle... jetzt muss ich auch ehrlich zu ihm sein, ging es Josip durch den Kopf.

Er sprang auf und holte an der Theke eine Packung Taschentücher. Als er sich wieder gesetzt hatte, ergriff er Klaus' nasse Handinnenflächen, drückte sie fest und schaute ihm tief in die verweinten Augen.

„Und die Lehrer?", fragte er fassungslos. „Hat das wirklich keiner mitbekommen?"

„Ich bin mir sicher, dass sie es mitbekommen haben. Aber die haben weggeschaut... hatten, glaube ich, selbst Schiss... dachten sicherlich, ich sei selbst schuld an dem Mobbing."

„Unfassbar! Ich bin wirklich sprachlos, und du weißt, das bin ich selten. Woher hast du nur die Kraft genommen, weiter in die Schule zu gehen?"

„Ich hatte sie nach ein paar Wochen nicht mehr. Irgendwann bin ich einfach nicht mehr hingegangen. Hatte ständig Bauch- und Kopfschmerzen, konnte nicht mehr einschlafen, mich nicht mehr konzentrieren und hatte die furchtbarsten Albträume. Meine Mutter ist dann mit mir zum Arzt gegangen, und der hat mich krankgeschrieben."

„War bestimmt das Beste, was ihr tun konntet. So krass es auch klingt. Glaubst du eigentlich, es wäre alles anders gekommen, wenn du diesen drei… ich sage jetzt lieber nicht das Schimpfwort, das mir gerade auf der Zunge liegt, wenn du den drei Mädchen gleich nach deren erster Mobbingattacke die rote Karte gezeigt und dich somit gewehrt hättest?"

Das hätte ich mich im Leben nicht getraut!

„Ich weiß nicht… doch, ich weiß es. Ja! Ja, Josip, es wäre alles anders gekommen. Sich tot stellen ist keine Lösung. Das Mobbing hört dann nicht auf, es wird sogar schlimmer. Weil die Täter glauben, sie könnten immer so weitermachen."

„Sehe ich genauso. Aber dir ist kein Vorwurf zu machen. Du bist schließlich noch ein Kind, auch wenn ich das Gefühl habe, mich mit einem Erwachsenen zu unterhalten."

Hat er das gerade wirklich gesagt?

„Hat mich ganz schön geprägt, weißt du?"

„Ich weiß, Klaus… ich weiß. Wie geht es jetzt weiter?", fragte ihn Josip, nachdem er sich bei der Bedienung ein Bier bestellt hatte.

„Hier, an der neuen Schule, geht es mir richtig gut. Ich wurde sehr herzlich von allen aufgenommen und wiederhole noch einmal die fünfte Klasse. Aber das ist nicht schlimm für mich."

„Versprichst du mir etwas?"

Josip griff erneut nach Klaus' Händen und schaute ihm tief in die Augen. So tief, als würde er nach etwas suchen.

„Was denn?"

„Bitte, Klaus, bitte werde nie wie die, hörst du?"

„Warum sollte ich? Wäre doch irgendwie komisch, oder?"

„Nein, nicht komisch. Für meine Befürchtung gibt es nämlich eine ganz einfache Erklärung: Unsere Taten sind der Spiegel unserer Wunden."

„Du meinst…"

„Genau. Das muss nicht sein, aber ehemalige Opfer können zu Tätern werden. Sie wollen der Welt da draußen zeigen, dass sie doch liebenswert sind und nicht der Trottel, den die anderen bis dahin in ihnen gesehen haben. Wer könnte besser als sie wissen, dass deren Taten grausam und verachtend sind. Aber sie müssen mit ihrem Verhalten etwas kompensieren, nämlich das Leid und den Schmerz, den sie selbst erleben mussten. Diese Täter brauchen ein Ventil für ihre eigenen Gefühle. Weißt du, was ich glaube, Klaus? Ich glaube, dass nur derjenige, der Schmerz erfahren hat, auch mobben kann. Denn nur, wer weiß, wie sich diese Erniedrigung anfühlt, will endlich die Kehrseite der Medaille spüren dürfen."

Woher weiß er das alles?

"Woher weißt du das alles?", sprach Klaus seinen Gedankengang laut aus.

"Ich weiß es, weil… weil ich selbst ein Opfer war. Ein Opfer, das zum Täter wurde."

"Du machst Witze."

"Klaus, damit scherzt man nicht."

"Bitte entschuldige, ist mir nur so rausgerutscht. Weil ich nie gedacht hätte, dass du je einer Fliege…"

"Dachte ich auch. Aber in jedem von uns steckt ein Stück vom Teufel."

„Vom Teufel? Den gibt es doch gar nicht."

„Wer weiß das schon! Nur kurz noch eine Geschichte, die man sich bei uns in Kroatien erzählt. Sie wird von der einen in die nächste Generation überliefert."

„Was für eine Geschichte?"

„Die Geschichte vom schwarzen Auge."

„Klingt unheimlich. Ein Märchen?"

„Kein Märchen, denn…"
Josip zog mit den Fingern den Wimpernkranz seines linken Auges hoch.

„Was ist da?", fragte Klaus.

„Siehst du das nicht?"

„Was, Josip, was soll ich sehen?"

Klaus näherte sich vorsichtig dem Gesicht seines Trainers.

„Du hast da einen kleinen, schwarzen Fleck direkt über der Pupille. Aber haben wir den nicht alle?"

„Gott bewahre, nein. Den haben nur diejenigen, die dem Teufel gedient haben."

„Dem Teufel gedient haben? Josip, du machst mir Angst."

„Bitte entschuldige, Klaus. Vergiss, was ich sagen wollte. Aber eine Sache darfst du niemals vergessen: Unsere Taten sind der Spiegel unserer Wunden. Bitte sei immer ein guter Mensch. Versprichst du mir das?"

Klaus konnte nicht antworten – seine Kehle war wie zugeschnürt und er bekam kaum Luft.

* * *

KAPITEL 49

Vor 20 Tagen

Und er spricht zu mir: Versiegle nicht die Worte der Weissagung
in diesem Buch; denn die Zeit ist nahe!
(Offenbarung 22,10, LU)

„Lasst uns froh und munter sein und uns recht von Herzen freu'n.
Lustig, lustig, tralalalala, bald ist Niklausabend da, bald ist…"

„… die Nacht der Offenbarung da!"

Die herrische Stimme fegte über hunderte von Menschen hinweg,
welche bis zu dem Zeitpunkt im Chor gesungen hatten.
Augenblicklich setzte eine beklemmende Stille ein. Zeitgleich fegte
ein eiskalter Luftzug durch die offenstehende Tür des Hörsaals
und ließ die Anwesenden fröstelnd ihre Arme vor den
Oberkörpern verschränken.

„Weihnachtszeit, Gnadenzeit oder was? Ja, ihr sollt euch gerade in
dieser besinnlichen Zeit um eure Mitmenschen kümmern.
Blablabla, und so weiter und so fort. Kommt doch sowieso nicht
in eurem schwarzen Inneren an. Und das ist auch gut so! Klar,
paar nette Geschenke kaufen und natürlich den Mitarbeitern einen
billigen Nikolaus aus dem Supermarkt auf den Schreibtisch stellen.

Alles nur, um euer schlechtes Gewissen zu beruhigen.

Funktioniert super, wie man sieht. Eigentlich hatte ich gar nicht vor, das hier in diesem Plenum zu besprechen, aber wo wir schon dabei sind: Wer von euch hat nicht schon mindestens einmal diesen in hässlicher, bunter Alufolie eingewickelten Knilch beim Hinstellen angeschaut und zu ihm gesagt: ´Hoffentlich bleibst du in den Kehlen meiner Untergeben stecken`? C´mon, Ladies and Gentlemen, die Wahrheit darf hier immer gerne ans Licht."

Ohne Zögern wurden fast alle Hände in die Höhe gestreckt.

„Ich glaub', ich spinne! So viele begnadete Schauspieler auf einen Fleck. Und eure bemitleidenswerten Mitarbeiter denken doch tatsächlich, dass ihr das Ganze ernst meint."

„Sag mal, was bist du denn für einer?", schallte plötzlich eine weibliche Stimme durch den Saal.

„Wer war das?", schrie das Wesen lautstark.

„Ich, du Arsch!"

Eine Frau mittleren Alters erhob sich. Ihr Blick war voller Kampfeslust und starr nach vorne gerichtet.

„Weißt du, was ich glaube?", fragte sie unbeirrt weiter.

„Du… du…"

„Was, ich? Da bleibt dir endlich mal die Spucke weg. Das erste Mal, dass dir in deinem Drecksladen jemand die Stirn bietet, nicht wahr? Und dann noch eine Frau."

„Bluten sollst du, du…"

„Leck mich! Du kannst mich mal."

„Ähm… was genau denkst du, zu wissen?"

Ein nervöses Flattern war in seiner Stimme zu hören, die Angst, zum ersten Mal die Kontrolle über alles und jeden verlieren zu können.

„Dass es dich Fucker gar nicht gibt."

„Bitte was?"

„Bittä waaas?", äffte ihn die Frau mit übertriebener Gestik nach und verschränkte dann die Arme vor ihrem Brustkorb.

„Wie sagst du hier immer so schön: Jetzt macht mal nicht einen auf pseudoüberrascht. Und was machst du?"

„Halt dein Maul. Wer bist du, verdammt?"

„Ho, ho, ho, vielleicht bin ich ja der Weihnachtsmann, beziehungsweise die Weihnachtsfrau."

Vereinzelt hörte man ein Kichern zwischen den Reihen.

„Was ist los mit dir?", sprach sie weiter. „Glaubst du allen Ernstes, dass nicht auch deine Fassade irgendwann einmal bröckelt?"

„Ein Wort noch, dann…"

„Dann was? Glaubst du wirklich, dass ich nach dem ganzen Bullshit, den ich bisher in meinem Berufsleben erlebt habe, Angst vor dem vermeintlichen Teufel habe? Zu viele lebendige Kreaturen deiner Art habe ich bereits kennenlernen müssen. Dürften wohl deine Lakaien gewesen sein. Ich bin der festen Überzeugung, dass wenn in diesem und den anderen schwarzen Hörsälen nur die Hälfte aller Anwesenden aufstehen und gehen würden, dann, ja, dann wäre die Gesellschaft endlich auf dem besten Wege, eine menschlichere zu werden".

Nachdem sie den letzten Satz ausgesprochen hatte, war die Frau augenblicklich verschwunden.

Ein aufgeregtes Flüstern ging durch die Reihen, kreidebleiche Gesichter schauten sich fragend an.

„Holla, die Waldfee… es gibt schon richtig kranke Kreaturen auf dieser Welt. Nicht nachahmenswert, Ladies and Gentlemen. So, wo war ich doch gleich stehengeblieben? Ach ja, bei unserer Agenda: Heute ermögliche ich euch einen einmaligen Blick hinter meine Kulissen. Warum? Nun, er soll euch aufzeigen, dass ihr nicht allein seid. Seht selbst, MAZ ab, bitte!"

Das Licht im Hörsaal ging aus, die grelle Leinwand flackerte auf und der Film ging an.

Durch die Kamera bekam der Zuschauer Einblick in ein spartanisch eingerichtetes Wohnzimmer. Zahlreiche eingerahmte Fotos waren zu sehen, so wie ein ordentlich sortierter Bücherschrank. Das Objektiv des Aufnahmegeräts blieb bei einem dunkelhäutigen Mann stehen, der in einem schmalen Ohrensessel Platz genommen hatte und angespannt in die Linse blickte. Seitlich von ihm sah man den Scheinwerfer, der ihn ausleuchtete, ebenso wie ein schwarzes Mikrofon.

„Mein Name ist Nelton Macamo, 58 Jahre alt und hier geboren. Ich arbeite schon seit mehr als zwanzig Jahren bei der Telefonseelsorge. Viel Geld gibt es nicht, aber es reicht zum Leben. Bei dem einen oder anderen Anrufer habe ich mich gefragt, wie man nur…"

„Dazu kommen wir später", unterbrach ihn eine dunkle, tiefe Stimme aus dem Off und fuhr fort: „Fassen Sie bitte erst einmal kurz zusammen, was Sie davor gemacht haben."

„Ich habe nach meinem Studium der Sozialen Arbeit lange in einer Einrichtung für Kinder aus schwierigen familiären Verhältnissen gearbeitet. Aber das habe ich irgendwann nicht mehr gepackt, psychisch meine ich, auch wenn mich der Job anfangs erfüllt hat. Denn ich konnte den Kids das geben, was ich selbst nicht erleben durfte."

„Was genau durften Sie nicht erleben?"

„Einer meiner Großväter kommt aus Mosambik, den anderen habe ich nie kennengelernt."

„Warum nicht?"

„Meine Mama hat einige Jahre als Haushälterin gearbeitet, bei einer Familie, die auch einen Sohn hatte. Er war vier Jahre jünger als ich."

„Zu diesem Kind kommen wir später. Erzählen Sie uns erst einmal von Ihrer Arbeit bei der Seelsorge. Wer genau ruft denn bei Ihnen an, und was erzählen Ihnen diese Menschen?"

„Nun, es geht los mit ´Ich bin ratlos`, über ´Ich bin so einsam, kann ich mit Ihnen reden?` bis hin zu ´Ich weiß nicht mehr weiter.` Man kann sagen, dass die Anrufer aus allen gesellschaftlichen Schichten kommen, Männer wie Frauen, vom Jugendlichen bis hin zum Rentner. Sie alle sind auf der Suche nach… nach Liebe."

„Ja, ja, die Liebe. Ihre Mutter hat als Haushälterin für diese Familie gearbeitet, sagten Sie. Waren denn beide Elternteile berufstätig?"

„Ja, sie waren Anwälte, hatten eine eigene Kanzlei. Meine Mutter hat dort gerne gearbeitet, bis…"

„Bis?"

„Bis sie schwanger wurde. Mit mir."

„Von wem?"

„Von ihm."

„Ihm? Dem Anwalt?"

„Ja", antwortete Nelton und senkte beschämt seinen Kopf.

„War das in beiderseitigem Einvernehmen?"

„Angeblich ja, erzählte mir meine Mama zumindest immer."

„Was hat seine Frau gesagt, als Ihre Mutter die Schwangerschaft nicht mehr verbergen konnte?"

„Sie hat sich gefreut. Anscheinend hat sie nichts geahnt."

„Wenn ich richtig rechne, kamen Sie 1964 auf die Welt. Hat Ihre Mutter, nachdem Sie geboren wurden, wieder für diese Familie gearbeitet?"

„In der Tat. Ich muss neun Wochen alt gewesen sein, da hat sie mich immer dorthin mitgenommen, denn sie brauchte das Geld. Und er hat ihr auch Schweigegeld gezahlt.“

„Dieser Sohn, das gemeinsame Kind von dem Anwaltspaar, kam dann vier Jahre später auf die Welt, sagten Sie?“

„Richtig.“

„Können Sie sich an seinen Namen erinnern?“

„Natürlich: Eddie. Eddie Konieczny. Ob er allerdings noch lebt, das weiß ich leider nicht. Ich hatte mit ihm nur ein einziges Mal Kontakt, eher zufällig.“

„Inwiefern?“

„Meine Mutter hat bei den Konieczyns gearbeitet, bis ich das Abi in der Tasche hatte. Mitgenommen hat sie mich nicht mehr, nachdem ich ihr wohl zu viele unangenehme Fragen gestellt habe… ich glaube, da war ich acht. An ihrem letzten Arbeitstag dort hat sie mit allen noch ein Erinnerungsfoto gemacht. Ich habe es zufälligerweise ein halbes Jahr später gefunden und dann hat sie mir die ganze Geschichte erzählt.“

Nelton hielt inne und wischte sich mit einem Stofftaschentuch über die Augen. Während er sich schnäuzte, fragte ihn die männliche Stimme aus dem Off:

„Das muss hart für Sie gewesen sein. Den eigenen Vater nie kennenlernen dürfen. Und dann noch einen Halbbruder haben. Sie erwähnten, dass Sie ein einziges Mal mit Eddie Kontakt hatten. In welchem Zusammenhang war das?"

„Ich traf ihn an einem Ort, an welchem man nicht wirklich ein Familienmitglied das erste Mal sehen möchte. Ja, Sie haben richtig gehört: Eddie ist für mich Familie, in der Tat. Denn auch wenn er nur mein Halbbruder ist, so gehört zu mir und meinem Leben dazu."

„Eine vorbildliche Einstellung. Erzählen Sie uns ein bisschen mehr über diesen Ort."

„1985 habe ich im Rahmen meines Studiums ein Praktikum bei den Streetworkern absolviert. Sie haben mich in die Katakomben von München mitgenommen."

„Das hört sich morbide an."

„Ist es auch. Nur ganz wenige waren schon einmal dort, denn es ist ein Ort des Grauens."

„Tod und Verderben?"

„Mehr als das. Drogenabhängige nennen diesen unterirdischen Bereich unter dem Hauptbahnhof so. Hier können sie sich ungestört den nächsten Schuss Heroin setzen oder Crystal Meth rauchen."

„Handelt es sich somit um einen durch die Stadt geduldeten Rückzugsort für die Junkies?"

„Richtig."

„Und dort trafen Sie Eddie? Sie hatten ihn ja zuvor nur auf einem Bild gesehen, wie haben Sie ihn erkannt?"

„Ich hatte schon immer ein fotografisches Gedächtnis. An diesem besagten Abend war ich ganz schön aufgeregt, denn die beiden Kollegen, mit denen ich unterwegs war, erzählten mir davor die unheimlichsten Gerüchte über diesen Untergrund. Sie handelten von Vergewaltigungen, Beschaffungskriminalität oder sogar Leichen. Auf jeden Fall wurde ich hellhörig, als einer der Streetworker den Namen Eddie erwähnte."

„Wurde er gesucht?"

„Ja, einer seiner ehemaligen Lehrer hatte sich an unsere Organisation gewandt. Dann fanden wir ihn tatsächlich, und zwar in dem Moment, als er gerade mit einem anderen jungen Mann vier Fixern neuen Stoff verkaufen wollte. Die Beiden rannten weg, aber wir konnten sie noch festhalten und haben sie mitgenommen."

„Welchen Eindruck hat Eddie hat auf Sie gemacht."

„Einen verlorenen. Er selbst schien nicht unter Drogen zu stehen. Jedoch war mir damals schon klar, dass sein Weg vorgezeichnet war."

„Haben Sie ihm denn gesagt, dass Sie sein…"

„Gott bewahre, nein. Der Junge war noch nicht volljährig und total durch den Wind. Es war das erste und auch das letzte Mal, dass ich ihn gesehen habe. Wissen Sie eigentlich, was mit ihm passiert ist, nachdem wir ihn wieder nach Hause gebracht haben?"

„Das weiß ich, ja. Er war über 20 Jahre ein erfolgreicher Geschäftsmann. Bis zu einem gewissen Grad auch ein seriöser, mehr Details würde jetzt zu weit führen."

„Sagen Sie mir bitte wenigstens, ob er noch lebt."

„Das schon, aber nicht in Freiheit, wenn Sie verstehen, was ich meine?"

„Scheiße, war klar", seufzte Nelton traurig.

„Tja, auch er hatte eine Wahl, bis zu einem gewissen Zeitpunkt. Eine andere Sache interessiert mich noch, Herr Macamo: Sie erwähnten zu Beginn, dass Sie sich bei dem einen oder anderen Anrufer, den Sie an der Strippe haben, wundern?"

„Nun, bei der Seelsorge ruft nicht nur, wie manch einer vermuten mag, die Unterschicht an. Ich kann Ihnen gar nicht sagen, wie oft ich einen Top-Manager am Hörer habe. Die erzählten mir dann, wie degradierend sie sich ihren Mitarbeitern gegenüber verhalten. Und dass sie eigentlich ein schlechtes Gewissen hätten. Aber sie wollen das letzten Endes einfach nur bei mir abladen. Denn immer, wenn ich nachgefragt habe, warum sie denn nicht einfach mit ihren Intrigen und Machenschaften aufhören, kam stets eine Aussage.“

„Die da wäre?“

„´Um von meinem eigenen Seelenschmerz abzulenken`, sagen sie wortwörtlich. Mit den meisten unterhalte ich mich mehr als eine Stunde. Da kommen echt verkorkste Kindheiten ans Tageslicht.“

„Gibt es etwas, das für Sie am Ende eines solchen Telefonats ernüchternd ist?“

„Oh, ja. In der Tat. Es ist so demotivierend, dass ich diese Menschen am liebsten anschreien würde. Denn immer, wenn ich sie als Abschluss unseres Telefonats frage ´Was werden Sie als nächstes tun?`, antworten die meisten: ´Nichts. Was soll ich schon tun? Danke fürs Zuhören`, und dann legen sie einfach auf, diese Schweine. Bitte entschuldigen Sie, aber das musste jetzt einfach mal raus!“

„Verstehe ich gut. Das zeigt ganz deutlich, dass diese Herrschaften für so etwas wie Selbstreflexion nicht viel übrig haben, oder?"

„Nicht ansatzweise. Wenn ich Ihnen auch einmal eine Frage stellen darf: Von welchem Nachrichtenmagazin sind Sie nochmal?"

„Ich bin Journalist bei ‚The Forge'."

„Noch nie davon gehört. Kommen Sie aus New York?"

Die dunkle Stimme aus dem Off prustete vor Lachen.

„Auch, ja."

„Was bedeutet denn der Name dieses Blattes?"

„Übersetzt heißt es ‚Die Schmiede'."

„Die Schmiede?"

„Ja, ‚Die Schmiede der schwarzen Seelen'".

In dem Moment ging die Großbildleinwand aus und im Hörsaal wurde es stockfinster.

* * *

KAPITEL 50

März 1985

Schaffe in mir, Gott, ein reines Herz
und gib mir einen neuen, gewissen Geist.

(Psalm 51,12, LU)

Niemand kümmerte sich um die zwei jungen Männer, welche sich zwischen vollbeladenen Paletten und schreienden Arbeitern ihren Weg in Richtung des Lieferanteneingangs bahnten.

Aus dem Transistorradio neben einem LKW ertönte die Stimme des Radiosprechers:

„18:00 Uhr. Bayern Drei. Die Nachrichten.“

Vor der offenen Stahltür blieb Toni stehen und schaute seinen Begleiter an.

„Bereit, Eddie?“

„Bereit für was? Wenn´s das Übliche ist, immer doch.“

„Naaa, nicht ganz“, antwortete Toni in seinem bayerischen Dialekt.

„Heute habe ich nämlich etwas anderes in meinen Rucksack gepackt. Und mit dieser Fracht tauchen wir gleich ab."

„Abtauchen?"

„Yes, in den Untergrund."

Scheiße, ich glaub', das wird jetzt so richtig wüst...

„Was für ein Untergrund?"

„Abtauchen in das Gängesystem hört sich besser an, stimmt´s, Eddie?"

Weiß der eigentlich selbst, was er da sagt?

„Toni, Alter, was geht?"

Verschwörerisch führte sein Freund den Zeigefinger an die Lippen und fuhr fort: „Wir kennen uns jetzt schon eine ganze Weile und du bist zwischenzeitlich zu einem wirklich begnadeten Fickpulver-Verkäufer geworden."

Scheiß Titel... ‚Herrscher der Welt' hat mir deutlich besser gefallen, dachte sich Eddie und bemerkte, dass seine Beine leicht zu zittern begannen.

„Du erinnerst dich sicherlich, was ich dir vor einem Jahr gesagt habe?"

„Logo, dass wir mit dem Shit so richtig fett Kohle machen wollten. Haben wir doch auch."

„Sauber, Eddie, gutes Gedächtnis. Bist schließlich noch jung. Und in der Tat haben wir es geschafft, dass sich die meisten Dissen und Kokser Münchens unsere Coca reinziehen."

„Komm zum Punkt, Toni", forderte ihn Eddie ungeduldig auf.

„Ja, doch! Oaner geht no, wie man so schön bei uns in Bayern sagt. Ein bisschen konkreter auf Hochdeutsch für dich ausgedrückt, du Anwaltssöhnchen: Ich werde dir gleich einen Ort zeigen, den du noch nie zuvor gesehen hast."

Anwaltssöhnchen… dir zeig ich's gleich…

„Äh, die Kellerräumlichkeiten vom Karstadt, oder was?"

„Ne, Alter", antwortete Toni und lachte laut auf.

„Also, die befinden sich zwar auch dort, aber wir Zwei gehen jetzt in die Katakomben."

„Die was?"

Eddies Stimme überschlug sich vor Angst, und Toni ermahnte ihn erneut, leiser zu sein.

„Yes, Man, da gibt's nämlich ein paar Junkies, die warten schon sehnsüchtig auf den Stoff."

Er schaute mit einem Augenzwinkern über die Schulter zu seinem Rucksack.

„Hast du ´nen Arsch offen, oder was? Es ging bisher nur um´s Koks, Alter. Niemals um das andere Teufelszeug, du verlogenes…"

„Hoid dei Fotzn! Die Fresse halten, sollst du. Du musst dir ja den Dreck nicht selbst spritzen, nur verkaufen. Zusätzliche Einnahmequelle. Wir erledigen das jetzt ganz schnell und hauen wieder ab."

Eddie hatte keine Möglichkeit mehr, weiter zu protestieren. Denn in dem Moment, als einer der Arbeiter misstrauisch zu ihnen herüberblickte und sich langsam auf die beiden zubewegte, zog ihn Toni kraftvoll am Oberarm durch die Eingangstür.

Nach einigen Minuten, vorbei an unzähligen Rohren, verschlossenen Lagerräumen und schweren Brandschutztüren, verlor Eddie die Orientierung.

Toni kennt sich hier aus, verdammt. Und wie komme ich jetzt wieder aus der Nummer raus?

„Hilfe!"

Eine krächzende Stimme riss ihn aus seinen Gedanken, sie konnte nur wenige Meter von den beiden entfernt sein.

„Scheiße", hörte er Toni murmeln, und als sie in den nächsten Gang abbogen, bot sich ihnen ein grauenhafter Anblick.

Unter einem offenstehenden, an der Wand angebrachten Verteilerkasten lagen zwei Männer auf dem Boden. Um sie herum unzählige leere Alkoholflaschen und Spritzenhülsen. Der stechende Geruch nach Kot, Urin und Erbrochenem ließ Eddie augenblicklich würgen, und reflexartig hielt er seinen Schal vor Nase und Mund.

Einer der beiden Junkies blickte sie aus leicht geöffneten Augen an. Der andere rührte sich nicht mehr. An dessen linkem Oberarm befand sich ein festgeschnürter Schlauch und der Unterarm war übersät mit zahlreichen Einstichen.

Scheiße, der ist kurz vorm abnippeln…

Eddies angsterfüllter Blick fiel auf das Gesicht dieses Mannes. Es war blau angelaufen, vor seinem versteiften Kiefer befand sich weißer Schaum.

„Hilfe", gab der Mann kaum hörbar von sich.

„Eddie, renn, verdammt noch mal", rief Toni.

„Was… was soll der Scheiß, Mann? Wir können den doch nicht hier einfach so liegen lassen!", stotterte Eddie voller Panik.

„Doch, zu spät, der ist schon tot und der andere wird auch demnächst… verflucht, Eddie, jetzt komm' schon!"

Toni rannte los, Eddie hinterher.

Nach einigen Metern hatte er das Gefühl, dass sich sein Freund verlaufen hatte, denn er konnte sich nicht mehr daran erinnern, zuvor an einem laut knatternden Generator vorbeigekommen zu sein. Plötzlich stießen sie auf vier Personen, die auf dem grauen Steinboden saßen.

Augen schauten erwartungsvoll in ihre Richtung und Toni blieb vor ihnen stehen.

Der wird doch wohl nicht ernsthaft…

Eddie beobachtete fassungslos, wie sein Freund den Rucksack absetzte und dessen Reißverschluss öffnete.

„Bist du Eddie Konieczny?"

Sein Herz schien von der einen auf die andere Sekunde stillzustehen. Er drehte sich erschrocken um und blickte in das vertrauenserweckende Gesicht eines Mannes, der ihn um einen Kopf überragte. Zwei weitere standen dicht hinter ihm.

„Du Hurenbock, woher kennen die dich?", schrie ihn Toni wutentbrannt an.

*

Eine Viertelstunde später traten fünf Männer traten auf die regennassen Pflastersteine. Draußen war es bereits dunkel geworden, weit und breit war kein Arbeiter mehr zu sehen.

Eddies Blick fiel auf einen schmächtigen Mann, der teilnahmslos auf der gegenüberliegenden Parkbank saß. Der Reißverschluss seiner Hose stand offen, das schlaffe Glied hing heraus, und die Hose war pitschnass.

Angewidert wandte sich Eddie von seinem Begleiter, der ihn am Oberarm festhielt, ab und übergab sich mitten auf den Bürgersteig. Während er sich nicht nur des Abendessens entledigte, spürte er, dass jemand seinen Rücken sanft berührte.

Nachdem er sich wieder aufgerichtet hatte, wischte er mit dem Ärmel des Wintermantels über seinem Mund und schaute dem Begleiter direkt in die Augen.

Sie waren warm und mitfühlend. Er war noch sehr jung, vielleicht nur wenige Jahre älter, als er selbst. Und sein Gesichtsausdruck erinnerte Eddie an irgendjemanden.

Er wusste nur nicht genau, an wen.

* * *

KAPITEL 51

Vor 10 Tagen

Welche ich lieb habe, die strafe und züchtige ich.
So sei nun fleißig und tue Buße!
(Offenbarung 3,19, LU)

Die verschneite Straße, auf welcher sich der weiße Polo mit 70 Kilometer pro Stunde bewegte, lag inmitten eines kurvenreichen Waldstücks. Es war bereits nach 22:00 Uhr und das Licht der Scheinwerfer leuchtete die erste Reihe der dunklen Baumfront aus.

„Hören Sie nun aus der Oper ‚Thaïs' von Jules Massenet das Intermezzo ‚Méditation'. Dirigent: James Levine. Orchester: Wiener Philharmoniker. Solovioline: Anne-Sophie Mutter", kündigte die sonore, männliche Stimme aus dem Radio an.

Nach den ersten Akkorden einer Harfe blickte die Beifahrerin zu ihrem Begleiter am Steuer.

„Weißt du noch, Carlos, wann wir dieses Stück zum ersten Mal gehört haben?"

„Meu Amor, Liebste, du stellst vielleicht Fragen. Das werde ich immer wissen. Solange ich lebe."

„Denkst du, es geht ihm gut?"

„Ich bitte dich. Natürlich geht es ihm gut als frischgebackener Papa. Er ist tüchtig, unser Junge. Wir können stolz auf ihn sein."

„Oh ja, in der Tat. Ich kann es kaum erwarten, am Wochenende die kleine Zoe zu besuchen", fügte sie freudig hinzu, wollte sich gerade zu ihrem Mann umdrehen, da tauchte plötzlich vor ihnen in einer scharfen Linkskurve eine in Schwarz gehüllte Person auf.

„NEIIIN !!!"

Carlos Barbosa trat auf die Bremse und riss ruckartig das Lenkrad nach rechts. Der Wagen drehte sich auf der glatten Fahrbahn mehrfach um seine eigene Achse, krachte durch die Leitplanke und stürzte den steilen Abhang hinab. Er überschlug sich unzählige Male und riss dabei Sträucher und Steine mit.

Anne-Sophie Mutters Solovioline strich währenddessen unbeirrt über ihre Saiten weiter, und dann blieb der projizierte Film mit einem Standbild stehen:

Mit zersprungenen Scheiben lag der Polo auf dem zerquetschten Blech der Fahrerseite.

Tonlos wurde die Filmsequenz wieder fortgeführt.

Hinter einer Wolke trat der Vollmond hervor. Sein Licht leuchte das Wageninnere aus, in welches das Objektiv des

425

Aufnahmegeräts hineinzoomte. Der Kopf von Carlos Barbosa war zur Fensterseite abgeknickt und aus seiner Nase rann das Blut die Wange hinunter. Das Haupt seiner Frau war in seine Richtung gedreht, ihre Augen waren weit aufgerissen und starten regungslos nach vorne.

Die Leinwand wurde auf einen Schlag schwarz.

Zahlreiche Anwesende im Hörsaal schnäuzten sich in ihre Taschentücher, andere schluchzten laut. Die Atmosphäre war bedrückend.

„Unglaublich emotional, nicht wahr? Ja, der Tod nimmt jeden von uns mit. Auch wenn wir die Hinterbliebenen nicht kennen und auch, wenn wir eine schwarze Seele sind. Diesen Schmerz können selbst wir wahrhaftig nachempfinden. Was meint ihr, woran das liegt?", fragte die raue Stimme des Wesens durch die unsichtbaren Lautsprecher.

Aus den Reihen ging eine Hand nach oben.

„Der Herr in Grau, bitte?"

„Meiner Meinung nach liegt das daran, dass wir außerhalb des beruflichen Kontextes jede sich uns bietende Möglichkeit wahrnehmen, unseren eigenen, aufgestauten Schmerz rauszulassen. Muss natürlich unser Umfeld nicht wissen, finde ich zumindest", antwortete der Mann.

„Ich bin begeistert. Eine wahrhaftige Erklärung, die ich so noch nie in Betracht gezogen habe. Das bedeutet in vorliegendem Fall, dass Sie nicht unmittelbar mit den Unfallopfern oder gar den Hinterbliebenen mitfühlen?"

„Nein. Ich stelle mir lediglich vor, wie es wäre, wenn ich derjenige wäre."

„Sie meinen, derjenige in dem Auto, von dem eigenen Tod nur noch wenige Sekundenbruchteile entfernt und ab diesem Zeitpunkt keine Bereicherung mehr für die Gesellschaft? Dann noch ein bisschen Violinenklänge im Hintergrund und Schwupps: Sie heulen los. So etwa?"

„Ganz genauso."

„Wow! Selbstmitleid ist auch eine Tugend. Und das aus dem Munde eines Gentlemans."

„Der ist doch bestimmt schwul", krakelte es aus einer anderen Richtung des Hörsaals.

„Und wenn ich es wäre?", empörte sich der Mann in dem grauen Anzug, „Was dann, du homophobes Arschloch?"

„Herrschaften, ich bitte um Ruhe. Wir driften vom eigentlichen Thema ab. Auch wenn ich persönlich ebenso der Überzeugung bin, dass die Heterosexuellen einfach die besseren Führungskräfte sind."

Einige Buhrufe waren aus dem Publikum zu hören.

„Hach, ihr seid einfach zu süß, wenn ihr euch selbst verteidigt. Ich werde euch vermissen!"

„Gehen Sie?", ertönte es aus den Mündern zahlreicher Anwesenden.

„Bald, ihr Lieben… bald. Wenn ich nur daran denke, werde ich tatsächlich ein klitzekleines bisschen emotional. Nur ein bisschen, natürlich."

Die darauffolgende, hämische Lache war so furchterregend laut, dass die Stimmung im Hörsaal unangenehm eisig wurde.

„Weiter im Text, beziehungsweise im Film, denn wir sind mittendrin statt nur dabei. MAZ ab!"

Die große Leinwand leuchte wieder auf und ein zweistöckiges Wohnhaus mit ausgebautem Dachstuhl erschien im sanften Licht der Morgendämmerung. Leises Vogelgezwitscher war im Hintergrund zu hören und man sah zwei Polizisten, die sich langsam auf das Gebäude zubewegten.

Von hinten zoomte die Kamera an die Beiden heran. Der Klingelknopf neben dem Namensschild, auf welchem ‚Lazar/Barbosa' stand, wurde gedrückt.

Nach einer Weile hörte man ein Knacken in der Sprechanlage und eine weibliche Stimme ertönte:

„Hallo? Wer ist da?", krächzte sie verschlafen.

„Kriminalpolizei München. Bitte entschuldigen Sie die frühe Störung, Frau Lazar. Können wir bitte reinkommen?"

„Äh, um was geht es?"

„Ist Ihr Lebensgefährte zu Hause? Victor Barbosa?"

„Ja, wieso?"

„Wir müssen ihm leider etwas mitteilen."

Nach einigen Sekunden hörte man das Brummen des automatischen Türöffners, die Polizisten traten ein, und das Kameraobjektiv folgte ihnen die Treppen hinauf.

Oben angekommen warteten bereits die Bewohner des Dachgeschosses auf sie: Ana hatte sich eine Strickjacke übergeworfen und ihre Arme schützend vor dem Oberkörper verschränkt. Victor stand im Pyjama neben ihr. Sein Blick sprach Bände.

„Herr Barbosa, also... ich... ähm... wir... wir müssen Ihnen leider mitteilen, dass Ihre Eltern..."

Das Lautsprechersymbol am unteren Bildrand war plötzlich durchgestrichen, und die Kamera richtete ihren Fokus auf Victor:

Seine Beine gaben nach, Ana versuchte ihn am Arm zu stützen, aber er fiel auf den Boden, zog die Beine an seinen Körper, umklammerte mit den Händen die Knie und sein Kopf knallte an die Wand.

Die Filmsequenz wurde angehalten. Das Standbild zeigte ihn mit fest zusammengekniffenen Augen und weit aufgerissenem, schreienden Mund.

Nach einigen Sekunden wurde die Leinwand erneut schwarz, und außer der Notbeleuchtung an der Eingangstür war es im Hörsaal stockfinster.

„Wie reagiert wohl jemand auf den Tod seiner Eltern? Mit purer Verzweiflung und unendlichem Seelenschmerz, natürlich. Aber dieses Leid muss noch um ein Vielfaches unerträglicher sein, wenn sich das Unglück bereits Jahre zuvor abgezeichnet hat. Sozusagen ein Schicksal mit Vorwarnung. Jemand die leiseste Ahnung, was ich damit meine?", raunte die unheimliche Stimme erwartungsvoll.

Aus dem Publikum kam keinerlei Regung.

Die Köpfe aller Anwesenden blickten betreten auf die Tischflächen.

„Sieh' mal einer an, ihr scheint wohl noch unter Schock zu stehen. Unangenehmes Thema, ich weiß. Nun, worauf ich mit meiner Frage hinauswill: Einige von euch wissen bereits, dass man zum einen nicht einfach so aus dieser Schmiede aussteigt. Und des Weiteren niemals versuchen sollte, als Unbeteiligter hinter mein Geheimnis zu kommen. Das wäre genauso absurd, wie wenn man tatsächlich der Überzeugung ist, durch eigene Erkenntnisse die gesamte Menschheit retten zu können. Also, wenn ihr mir eines glauben könnt, dann die Tatsache, dass die Gesellschaft sich nur in ihrer Ganzheit und von innen heraus retten kann."

„Aber beginnt denn Veränderung nicht im Kleinen?", hörte das Publikum eine zaghafte, weibliche Stimme fragen.

„Eine äußerst putzige Anmerkung, wie ich finde. Bringt uns jedoch hier nicht weiter, denn schließlich sind wir nicht zum Kuscheln da, sondern um von den Besten zu lernen. Und damit meine ich nicht die besten Strickliseln."

Schallendes Gelächter ging durch den Saal.

„Ganz euer Humor, ich weiß. Wir können nun mal nichts anfangen mit diesen Möchtegernmanagern und deren Credos à la ´Meinen Mitarbeitern soll es gut gehen, ich rede offen und ehrlich auch über meine Gefühle, bin für Nahbarkeit, Menschlichkeit und Respekt im Unternehmen`."

„Mimimi", ertönten einige Stimmen aus dem Publikum mit anschließendem Gekicher.

„Richtig lächerlich, sehe ich genauso. Ich starte gleich den dritten und letzten Film meiner heutigen Trilogie, und dieser Victor Barbosa spielt erneut die Hauptrolle. Denn er hat sich bereits vor Jahren erdreistet, mit Hilfe der Hypnotherapie mehr als nur einmal bei mir in der Regie vorbeizuschauen. Er als der vermeintliche Retter der Menschheit. Ach ja, eines solltet ihr noch über ihn wissen: ein äußerst labiles Persönchen – depressiv und suizidal gefährdet."

Aus dem Publikum wurde eine hochgestreckte Hand sichtbar.

„Eine Wortmeldung. Um was geht es, bitte?"

Ein Mann mit grau melierten Haaren, sportlicher Figur, enganliegendem, weißen Hemd und schwarzer Krawatte erhob sich. Da die Ärmel umgekrempelt waren, lenkten sie den Blick auf das Gehäuse einer großen Breitling.

„Sie sprachen gerade von diesen labilen Persönlichkeiten, ich kann Ihnen gar nicht sagen, wie sehr ich sie verachte. Wissen Sie, ich bin der CEO von knapp 20.000 Mitarbeitern und habe ständig derartige Hanseln um mich herum. Irgendwo kriecht immer einer aus seinem Loch. Dass die sich nicht zusammenreißen können, darüber könnte pausenlos den Kopf schütteln. Denn genau diese, unproduktiven Leute sind wahres Gift für die Wirtschaft."

„Wow, das ist ja mal eine Ansage! Sie meinen also, dass Vorgesetzte wie Sie stets das Richtige tun, die Probleme in Unternehmen ausschließlich durch das Fußvolk verursacht werden und Sie in Ihrem Elfenbeinturm sich einfach nur entspannt zurücklehnen können?"

„Selbstverständlich. Aber erst, nachdem wir alle Versager aus dem Weg geräumt haben. Oder habe ich da etwas in Ihrer Schmiede falsch verstanden? Ich war nun wahrlich oft hier, habe mir Inspirationen sowie Ihre Absolution geholt."

„Absolution? Jetzt wird´s spannend. Was genau meinen Sie?"

„Na, die Absolution, unsere Arbeitswelt unaufhörlich zu einem bunten Ort aus Leistung, Macht, Intrigen und knallhartem Wettbewerb auszubauen."

„Äußerst interessant, was manch einer in meine Worte hineininterpretiert. Sie sagen also, wenn sich bis zum jetzigen Zeitpunkt im Unternehmen noch keiner über Sie beschwert hat, dann Scheiß auf die Leichen, über die Sie gegangen sind und auch weiterhin gehen werden?"

„Umgebracht habe ich bisher noch niemanden, aber ja: Scheiß drauf! Und mal ganz ehrlich unter uns: Meinem Unternehmen geht es blendend, die Umsätze steigen – läuft!"

„So, so. Läuft, also? Dann ist ja alles in bester Ordnung. Eine letzte Frage habe ich noch an Sie, bevor wir endlich meine heutige Trilogie vollenden: Sind Sie stolz auf sich?"

„Klar. Warum auch nicht?"

„Sie sind also stolz darauf, wie Sie sind?"

„Äh ja, sagte ich doch bereits. Warum bohren Sie nach?"

„Das kann ich Ihnen sagen: Im Grunde genommen sind Sie hinter Ihrer mächtig wirkenden Fassade einfach nur ein Kind, welches nie in seinem Leben bedingungslose Liebe erfahren durfte."

„Liebe?"

„Verstehen Sie nicht, ich weiß. Noch ein Hinweis von meiner Seite: Schauen Sie nach dem Aufwachen mal in den Spiegel. Heben Sie den oberen Wimpernkranz Ihres linken Auges und betrachten Sie dieses ganz genau. Dann wissen Sie, wie es um Sie und Ihre schwarze Seele bestellt ist. MAZ ab!"

Auf der Großbildleinwand tauchten drei Zeilen in fettgedruckter, schwarzer Schrift auf:

Die nachfolgende Sendung ist für Zuschauer unter 18 Jahren nicht geeignet. Sie enthält Szenen, die Ihr sittliches Empfinden verletzen könnten.

Nachdem der Hinweis wieder ausgeblendet wurde, sah man von Hinten einen Mann, der an einem Schreibtisch saß und dessen schulterlange Haare zu einem Zopf zusammengebunden waren. Sein Oberkörper war nach vorne gebeugt, man konnte der leichten Bewegung des rechten Oberarms entnehmen, dass er gerade schrieb.

Die Kamera bewegte sich auf seinen Rücken zu und wurde über die rechte Schulter hochgehalten. Das Objektiv zoomte an das Papier heran.

„5. November 2010", war in kritzeliger Schrift zu lesen.

Der Rest des bis zur Hälfte beschrieben Blattes war unscharf und kein einziges Wort zu entziffern. Dann schwenkte das Aufnahmegerät zum Kopf des Mannes:

Es war Victor Barbosa, sein Gesicht tränenüberströmt, die Augen verquollen und rot.

Die Aufnahme wurde in den Standby-Modus versetzt und die Stimme des unsichtbaren Wesens flüsterte leise und doch unüberhörbar:

„Ladies and Gentlemen, einmal noch kurz durchschnaufen und dann ganz tapfer sein. Ich könnte mir vorstellen, dass nach den folgenden Bildern nur noch die Hälfte von euch hier im Saal anwesend sein wird."

Der Film wurde fortgesetzt, und die Zuschauer fanden sich in einem sonnendurchfluteten Schlafzimmer wieder. Die Bettdecke lag glatt auf der dicken Matratze, und neben dem linken Kopfkissen befand sich ein kleiner Nachttisch. Die Kamera fing diesen zunächst ein, machte einen Schwenk nach oben und verharrte dann still.

An einem silberschimmernden Deckenhaken war ein stabiles Seil befestigt, welches zu einem Henkersknoten gebunden war. Die freilaufende Schlinge war so groß wie der Kopf eines erwachsenen Menschen.

Während das Kameraobjektiv von der Decke zum Fußbodens zoomte, hörte man aus dem Publikum im Hörsaal einige spitze Schreie, die von Angst und Entsetzen zeugten.

Auf der Leinwand war ein niedriger, dreibeiniger Hocker zu sehen, welcher sich direkt unter dem Deckenhaken befand. Und dann tauchte Victor auf der Bildfläche auf: Langsam stieg er auf den Schemel, schaute nach oben und zog sich die Schlinge vom Kinn über den Kopf bis hinter seine beiden Ohren.

Erneut erklangen entsetzte Schreie aus den Reihen.

Genau in dem Moment, als Victor den Knoten fest um seinen Hals zugezogen und seine Hand von diesem gelöst hatte, erschien am unteren Bildrand ein langer, schwarzer Kapuzenmantel.

Dann war die Filmsequenz zu Ende, die Leinwand wurde in ein dunkles Rot getränkt ,und zahlreiche Anwesende stürmten heulend und mit angstgeweiteten Augen zum Ausgang.

„C´mon, Ladies and Gentlemen! Auch wenn mir eure Reaktion bereits im Vorfeld klar war, so seid ihr doch sonst so hartgesotten. Alles Fassade, nicht wahr? Nun gut, kommen wir noch kurz zum krönenden Abschluss der heutigen Nacht und zu einem ganz besonderen Ehrengast.“

Zwischen den Sitzreihen drehten sich ein paar verbliebene Köpfe um und ließen ihren Blick suchend durch den Saal schweifen.

„Nicht doch, nicht doch. Sie, also unser weiblicher Gast, ist nicht hier. Denn sie hat bereits in meiner Regie Platz genommen. Lasst uns gleich mal zu ihr schalten.“

Während er sprach, erschien auf der Leinwand des Hörsaals die Liveaufzeichnung aus einem Raum mit zahlreichen, flackernden Bildschirmen. Der Zuschauer hatte jedoch nicht die Möglichkeit, näheres zu erkennen, denn die Kamera machte eine 180 Grad Drehung und fokussierte eine Frau.

Ihre Hände waren hinter dem Rücken an einen Stuhl gefesselt. Das Verstörende an ihrem Anblick war jedoch, dass Ober- und Unterlippe mit einem schwarzen Bindfaden zusammengenäht waren.

Mitgenommen und müde schaute sie direkt in das Objektiv.

„Manchen muss man einfach das Maul stopfen. Alles andere ist für einen selbst hinderlich", kommentierte das Wesen für sein Publikum.

Woher kenne ich diesen Ort? Woher kenne ich ihn nur? Ich war noch nie hier, aber wer hat mir bereits… Gott gütiger: Victor!", ging es Ana durch den Kopf.

Es war einer dieser Momente, in welchen sie ganz genau spürte, dass sie träumte, aber nicht aufwachen konnte. Noch nicht.

Die Kamera schwenkte wieder zurück zu den kleinen Bildschirmen über dem Mischpult und auf allen erschien erneut Victor.

Man sah ihn in voller Größe, seinen Kopf in der Schlinge, die Hände überkreuzt hinter seinem Rücken verbunden.

Oh nein, jemand hat ihn… das war also gar kein Suizid?

Unter dem langen Kapuzenmantel, der ebenfalls noch im unteren Bildrand zu sehen war, kam ein schwarzer Schuh hervor. Mit einem kräftigen Tritt wurde der dreibeinige Schemel umgestoßen, und Victors Todeskampf begann.

Das Lautsprechersymbol war durchgestrichen und die Kamera ausschließlich auf seine Beine gerichtet. Strampelnde Bewegungen wechselten sich mit starken Zuckungen ab.

Plötzlich war alles ruhig.

Und zwei Füße hingen reglos nach unten.

*

„NEIN !!!"

Zoe wurde durch den lauten Schrei wach, rannte in das Schlafzimmer ihrer Mutter, kroch zu ihr unter die Bettdecke und umarmte sie, so fest sie nur konnte.

„Mama, was ist los? Was hast du geträumt?"

Anas ganzer Körper zitterte, der Schweiß lief ihr über die Stirn und sie weinte unaufhaltsam.

Minutenlang.

* * *

KAPITEL 52

Freitag, 5. November 2010

Liebste Ana,

dieses ist mein letzter Tagebucheintrag.

Ich weiß, Du wirst mich anfänglich hassen.

Mich verfluchen.

Mich am liebsten anschreien.

Nach dem ‚Warum‘ fragen.

Du wirst unaufhörlich danach suchen und nie eine Antwort auf deine Fragen bekommen.

Mir ist bewusst, dass genau das das Unfassbare ist:

Der eigene Partner geht, einfach so, und stellt sich nicht mehr dem Leben mit all´ seinen Herausforderungen.

Obwohl man dachte, dass die Liebe doch da sei...

Ja, sie IST da.

Durch dich, Ana.

Durch dich und Zoe.

Sie ist so da wie niemals zuvor.

Und trotzdem gehe ich.

Warum?

Weil das Leben MIR gehört.

Denn es ist MEIN Leben.

Und es ist meine alleinige Entscheidung, es fortzuführen, oder eben zu beenden!

Ob ich es freiwillig tue?

Nun, was ist schon freiwillig in unserem Leben?

Nichts passiert ohne Grund.

Nichts geschieht ohne Emotionen, auch wenn es uns so viele dieser schwarzen Seelen da draußen einbläuen wollen.

Keine unserer Aktionen steht im luftleeren Raum.

Jede ist auf irgendeine Art und Weise eine Reaktion.

Eine Reaktion auf Reales, und auch auf vermeintlich Irreales, das sich in unseren Träumen abspielt.

Du sollst wissen, dass ich gestern Abend einen Anruf bekam, während Du bereits auf der Couch eingeschlafen warst… von einem meiner ehemaligen Teilnehmer aus der Selbsthilfegruppe. Es war ein ziemlich beängstigendes Telefonat, denn dieser Mann erzählte mir von einem Auftrag, den er bekommen haben soll – einen Auftrag über Leben und Tod.

Und einer damit verbundenen Entscheidung, die er wohl nicht in der Hand habe.

Was das alles mit mir zu tun hat, weiß ich nicht.

Ich weiß nur, dass wir es selbst in der Hand haben, unsere Entscheidungen zu treffen.

Wie können wir Menschen uns eigentlich erdreisten, es „ihm" – dem Teufel allein – in die Schuhe zu schieben?

Ja, ich habe vor einigen Monaten anders gedacht. Vielleicht, weil es in dem Moment bequem für mich war.

Jedoch hat mir der schmerzhafte Verlust meiner Eltern eins aufgezeigt:

Der Tod ist die andere Seite des Lebens.

Die eine Seite kenne ich nun zu genüge, und ich habe keine Kraft mehr, sie noch einmal zu durchleben, denn „sie" sind wieder da… im Grunde genommen waren sie auch nie weg… ich hatte nur gelernt, mit ihnen umzugehen… unter größter Kraftanstrengung.

Somit wäre ich für dich und Zoe keine Unterstützung. Ich wäre nur noch ein Klotz am Bein. Und Du sollst mich nicht als Versager und kranken Menschen in Erinnerung behalten. Du sollst mich in Erinnerung behalten als einen Mann, für den das Beste, was ihm je in seinem Leben passieren konnte, seine Frau und seine Tochter sind.

„Das einzig wichtige im Leben sind Spuren von Liebe, die wir hinterlassen, wenn wir Abschied nehmen", hat einmal Albert Schweizer gesagt.

Mögen du und Zoe nur an das eine denken, wenn ihr euch gemeinsam an mich erinnert:

Die Liebe!

Ewig dein,
Victor

* * *

KAPITEL 53

Vor drei Tagen

Denn es ist gekommen der große Tag seines Zorns,
und wer kann bestehen?
(Offenbarung 6,17, LU)

Der Hörsaal glich einer einzigen Tanzfläche. Neben den
Stuhlreihen und Tischplatten war auch das Podium
verschwunden. Stattdessen flackerten zahlreiche Stroboskope,
Laser, Scheinwerfer und LEDs zum Beat der dröhnend lauten
Musik:

„Temple of Love" von The Sisters of Mercy untermalte mit dem
orientalischen Gesang von Ofra Haza die aufgeheizte
Atmosphäre. Ekstatisch tanzende Körper kamen sich näher und
Hände berührten einander.

Abrupt verstummte der Sound, das grelle Putzlicht ging an, und
entsetzt blickten die Anwesenden in die dunklen Augenringe ihrer
Gegenüber.

„Wunderschönen guten Abend, Ladies and Gentlemen. Ich
nehme an, ihr seid bereit für die Wahrheit und nichts, als die

Wahrheit, so wahr Euch Gott helfe? Denn der vermeintliche Teufel, der kann euch wirklich nicht mehr helfen."

Hinter vorgehaltenen Händen flüsterte das Publikum miteinander und nervös man blickte sich im Saal um.

„Wieso kannst du uns denn nicht mehr helfen?", ertönte eine männliche Stimme inmitten der Menge.

„Nun, weil… weil auch ich mit meinem Latein am Ende bin."

„Du? Am Ende? Über Jahre gibst du einem zu verstehen, dass die einzig wahre Verhaltensweise das Perfide, Intrigante, das Menschenverachtende ist. Und jetzt lässt du uns einfach so im Regen stehen? Jetzt, wo es richtig spannend wird, knickst du ein?"

„Als einknicken würde ich das nicht bezeichnen. Eher als Einsicht. Schließlich ist Irren menschlich, oder nicht?"

„Menschlich, ja! Aber du bist doch kein…", intervenierte eine weibliche Stimme aus dem Pulk.

„Sachte, sachte. Eins nach dem anderen. Ich möchte mich nämlich noch gerne kurz mit euch über Zitate bedeutender Persönlichkeiten austauschen. Denn diese mag ich mindestens genauso wie die Musik. Ein letzter, kleiner Exkurs vor dem großen Finale. Also: Welche fallen euch spontan zum Stichwort ‚Wahrheit' ein?"

"Ich weiß, dass ich nichts weiß", begann eine weitere, männliche Stimme die Runde.

„Sehr gut. Sokrates war ein weiser Mann", kommentierte das Wesen.

"In Wirklichkeit erkennen wir nichts, denn die Wahrheit liegt in der Tiefe."

„Oh ja, in der dunklen Tiefe, sogar. Demokrit war auch ein tiefgründiger Zeitgenosse. Vielen Dank, die Dame. Der Herr mit dem nackten Oberkörper?"

"Wahrheit ist die Erfindung eines Lügners."

Schallendes Gelächter ertönte durch die unsichtbaren Lautsprecher.

„Ob Heinz von Foerster schon damals mich damit meinte? Wer weiß, wer weiß. Zwei Zitate dürfen es gerne noch sein. Ja, die Dame mit der roten Bluse?"

"Es gibt keine Wirklichkeit als die, die wir in uns haben."

„Ich bin begeistert. Begeistert von Hermann Hesses Zitat, aber auch von Ihnen, Lady in Red. Wer von euch sorgt noch für den krönenden Abschluss?"

„Ich!", antwortete ein Mann und fuhr fort:

"Was auch als Wahrheit oder Fabel in tausend Büchern dir erscheint, das alles ist ein Turm zu Babel, wenn es die Liebe nicht vereint."

Vereinzelt war Applaus aus dem Pulk zu hören.

„Johann Wolfgang von Goethe und sein Zitat als wahrlich würdevoller Abschluss. Verehrte schwarze Seelen, es geht doch nichts über die Liebe."

„Wenn genau diese Worte jemand während all deiner Lektionen fallengelassen hätte, hättest du ihm ‚Was für eine gequirlte Scheiße' an den Kopf geknallt. Zurecht, wie ich finde", kommentierte erneut der Mann, welcher zu Beginn das Wort ergriffen hatte.

„Du bist und bleibst ein Arschloch vor´m Herrn! Mit einem pechschwarzen Fleck auf dem linken Augapfel und mit einer schwarzen Seele, die schon längst verloren ist. Mit dir spreche ich nicht mehr, denn dafür ist mir die verbleibende Zeit zu schade. Tja, ihr Lieben, schon mal drüber nachgedacht, dass ich auch nur…"

„Ach du Scheiße… du bist etwa auch nur ein Mensch?", schrie eine weibliche Stimme voller Verzweiflung.

Erneut flüsterten zahlreiche Anwesende miteinander. Ihre Mimik drückte Verwirrung, Angst und Unsicherheit, aus.

„So ungefähr. Und ich halte es auch keine Sekunde länger aus. Keine Sekunde länger, mich vor euch zu verstecken und irgendeine Rolle zu spielen, die Rolle des ach so bösen Teufels. Für euch, die ihr diese Absolution für euer erbärmliches Sein braucht, euch in Sicherheit gesuhlt habt, genauso weiterzumachen, wie bisher. Ihr wollt, allen Ernstes, einzig und allein MICH für das ganze zwischenmenschliche Elend in den Unternehmen dieser Welt verantwortlich machen? Mich in der Guillotine hängen sehen? Wie ich aussehe, wollt ihr schon seit so langer Zeit wissen? Ob ich Hörner habe? Blutunterlaufene Augen? Einen Totenschädel? Ich soll also meine Maskerade fallen lassen? Seid ihr denn wirklich stark genug? Bei den meisten von euch, bezweifle ich das ganz stark. Aber ihr habt es nicht anders verdient, also schaut ganz genau hin. JETZT!!!", schrie die Stimme laut und voller Häme.

Das Publikum schaute zu der Großbildleinwand, welche sich in einen überdimensionalen Panoramaspiegel verwandelt hatte.

Und jeder der Anwesenden erblickte:

Sich selbst.

Das darauf einsetzende Geschrei der Masse war laut und panisch. Alle wollten aus dem Hörsaal herausstürmen, aber die Treppen waren verschwunden und eine Fluchttür war nicht zu sehen.

„Gefangene eures Selbst. Was für eine Erkenntnis, und für diejenigen unter euch, die es immer noch nicht verstanden haben: ICH BIN IHR, und ich stecke in jedem von euch."

Nicht nur die Tanzfläche fing an, knackende Geräusche von sich zu geben, auch der vibrierende Spiegel. Die Risse im Boden wurden immer größer, und die Platten drifteten langsam auseinander.

„Eure Fassade, die schon seit langer Zeit Risse hatte, zerbricht. Unaufhaltsam. Ihr hattet, selbst bis zum heutigen Abend, eine Chance, wirklich und wahrhaftig an euch zu arbeiten. Was habt ihr stattdessen getan? Eure widerliche Maske Tag für Tag geflickt. Ihr konntet das Spektakel nur deswegen aufrechterhalten, weil ihr durch andere schwarze Seelen gedeckt wurdet. Eure Existenz ist eine wahre Schande für die Menschheit."

Nach einer kurzen Pause schrie die Stimme noch einmal mit allerletzter Kraft:

„Es liegt an EUCH, verdammt noch mal, die Welt zu einem besseren Ort zu machen, an niemandem sonst!"

Der Boden brach auseinander, alle Lichter im Saal gingen aus, und eine Totenstille legte sich über die Nacht.

* * *

KAPITEL 54

Vorgestern

Lasset uns aber Gutes tun und nicht müde werden; denn zu seiner
Zeit werden wir auch ernten ohne Aufhören.

(Galater 6,9, LU)

„Wie war er denn so?"

„Du meinst Papa?"

„Wen sonst?"

„Nun, dein Papa… Victor war ein ganz besonderer Mensch, mein
Ein und Alles eben."

Das Mädchen mit den dunklen Locken schaute ihre Mutter
neugierig von der Seite an und hakte sich bei ihr unter. Neben den
beiden spazierten an diesem Nachmittag nur wenige Menschen
am Flussufer der Isar entlang. Die Temperaturen waren
außergewöhnlich mild für die Jahreszeit, aber es fiel bereits ein
leichter Nieselregen über München.

Ana zog die Mütze tiefer in ihr Gesicht, kuschelte sich in ihren
Lammfellmantel und zog Zoe näher an sich heran.

„Bevor du mir mehr über Papa erzählst, musst du mir bitte eine Frage beantworten."

„Welche, mein Schatz?"

„Was hast du vor einer Woche geträumt, Mama? Ich meine diese eine Nacht, in welcher du schweißgebadet aufgewacht bist und danach eine halbe Stunde lang durchgeweint hast. Das hat mir Angst gemacht und dieses ungute Gefühl bekomme ich seitdem nicht mehr weg."

„Ach, Zoe, manche Dinge müssen Kinder einfach nicht wissen."

„Blablabla… das sagen die Erwachsenen immer dann, wenn´s interessant wird. Meinst du nicht, dass auch ich ein Recht auf die Wahrheit habe?"

„Die Wahrheit ist nicht immer das, was man hören möchte, meine Kleine."

„Nenn mich nicht immer ‚Kleine'! Ich bin schon fast Dreizehn."

„Hallo, du bist erst im Dezember zwölf geworden."

„Sag ich doch."

„Von wem du wohl deine spitze Zunge hast?"

„Na, von dir. Papa kenne ich ja schließlich nicht. Also, raus damit. Was hast du geträumt?"

Die stark verkürzte Version. Gib ihr nur eine undetaillierte Zusammenfassung, dachte sich Ana.

„Ich habe von diesem einen Tag geträumt. Dem Tag, an dem sich mein Leben auf einen Schlag geändert hat."

„Du meinst, als Papa den tödlichen Unfall hatte?"

„Ja", antwortete Ana kurz.

Sie wusste, dass sie ihrer Tochter irgendwann einmal die ganze Wahrheit sagen würde. Ihr war bewusst, dass Zoe ein Recht darauf hatte. Was hätte sie ihr jedoch all die vergangenen Jahre sagen sollen?

„Zoe, dein Vater litt unter Depressionen und hat sich in unserem Schlafzimmer erhängt. "

Noch abstruser war für Ana die Vorstellung, ihrer Tochter von dem Albtraum zu erzählen.

„Mein Kind, dein Vater hat sich gar nicht umgebracht, denn er wurde vielleicht ermordet. "

Keine der Optionen kamen für sie nur ansatzweise in Frage und genau in dem Moment, als sie an den Traum dachte, kam ihr ein unüberhörbares „Ach du Scheiße" über die Lippen.

„Jetzt lenk nicht ab, Mama. Was ist denn nun schon wieder?"

Zoe rollte mit den Augen.

„Lilian... ich... ich habe mich seit letzter Woche nicht mehr bei ihm gemeldet. Ich hab' ihn ganz vergessen vor lauter Kelleraufräumen...“

...und dem Auffinden von Victors Tagebuch!

„Mensch, Mama. Er hätte das doch niemals gewollt.“

„Lilian?“

„Neee! Mann, wo bist du denn gerade mit deinen Gedanken? Ich meine Papa. Auch wenn ich ihn nicht kenne, ich bin mir sicher: Für den Mann, in den du unsterblich verliebt warst und mit dem du mich bekommen hast, für den hättest du doch alles getan, oder?“

„Hm, auf den einen oder anderen Gin mit Olive hätte ich niemals verzichtet“, grinste Ana ihre Tochter schelmisch an.

„Du machst wieder Blödsinn, ein gutes Zeichen. Denkst du, Victor hätte gewollt, dass du nach seinem Tod bis ans Ende deiner Tage einsam bleibst und innerlich verschrumpelst?“

„Nein, aber...“

„Nix, aber! Ich bin zwar noch nicht ganz volljährig, aber weder blind noch doof. Ich habe sehr wohl mitbekommen, dass du seit letztem Samstag vollkommen neben der Spur bist. Nichts für ungut, Mama. Jeder ist mal schlecht drauf, aber ich bin auch noch da. Und dieser Lilian, der verdammt gut zu dir passen würde…"

„Mein Kleines, ich weiß nicht."

„Noch einmal dieses ‚K-Wort', und ich ziehe hier aus", drohte Zoe schelmisch grinsend.

Ein Fahrradfahrer fuhr an ihnen vorbei. Auf seinem Gepäckträger hatte er einen alten CD-Player befestigt, der laut „Liebe ist alles" von Rosenstolz aus seinen Lautsprechern trällerte.

Zoe blickte mit einem Hauch von Ernsthaftigkeit in Anas Augen:

„Nachdem dir ja diese blöde Fotze gekündigt hat…"

„Pssst, Kleines, äh, Kind, also, ich meinte, Zoe. So spricht man doch nicht über andere."

„Ach nein? So hast du sie auch genannt, als du dich bei Valli über sie beschwert hast."

„Das ist was anderes."

„Nö. Ist es nicht. Sei´s drum, was hast du nun vor, Ana Lazar?"

„Hm, ich weiß noch nicht… vielleicht schreibe ich ein Buch."

„Ein Buch? Ein Kinderbuch?"

„Pah, erstmal wird´s so richtig düster. Nach dem ganzen Dreck die letzten Jahre."

„Also, etwa ein Psychothriller? Cool, meine Mutti wird Autorin."

„Ähm, wenn ich das ‚K-Wort' nicht mehr benutzen darf, dann du aber auch ganz bestimmt nicht das ‚M-Wort'."

„Gebongt. Du?"

„Ja?"

„Weißt du, was ich dir schon lange nicht mehr gesagt habe?"

„Was denn?"

„Dass ich dich liebe, Mama."

„Und ich liebe dich, mein Engel!"

* * *

KAPITEL 55

Gestern

Alle eure Dinge lasset in der Liebe geschehen!
(1. Korinther 16,14, LU)

„Ich werd´ verrückt! Bist du nicht die Frau, die vor zwanzig Tagen in meiner Schmiede randaliert hat?"

„Randaliert? Dein Hang zur Übertreibung fällt mir nicht erst jetzt auf. Aber ja: die bin ich."

„Ganz schön mutig."

„Wieso?"

„Weil das zuvor noch niemand gemacht hat."

„Tja, einmal ist immer das erste Mal. Auch für dich."

„Wer bin ICH denn für dich?"

„Viele."

„Viele?"

„Ja, du bist Viele für mich."

„Du sprichst in Rätseln."

„Machst du doch auch."

„Ist ja auch MEIN Privileg."

„Sagt wer?"

„Na, ich!"

„Schön für dich, sehe ich anders."

„Boah, bist du anstrengend."

„Alles andere wäre doch langweilig. Diese ‚Ja- und Amen-Sager'
sind dir in der Regel lieber, ich weiß."

„Irgendwie schon."

„Weil du dann deine Ruhe hast?"

„Auch."

„Warum noch?"

„Weil ich mich nicht rechtfertigen muss."

„Rechtfertigen, für was?"

„Für meine Taten."

„Untaten meinst du wohl?"

„Liegt immer im Auge des Betrachters."

„Nö."

„Was heißt hier ´Nö`?"

„Wie menschlich, beziehungsweise, unmenschlich man sich seinem Gegenüber verhält, liegt keinesfalls im Auge des Betrachters. Denn es gibt auch im beruflichen Kontext einen Verhaltenskodex, der unumstößlich ist. Leider wird über den selten gesprochen. Und wenn doch, dann nur hinter vorgehaltener Hand – ein Elend, wie ich finde."

„Ein Kodex? So wie der meiner Schmiede?"

„Mitnichten! Wir sprechen hier von dem kompletten Gegenteil, denn es geht um Leitlinien wie: Du sollst deine Mitarbeiter nicht degradieren, mobben, anschreien, nicht deinen Narzissmus, Machiavellismus und psychopathisches Selbst an ihnen ausleben, sollst sie nicht aus festen Arbeitsverhältnissen zu dir locken – wohlwissend, welchem politischen Wahnsinn sie vom ersten Arbeitstag zum Opfer fallen, sollst dir nicht aus der Unternehmenskasse Gelder abzwacken… ich könnte jetzt stundenlang weitermachen. Aber Gott sei Dank sind nicht alle Führungskräfte und Betriebsräte riesen Wich…"

„Pssst, zügle deine Zunge und lass Gott aus dem Spiel."

„Warum denn? Weil er weiß, wie´s geht?"

„Wie WAS geht?"

„Na, das mit der Ehrlichkeit und Aufrichtigkeit."

„Och, Gott weiß auch nicht alles."

„Darum geht es doch nicht, sondern ob man sich selbst noch im Spiegel anschauen kann."

„Dein Ehrgeiz, immer das letzte Wort haben zu müssen gefällt mir nicht. Jetzt sag schon: Was genau denkst du über mich? Starten wir mal mit deiner wichtigsten Erkenntnis."

„Na, die liegt auf der Hand: Du bist in uns allen, ein Stück weit, zumindest. Du probierst es bei jedem aus, klopfst an seine Tür. Dann lässt man dich rein, du schaust dich in seinem Haus um, und wenn es dir und dem Bewohner gefällt, dann hält eure Verbindung ewig."

„Nichts ist für die Ewigkeit. Du weißt doch, am Ende wird…"

„Ja doch: Am Ende wird der vermeintliche Teufel auch über das Böse richten. Karma kennt unsere Adressen, und so weiter. Aber wer weiß besser als du, dass jede Seele bis zu ihrem Tod eine Wahl hat. Eine Wahl, entweder dir bis zuletzt zu dienen oder aus deinem perfiden Spiel aus Macht und Intrigen auszusteigen."

„So einfach ist das nicht, denn was passiert mit Verrätern, wenn sie aussteigen?"

„Ist mir inzwischen klar geworden: Exil auf dem russischen Bauernhof, Gefängnis, Psychiatrie, Drogenhölle und so weiter. Das verstehen aber die realen, schwarzen Seelen da draußen nicht. Und zwar sind das diejenigen, die entweder beratungsresistent sind und von sich so überzeugt, dass es schon weh tut. Oder sich ihren breiten Hintern bereits seit Jahrzehnten in irgendeinem Laden plattgesessen haben. Sehen wir das Ganze doch mal pragmatisch: Wenn genau die selbst JETZT nach über 450 Seiten nicht checken, dass sie sich gefälligst anders verhalten und schnellstens ihre Kindheit aufarbeiten sollten, dann…"

„… dann enden sie als Wasserleiche am Hafen von Sotschi?"

„In der Fiktion ja. In Realität wohl weniger. Jedoch ist eines so sicher, wie das Amen in der Kirche: Sie werden eines wunderschönen Tages, von der Gesellschaft verstoßen, vor ihrer Glotze sitzen. Auch nicht wirklich beneidenswert, oder?"

„Autsch, oder um es mit einem deiner Lieblingswörter auszudrücken: ‚Mitnichten'."

„Ha, du bist ja doch noch lernfähig. Sehr gut. Weißt du, ich sehe das mit dem Tod genauso, wie du einmal zum lieben Eddie gesagt hast: *Der Tod ist nicht das Schlimmste, was einem Menschen widerfahren kann. Es ist oft grausamer, bei lebendigem Leibe vor sich hinvegetieren zu*

müssen. Verachtet zu werden und seinen hochdotierten Posten zu verlieren.
Und dann das erste Mal im Leben so etwas wie Reue zu verspüren.""

„Und das hast du dir alles wortwörtlich behalten?"

„Ein Leichtes für mich. Im Übrigen gibt es eine Eigenschaft, die ich an dir mag."

„Ist nicht wahr! Und die wäre?"

„Hätte ich auch nicht gedacht, mal behaupten zu können, ich würde mit einem teuflischen Wesen ´ne Leidenschaft teilen, und zwar die Liebe zur Musik und deren Bedeutung."

„Geht runter wie Öl. Auch ich hätte nie zu hoffen gewagt, dass mich ein Mensch mit nur einem Satz so berühren kann."

„Schleimer! Kennst du das Lied ´Power` von Ellie Goulding?"

„Uhhh, die Ellie, die finde ich so ziemlich…"

„Hübsch, ich weiß. Darum geht es jedoch nicht. Diesen Song habe ich dir zu unserem krönenden Abschluss mitgebracht."

„Krönender Abschluss?"

„Jetzt tu nicht so. Wir beide hatten ein sehr intensives, halbes Jahr miteinander, jedoch…"

„Ich weiß, ich weiß… dich zieht es weiter."

„Richtig. Und man sollte immer dann aufhören, wenn es am schönsten ist. Aber zuvor sollst du wissen, dass ich dir diesen Song von Ellie mitgebracht habe, weil er exakt das zum Ausdruck bringt, was ich von dir halte. Zieh' ihn dir nachher mal in Ruhe rein. Ich kann ihn jetzt leider nicht Zeile für Zeile mit dir durchgehen… Ellies Urheberrechte, und so."

„Korinthenkacker."

„Ich mag dich auch… irgendwie… seltsam, nicht? Letzte Frage, Mr. Devil: Stell' dir vor, du hättest noch einen einzigen Tag zu leben."

„Zu leben? Bin ich denn überhaupt am Leben?"

„Deswegen sagte ich ja ‚Stell' dir vor'. Also, was würdest du an diesem, deinem allerletzten Tag erleben wollen?"

„Nur eins."

„Und das wäre?"

„Bedingungslose Liebe!"

* * *

THE END

FÜR MEINE LESERINNEN UND LESER

Es gibt keine Zufälle im Leben. Und somit ist es auch kein Zufall, dass dieses Buch 55 Kapitel umfasst.

Warum dem so ist?

Die ‚Engelszahl 55' ist eine Zahl, die große Veränderungen im Leben eines Menschen mit sich bringt. Überall dort, wo diese auftaucht, wird sie viel Freude und Glück bringen.

Vor Euch allen liegt somit eine Zeit des Wachstums – voller neuer Möglichkeiten und Begegnungen. Alles, was Ihr tun müsst, ist, Euch dieser Botschaft bewusst zu sein, stets auf Eurem Weg zu bleiben und Euch nicht beirren zu lassen.

Dann könnt Ihr alles erreichen, was Ihr Euch wünscht.
Aber das Wichtigste ist, immer nett zueinander zu sein… ist auch gar nicht so schwer – oder wie es so schön in einer niederländischen Lebensweisheit heißt:

„Sei einfach nur normal, dann bist du schon verrückt genug."

Von Herzen,
Eure Ellen Maier

DANKSAGUNGEN

Mein größter Dank gilt einer Frau, die nicht nur meine Lektorin ist, denn: Sie ist mein Coach, mein Kritiker, mein Motivator, mein Adlerauge, meine Vogelperspektive, mein Pfälzer Mädel, mei Herzkersch – und sie ist ein Mensch, dem mein Respekt sowie meine Hochachtung und grenzenlose Dankbarkeit gebührt:

Julia Schoch-Daub.

Liebe Julia, danke, dass Du an mich und ‚Die Schmiede der schwarzen Seelen' von Anfang an geglaubt hast. Danke, dass Du die erste Zeit so gnadenlos kritisch deinen Rotstift geschwungen hast, dass Du jedoch danach umso herrlich herzlicher und lobeshuldigender unterwegs warst. Danke, dass Du bei allen Charakteren des Buches deinen Gefühlen freien Lauf gelassen hast. Das war mein Motor, um zum einen noch tiefer in zwischenmenschliche Abgründe abzutauchen. Und des Weiteren, um der Liebe den Raum zu geben, welchen sie in unser aller Leben verdient.

Danke für eine unvergessliche Zeit. Für ein Teamwork, das seinesgleichen sucht und für dein unendlich großes Herz.

Bis zu unserem nächsten Projekt werde ich dich vermissen!

Mein Dank gilt des Weiteren meiner Cover-Illustratorin, der wunderbaren Petra Kerstin Lober:

Liebe Petra, Du hast die ‚Auftragsarbeit', wie Du sie gerne nennst, nicht nur mit Bravour umgesetzt. Du hast es des Weiteren geschafft, den Spagat zwischen der dunklen, morbiden Welt und dem Glauben an die Liebe mit einer Farbauswahl und einem Motiv so zu schaffen, als dass mein Herz berührt wurde. Danke auch für deinen Glauben an mich – seit so vielen Jahren!

Ein riesengroßes Dankeschön gilt meiner unfassbar wertvollen LinkedIn-Community:

Nicht erst, seit ich im August 2021 angefangen habe, dieses Buch zu schreiben, sondern bereits seit mehr als 6 Jahren steht Ihr hinter mir. Hinter meiner etwas „anderen" Art, HR in Unternehmen zu gestalten, Bewerberinnen und Bewerber sowie Mitarbeiterinnen und Mitarbeiter wahrzunehmen, zu fördern und stets im Sinne der Menschlichkeit und Werteorientierung zu leben. Danke Euch allen von Herzen!

Abschließend danke ich allen schwarzen Seelen, denen ich seit meiner Jugend – und vor allem während eines ganzen Vierteljahrhunderts Berufsleben – begegnen durfte:

Ohne Euch wäre ich nicht da, wo ich jetzt bin.

So unfassbar unmenschlich, vernichtend, diffamierend und degradierend Ihr auf Eure ganz besondere Art und Weise auch wart – Ihr habt mich stark gemacht!

So stark, um nicht nur im Nachgang an Eure Taten stets nach vorne zu blicken, sondern auch, um Euch zu durchschauen und diese Erlebnisse in einen Psychothriller zu verpacken, der selbstverständlich reine Fiktion ist.

DIE AUTORIN

Ellen Maier wurde 1975 in Ludwigshafen am Rhein geboren und war 12 Jahre Leistungssportlerin in der Rhythmischen Sportgymnastik. Ihre Sportkarriere beendete sie 1993, nachdem sie ein Jahr zuvor als Mitglied der Deutschen Nationalmannschaft an der Europa- und Weltmeisterschaft teilnahm. Sie absolvierte im Jahre 2000 ihr Studium zur Diplom Geographin, schlug jedoch anschließend andere Wege ein: Von der Privatkundenberatung in der Finanzbranche, über das operative Marketing, bis hin zur Betreuung benachteiligter, sozialer Randgruppen – wie Langzeitarbeitslose, Flüchtlinge, ehemalige Häftlinge und Prostituierte, schwererziehbare Jugendliche sowie körperlich und geistig behinderte Menschen. Des Weiteren hat sie als selbstständiger Coach und Supervisor in zahlreichen Unternehmen mehr als 800 Mitarbeiterinnen und Mitarbeiter begleitet. Zuletzt mit dem Fokus auf Recruiting, Employer Branding, Personalentwicklung und Diversity & Inclusion, war sie angestellte Führungskraft in drei Unternehmen. Ellen Maier lebt mit ihrem Mann und den beiden Schulkindern im Süden von München.

www.maiers-soulfood.de